Das Buch

Eigentlich hat Ray Atlee, Juraprofessor an der Universität von Virginia, längst mit seiner Vergangenheit abgeschlossen. Der kleine Ort seiner Kindheit im tiefen Süden der USA ist für den 43-jährigen, der gerade eine überstürzte Scheidung hinter sich hat, nur mehr blasse Erinnerung. Auch zu seinem Bruder Forrest, der mit seinen wilden Eskapaden das schwarze Schaf der Familie ist, hat Ray kaum noch Kontakt. Doch die Erinnerung kommt mit einem Schlag zurück, als er eine Vorladung erhält; eine Vorladung durch seinen Vater.

Der alte, kranke Mann bewohnt alleine den Familienbesitz in Clanton, Mississippi. Mehr als vierzig Jahre lang hat er als einflussreicher Staatsbeamter die Politik der Gegend mitbestimmt und geprägt, noch immer kennen ihn alle als ›Richter Atlee‹. Nun, da er sein Ende ahnt, befiehlt er mit der Vorladung auf Datum und Uhrzeit genau seine beiden Söhne nach Hause, um sein Erbe zu regeln. Von bösen Vorahnungen geplagt, fügt sich Ray und bricht nach Clanton auf. Doch bei seiner Ankunft findet er den Richter tot vor. Und dann macht er im Arbeitszimmer eine weitere erschütternde Entdeckung, die ihn selbst in große Gefahr bringt und sein Leben völlig auf den Kopf stellt.

Der Autor

John Grisham hat 23 Romane, ein Sachbuch, einen Erzählband und ein Jugendbuch veröffentlicht. Seine Bücher wurden in 38 Sprachen übersetzt. Er lebt in Virginia und Mississippi.

Ein ausführliches Werkverzeichnis des Autors findet sich im Anschluss des Romans.

John Grisham

Der Richter

Roman

Aus dem Amerikanischen
von Heiner Friedlich, Dr. Bernhard Liesen,
Bea Reiter und Kristiana Ruhl

Wilhelm Heyne Verlag
München

Die Originalausgabe
THE SUMMONS
erschien bei Doubleday, New York

Dieses Buch ist ein Roman. Namen, Personen, Firmen,
Organisationen, Orte und Geschehnisse sind entweder der Fantasie
des Autors entsprungen oder werden fiktional verwendet. Jede
Ähnlichkeit mit lebenden oder toten Personen,
mit bestimmten Ereignissen oder Orten ist rein zufällig.

Verlagsgruppe Random House FSC-DEU-0100
Das für dieses Buch verwendete
FSC®-zertifizierte Papier *Holmen Book Cream*
liefert Holmen Paper, Hallstavik, Schweden.

11. Auflage

Taschenbucherstausgabe 05/2003
Copyright © 2002 by Belfry Holdings, Inc.
Copyright © dieser Ausgabe 2005 by
Wilhelm Heyne Verlag, München, in der
Verlagsgruppe Random House GmbH
Copyright © der deutschsprachigen Ausgabe 2002 by
Wilhelm Heyne Verlag GmbH & Co. KG, München
Printed in Germany 2011
Umschlaggestaltung: Hauptmann & Kompanie Werbeagentur,
Zürich, unter Verwendung eines Fotos von plainpicture
Gesetzt aus der Sabon bei
Franzis print & media, München
Druck und Bindung: CPI – Ebner & Spiegel, Ulm
www.heyne.de

ISBN: 978-3-453-86980-6

I

Da der Richter fast achtzig Jahre alt war und der modernen Technik misstraute, kam sein Brief auf dem guten alten Postweg. Für E-Mails oder Sendungen per Fax hatte der greise Mann nichts übrig. Einen Anrufbeantworter benutzte er nicht; selbst das Telefon war ihm immer unsympathisch gewesen. Seine Briefe tippte er im Zwei-Finger-Suchsystem auf einer altersschwachen Underwood-Schreibmaschine, die auf einem ebenfalls betagten Sekretär mit Rollverschluss thronte. An der Wand dahinter hing ein Porträt von Nathan Bedford Forrest. Der Großvater des Richters hatte im Amerikanischen Bürgerkrieg mit Forrest in der Schlacht von Shiloh und vielen anderen Orten im tiefen Süden gekämpft, und es gab keine historische Persönlichkeit, die der Richter mehr verehrte. Zweiunddreißig Jahre lang hatte er sich ohne weitere Begründung standhaft geweigert, am 13. Juli, Forrests Geburtstag, seinen Amtsgeschäften nachzukommen.

Mit dem Brief des Richters kamen ein weiteres persönliches Schreiben, eine Zeitschrift sowie zwei Rechnungen. Alle Sendungen waren wie üblich in Professor Ray Atlees Postfach in der juristischen Fakultät deponiert worden. Solange Ray zurückdenken konnte, waren Kuverts wie dieses ein Teil seines Lebens gewesen, und folglich wusste er sofort Bescheid. Der Absender war sein Vater, den auch er nur »den Richter« nannte.

Weil er unschlüssig war, ob er den Brief sofort öffnen oder noch etwas warten sollte, betrachtete Professor Atlee das Kuvert einen Augenblick lang. Gute Nachrichten oder schlechte? Bei seinem Vater konnte man das nie wissen, auch wenn der alte Mann todkrank war und gute Nachrichten selten geworden waren. Der dünne Umschlag schien nur einen Briefbogen zu enthalten, aber auch das war nichts Ungewöhnliches. Obwohl der alte Atlee einst wegen seiner wortreichen Strafpredigten bei Gericht bekannt gewesen war, ging er in schriftlicher Form äußerst sparsam mit Wörtern um.

Sicher war, dass es sich um einen Brief von einigermaßen wichtiger Natur handelte. Der Richter hasste Smalltalk, Tratsch und müßiges Geschwätz, gleichgültig ob mündlich oder schriftlich. Wenn man mit ihm auf der Veranda Eistee trank, wurde der Amerikanische Bürgerkrieg rekapituliert, vornehmlich die Schlacht von Shiloh. Stets gab der Alte General Pierre G. T. Beauregard die Schuld an der Niederlage der Konföderierten, weil der sich seiner Ansicht nach zu fein gewesen war, sich die blank gewienerten Stiefel schmutzig zu machen. Sollte der Richter den General zufällig im Himmel treffen, würde er ihn selbst dort noch hassen.

Denn schon bald würde der alte Atlee nicht mehr unter den Lebenden weilen. Er war neunundsiebzig Jahre alt, hatte Magenkrebs, war übergewichtig und Diabetiker und rauchte unablässig Pfeife. Dazu kamen ein schwaches Herz, das bereits drei Infarkten getrotzt hatte, und eine Reihe weniger schwerer Leiden, die ihn schon seit zwanzig Jahren quälten und sich jetzt anschickten, seinem Leben ein Ende zu machen. Die Schmerzen gönnten ihm keine Ruhepause mehr. Vor drei Wochen, bei ihrem letzten Telefonat, das auf Rays Initiative zustande gekommen war, weil der alte Mann Ferngespräche für Geldschneiderei hielt, hatte die Stimme des Richters schwach und arg mitgenommen geklungen. Das Gespräch hatte keine zwei Minuten gedauert.

Die Absenderangabe war mit Goldprägung auf das Kuvert gedruckt: Chancellor Reuben V. Atlee, 25. Chancery District, Ford County, Gerichtsgebäude, Clanton, Mississippi. Nachdem er den Umschlag in die Zeitschrift geschoben hatte, setzte sich Ray in Bewegung. Mittlerweile war sein Vater nicht mehr Vorsitzender Richter des Chancery Courts, eines Gerichts für Zivilsachen. Vor neun Jahren hatten ihn die Wähler in Pension geschickt, und von dieser bitteren Niederlage würde sich der alte Atlee nie erholen. Zweiunddreißig Jahre lang hatte er gewissenhaft seine Pflicht erfüllt – und dann jagten ihn die Wähler aus dem Amt und gaben einem jüngeren Kandidaten, der mit Wahlkampfspots im Radio und im Fernsehen für sich geworben hatte, den Vorzug. Der Richter hatte sich geweigert, ebenfalls eine Wahlkampagne zu führen, und behauptet, durch seine Arbeit zu sehr in Anspruch genommen zu sein. Außerdem verließ er sich darauf, dass ihn die Menschen kannten. Wenn sie ihn also erneut wählen wollten, würden sie das auch tun. Vielen erschien diese Strategie damals als arrogant. In Ford County ging seine Rechnung auf, doch in den anderen fünf Landkreisen musste er vernichtende Niederlagen einstecken.

Bis man den alten Atlee dazu gebracht hatte, endlich sein Büro im zweiten Stock des Gerichtsgebäudes zu räumen, gingen drei volle Jahre ins Land. Das Büro hatte ein Feuer überdauert und war bei zwei Renovierungen des Gebäudes nicht berücksichtigt worden, da der Richter sich weigerte, Anstreicher oder Handwerker in sein Refugium zu lassen. Erst als die County-Offiziellen ihm klar machten, dass er das Büro verlassen oder im Zuge einer Zwangsräumung mit dem Rauswurf rechnen musste, packte der Richter endlich seine Sachen. Nachdem er mittlerweile nutzlos gewordene Akten aus drei Jahrzehnten, Notizen und verstaubte alte Bücher in Pappkartons verstaut und damit in sein Haus transportiert hatte, stapelte er sie in seinem Arbeitszimmer. Als dort kein Platz mehr war, benutzte er den Flur zum Esszimmer und sogar die Diele.

Ray nickte einem im Korridor sitzenden Studenten zu und sprach vor seinem Büro kurz mit einem Kollegen. Dann trat er ein, verschloss die Tür und legte die Post auf seinen Schreibtisch. Nachdem er das Jackett ausgezogen und an einen Haken an der Tür gehängt hatte, stieg er über einen Stapel dicker juristischer Fachbücher, die ihm schon seit über einem halben Jahr im Weg lagen. Dabei wiederholte er seinen täglichen Schwur, endlich sein Büro aufzuräumen.

Der Raum war etwa sechzehn Quadratmeter groß. Es gab einen kleinen Schreibtisch und ein kleines Sofa, und auf beiden stapelte sich genügend unerledigte Arbeit, um Ray als einen sehr beschäftigten Mann erscheinen zu lassen. Doch das war er nicht. Im Sommersemester lehrte er lediglich über einen Paragrafen des Kartellrechts. Außerdem sollte er ein Buch schreiben, einen weiteren langweiligen, weitschweifigen Wälzer über die Monopolproblematik, den niemand lesen, der sich aber neben dem Vorgängerwerk gut machen würde. Zwar hatte Ray eine feste Anstellung als Professor, aber genau wie für alle anderen seiner seriösen Kollegen galt auch für ihn die Maxime »Wer schreibt, der bleibt«, die das akademische Leben heute dominierte.

Ray setzte sich an seinen Schreibtisch und räumte lästige Papiere aus dem Weg.

Dann studierte er die auf das Kuvert geschriebene Adresse: Professor N. Ray Atlee, Universität von Virginia, Juristische Fakultät, Charlottesville, Virginia. Die Buchstaben »E« und »O« drängten sich zu dicht an ihre Nachbarn, ein neues Farbband wäre schon vor einem Jahrzehnt fällig gewesen. Auch von Postleitzahlen hielt Atlee senior nichts.

Das »N« stand für »Nathan«, als Reminiszenz an den Bürgerkriegsgeneral, aber das wusste kaum jemand. Bei einer der heftigeren Auseinandersetzungen mit seinem Vater war es um die Entscheidung des Sohnes gegangen, auf »Nathan« zu verzichten und sich nur als »Ray« durchs Leben zu schlagen.

Der Richter schickte seine Briefe stets an die juristische Fakultät, nie an die Privatadresse seines Sohnes in der Innenstadt von Charlottesville. Imposante Adressen gefielen dem alten Mann, und alle in Clanton, selbst die Angestellten der Post, sollten wissen, dass sein Sohn Juraprofessor war. Allerdings war das überflüssig. Mittlerweile lehrte und publizierte Ray seit dreizehn Jahren, und die Leute, die in Ford County wirklich eine Rolle spielten, wussten längst Bescheid.

Nachdem er das Kuvert geöffnet hatte, entfaltete er den Briefbogen, auf dem gleichfalls in pompöser Goldprägung der Name, der frühere Titel und die ehemalige berufliche Adresse des Richters prangten. Auch hier fehlte die Postleitzahl. Offenbar hatte der alte Mann einen unerschöpflichen Vorrat von diesem Briefpapier und diesen Kuverts.

Das Schreiben richtete sich an Ray und dessen jüngeren Bruder, Forrest, die einzigen Kinder einer unglücklichen Ehe, die im Jahr 1969 durch den Tod ihrer Mutter zu Ende gegangen war. Der Brief war kurz – wie üblich:

Trefft bitte entsprechende Vorkehrungen, am Sonntag, den 7. Mai, um 17.00 Uhr in meinem Arbeitszimmer zu erscheinen, damit ich mit euch über mein Erbe reden kann. Mit freundlichen Grüßen, Reuben V. Atlee.

Die unverwechselbare Unterschrift war kleiner als früher und verriet eine zittrige Hand. Jahrelang hatte sie auf gerichtlichen Verfügungen und Urteilen geprangt und so den Verlauf zahlloser Leben verändert. Scheidungen, Fürsorgerechtsfälle, die Aussetzung elterlicher Rechte, Adoptionsangelegenheiten, Streitigkeiten über Erbschaften, Wahlen oder Grund und Boden – alles war dabei gewesen. Die Unterschrift des Richters hatte einst von Autorität gekündet und war wohl bekannt. Jetzt war sie für Ray nur noch das entfernt vertraute Gekritzel eines schwer kranken, alten Mannes.

Krank oder nicht, Ray wusste, dass er sich zum vorgesehenen Zeitpunkt im Arbeitszimmer seines Vaters einfinden würde. Er war sozusagen vorgeladen worden, und so ärgerlich das auch sein mochte, er hegte keinerlei Zweifel daran, dass er und sein Bruder dem Ruf des Familiengerichts folgen würden, um sich eine weitere Strafpredigt anzuhören. Es war typisch für den Richter, dass er sich einfach einen ihm genehmen Tag heraussuchte, ohne vorher anzufragen.

Es entsprach nun einmal der Natur des Alten – und vermutlich auch der der meisten seiner Richterkollegen –, Termine festzusetzen, ohne sich groß darum zu scheren, ob sie anderen passten oder nicht. Hatte man es ständig mit vollen Terminkalendern, zögerlichen Prozessparteien und überarbeiteten oder faulen Rechtsanwälten zu tun, gewöhnte man sich eine solche Strenge an, und vielleicht war sie sogar notwendig. Doch der Richter hatte sich in Bezug auf seine Familie schon immer beinahe genauso wie in seinem Gerichtssaal verhalten. Und das war der entscheidende Grund, weshalb sein Sohn Ray Professor der Rechtswissenschaften in Virginia war und nicht als Anwalt in Mississippi praktizierte.

Ray las die »Vorladung« noch einmal und legte den Brief dann auf einen Stapel anderer Unterlagen, um die er sich noch kümmern musste. Dann ging er zum Fenster und blickte in den Hof hinaus, wo alles blühte. Er war weder wütend noch verbittert, sondern lediglich frustriert, dass sein Vater ihm immer noch seinen Willen aufzwingen konnte. Aber er sagte sich, dass der Richter ein Todgeweihter war und er ihm diese Behandlung nachsehen sollte. Viele Reisen nach Hause würden ohnehin nicht mehr auf dem Programm stehen.

Mit dem Erbe des Richters verhielt es sich rätselhaft. In erster Linie ging es um das aus der Zeit vor dem Amerikanischen Bürgerkrieg stammende Haus, das jener Atlee erbaut hatte, der später an der Seite von General Forrest in den Kampf gezogen war. Dann war das Anwesen von Generation zu Generation vererbt worden. In einer schattigen Straße der Altstadt von Atlanta wäre das Haus über eine Million Dollar wert gewesen, nicht aber in Clanton. Es lag inmitten von fünf vernachlässigten Grundstücken, etwa drei Häuserblocks vom zentralen Platz der Stadt, dem Clanton Square, entfernt. Böden und Decken verzogen sich, das Dach war undicht, und seit Rays Geburt hatte es keinen neuen Anstrich mehr gesehen. Vielleicht konnten sein Bruder und er das Haus für einhunderttausend Dollar verkaufen, doch der Käufer würde die doppelte Summe investieren müssen, um es wirklich bewohnbar zu machen. Von den beiden Brüdern würde keiner jemals wieder darin leben. Schon jetzt hatte Forrest jahrelang keinen Fuß mehr in das Gebäude gesetzt.

Seinerzeit war das Haus auf den Namen Maple Run

getauft worden, als wäre es ein großartiger Landsitz mit Dienerschaft, in dem ein gesellschaftliches Ereignis auf das andere folgte. Die letzte Angestellte war ein Dienstmädchen namens Irene gewesen. Seit sie vor vier Jahren gestorben war, waren die Zimmer nicht mehr gesaugt und die Möbel nicht mehr poliert worden. Der Richter zahlte einem ortsansässigen Kleinkriminellen zwanzig Dollar pro Woche, damit er den Rasen mähte. Erst nach langem Zögern hatte er sich darauf eingelassen. Achtzig Dollar pro Monat – in seinen Augen war das Diebstahl.

Als Ray ein Kind gewesen war, hatte seine Mutter ihr Zuhause tatsächlich immer nur »Maple Run« genannt. Das Abendessen wurde nicht in ihrem »Haus« aufgetragen, sondern in »Maple Run«, die Adresse war nicht die der Familie Atlee in der Fourth Street, sondern »Maple Run, Fourth Street«. Nur wenige Menschen in Clanton konnten Häuser mit Namen vorweisen.

Sie starb an einem Aneurysma und wurde auf einem Tisch im vorderen Salon aufgebahrt. Zwei Tage lang paradierte die ganze Stadt über die Veranda, durch die Diele und den Salon, um ihr die letzte Ehre zu erweisen; anschließend wurden im Esszimmer Punsch und Plätzchen serviert. Ray und Forrest versteckten sich auf dem Dachboden und verfluchten ihren Vater, weil er ein solches Spektakel inszeniert hatte. Da unten, in dem offenen Sarg, lag ihre Mutter, eine hübsche junge Frau, die jetzt, mit bleicher Haut und steif von der Totenstarre, den Blicken der anderen Stadtbewohner ausgesetzt war.

Wegen seines zunehmend ruinösen Zustandes hatte Forrest das Anwesen immer nur »Maple Ruin« genannt. Die roten und gelben Ahornbäume, die einst die Straße gesäumt hatte, waren an irgendeiner unbekannten Krankheit zugrunde gegangen, die verrotteten Baumstümpfe nie entfernt worden. Auf dem Rasen vor dem

Haus spendeten vier riesige Eichen Schatten, die tonnenweise Laub abwarfen, das niemand zusammenharkte und wegschaffte. Mindestens zweimal pro Jahr brach ein Ast ab, der irgendwo auf das Haus krachte und vielleicht entfernt wurde, vielleicht aber auch nicht. Jahr um Jahr und Jahrzehnt um Jahrzehnt musste das Haus Schläge einstecken, doch es brach nie zusammen.

Trotz allem war das georgianische Gebäude immer noch stattlich, obwohl die Säulen, einst zum Andenken des Bauherrn errichtet, nur noch eine traurige Erinnerung an den Niedergang der Familie waren. Ray wollte nichts mehr mit dem Haus zu tun haben. Für ihn waren damit nur unangenehme Gefühle verbunden; jede Rückkehr in seine Heimat deprimierte ihn. Er wollte nie wieder in Clanton leben. Außerdem hätte er es sich auch nicht leisten können, ein Haus zu unterhalten, das in finanzieller Hinsicht ein Fass ohne Boden war und eigentlich abgerissen und dem Erdboden gleich gemacht werden sollte. Forrest würde es eher anzünden als wieder einzuziehen.

Der Richter legte großen Wert darauf, dass Ray das Haus übernahm und es im Besitz der Familie hielt. Während der letzten paar Jahre war mehrfach vage darüber gesprochen worden, doch eine Frage hatte Ray nie zu stellen gewagt: »Was denn für eine Familie?« Kinder hatte er nicht. Er hatte eine Exfrau, aber eine neue Partnerin war nicht in Sicht. Dasselbe galt für Forrest, wenn man einmal davon absah, dass er sogar zwei Exfrauen aufweisen konnte, außerdem eine Schwindel erregende Kollektion von Exfreundinnen. Gegenwärtig lebte er mit Ellie zusammen, die zwölf Jahre älter war, hundertvierzig Kilogramm wog und sich dem Malen und Töpfern verschrieben hatte.

Dass Forrest bis jetzt noch keinen Nachwuchs produziert hatte, glich einem biologischen Wunder, aber bisher waren keine Kinder aktenkundig geworden.

Folglich schien es unausweichlich, dass die Familie Atlee ausstarb, aber Ray beunruhigte das überhaupt nicht. Er lebte sein eigenes Leben und würde sich weder den Wünschen seines Vaters noch der glorreichen Vergangenheit der Familie unterwerfen. Nach Clanton kehrte er nur anlässlich von Beerdigungen zurück.

Nie war darüber gesprochen worden, was der Richter sonst noch zu vererben hatte. Einst war die Familie Atlee sehr wohlhabend gewesen, allerdings lange vor Rays Zeit. Land, Baumwolle, Sklaven, Eisenbahnen, Banken, Politik – das typische Portfolio eines Konföderierten, dessen Geldwert allerdings im späten 20. Jahrhundert gen null tendierte. Freilich hatte dies den Atlees den Ruf eingebracht, dass »Geld in der Familie« war.

Mit zehn Jahren hatte Ray erfahren, dass seine Familie reich war. Sein Vater war Richter, ihr Anwesen hatte einen Namen, und im ländlichen Mississippi bedeutete dies, dass er ein Kind aus reichem Hause war. Vor ihrem Tod hatte sich ihre Mutter alle Mühe gegeben, Ray und Forrest davon zu überzeugen, dass sie etwas Besseres als die meisten anderen waren. Sie lebten in einem eigenen Haus, waren Presbyterianer, machten alle drei Jahre Urlaub in Florida, trugen die bessere Kleidung. Gelegentlich aßen sie im Restaurant des Peabody-Hotels in Memphis zu Abend.

Schließlich wurde Ray in Stanford angenommen. Doch angesichts des unverblümten Kommentars des Richters platzten seine Träume wie Luftballons: »Das kann ich mir nicht leisten.«

»Was willst du damit sagen?«, fragte Ray.

»Exakt das, was ich gesagt habe. Stanford kann ich mir nicht leisten.«

»Aber das verstehe ich nicht.«

»Dann muss ich mich wohl deutlicher ausdrücken. Es steht dir völlig frei, für welches College du dich entscheidest. Sollte deine Wahl auf Sewanee fallen, werde ich dafür aufkommen.«

Also ging Ray nach Sewanee, allerdings ohne den angeblichen Reichtum seiner Familie im Reisegepäck. Zwar unterstützte ihn sein Vater finanziell, doch der kärgliche Wechsel reichte kaum für Studiengebühren, Bücher, Unterbringung, Verpflegung und die Beiträge für die Studentenverbindung. Später besuchte er die juristische Fakultät der Tulane-Universität in New Orleans, wo er sich dadurch über Wasser hielt, dass er in einer Austernbar im Französischen Viertel kellnerte.

Zweiunddreißig Jahre lang hatte der Richter das Gehalt eines Chancellor bezogen, das aber in dieser Gegend im Vergleich zum Landesdurchschnitt zu den niedrigsten zählte. Als Ray damals an der Tulane-Universität einen Bericht über die Besoldung von Richtern las, musste er bekümmert feststellen, dass Richter in Mississippi zweiundfünfzigtausend Dollar pro Jahr verdienten, während ihre Kollegen überall sonst im Land durchschnittlich fünfundneunzigtausend einstrichen.

Der Richter lebte das einsame Leben eines Witwers, gab wenig für das Haus aus und hatte außer dem Pfeiferauchen keinerlei schlechte Angewohnheiten. Selbst hier bevorzugte er billigen Tabak. Er fuhr einen alten Lincoln, aß schlecht, aber reichlich, und trug die gleichen schwarzen Anzüge, die man seit den Fünfzigerjahren an ihm kannte. Sein Laster war sein Wohltätigkeitsfimmel. Er sparte und spendete sein Geld dann für wohltätige Zwecke.

Niemand wusste, wie viel Geld der Richter im Jahr weggab. Zehn Prozent gingen automatisch an die presbyterianische Kirche, zweitausend Dollar nach Sewanee, dieselbe Summe an den Verein Söhne der Konföderation. Diese drei Posten glichen ehernen Gesetzen, bei den anderen war das nicht so.

Der Richter gab praktisch jedem etwas, der ihn um eine Spende anging: einem behinderten Kind, das Krücken brauchte, einem All-Star-Team, das an einem Turnier mehrerer Bundesstaaten teilnehmen wollte, dem Rotary-Klub, der für die Impfung von Kleinkindern im Kongo sammelte, einem Tierheim, das sich um die herrenlosen Hunde und Katzen in Ford County kümmerte, dem einzigen Museum von Clanton, weil es ein neues Dach benötigte.

Die Liste war endlos. Um einen Scheck vom alten Atlee zu erhalten, musste man nur einen kurzen Brief schreiben und darin um eine Spende bitten. Das Geld kam prompt, und das war schon immer so gewesen, seit Ray und Forrest das Haus verlassen hatten.

Vor seinem geistigen Auge sah Ray seinen Vater förmlich vor sich, wie er an seinem unaufgeräumten, staubigen Schreibtisch mit dem Rollverschluss saß und auf der Underwood kurze Nachrichten tippte, die er dann in die Kuverts mit dem Aufdruck »Chancellor« steckte – zusammen mit den kaum entzifferbaren Schecks, die von der First National Bank of Clanton ausgegeben wurden. Fünfzig Dollar hier, hundert Dollar dort, für jeden etwas – bis das Geld restlos verbraucht war.

Mit dem Erbe würde es schon deshalb keine Probleme geben, weil es nur noch wenig zu verteilen gab. Die alten juristischen Fachbücher, das abgenutzte Mobiliar, die mit schmerzhaften Erinnerungen verknüpften Familienfotos und Andenken, längst vergessene Akten und Papiere – all das war nur noch ein Haufen Ramsch, mit dem man höchstens ein beeindruckendes Freudenfeuer veranstalten konnte. Was immer das Haus noch bringen mochte, er und Forrest würden es verkaufen und schon zufrieden sein, wenn überhaupt etwas von dem »Familienvermögen« der Atlees übrig blieb.

Eigentlich hätte er jetzt Forrest anrufen sollen, aber es fiel ihm nie schwer, solche Telefonate zu verschieben. Sein Bruder Forrest – das war ein anderes Thema. Da gab es diverse Probleme, die weitaus komplizierter waren als die Schwierigkeiten mit einem todkranken, zurückgezogen lebenden Vater, der nichts anderes mehr im Sinn hatte, als sein Geld zu spenden. Forrest war ein wandelndes Wrack, eine einzige Katastrophe, ein sechsunddreißigjähriges Kind, dessen Gehirn abgestumpft war durch jede legale und illegale Droge, die der amerikanischen Kultur bekannt war.

Was für eine Familie, murmelte Ray vor sich hin.

Er sagte die für elf Uhr angesetzte Lehrveranstaltung ab und fuhr los, um sich seine Form von »Therapie« zu gönnen.

2

Über dem Piedmont Plateau lag der Frühling. Der Himmel war ruhig und klar, und an den Ausläufern der Berge wurde die Natur mit jedem Tag grüner. Im Shenandoah Valley pflügten die Farmer sorgfältig ihre Felder und überzogen sie mit kreuzförmigen Mustern, die das Gesicht des Tals veränderten. Für den nächsten Tag war Regen angekündigt, aber im zentralen Virginia konnte man der Wettervorhersage ohnehin nicht trauen.

Da Ray schon fast dreihundert Flugstunden absolviert hatte, galt sein erster Blick, wenn er sich morgens für den Acht-Kilometer-Lauf vorbereitete, dem Himmel. Joggen konnte er bei jedem Wetter, fliegen nicht. Er hatte sich und seiner Versicherung gelobt, nicht nachts oder bei bewölktem Himmel zu fliegen. Fünfundneunzig Prozent aller Abstürze von Kleinflugzeugen ereigneten sich entweder bei schlechtem Wetter oder nachts, und auch nach drei Jahren Flugerfahrung war Ray noch entschlossen, lieber als Feigling zu gelten als zu viel zu riskieren. »Es gibt alte Piloten und verwegene Piloten, aber keine alten verwegenen Piloten«, besagte eine Fliegerweisheit, und Ray war von ihrer Richtigkeit überzeugt.

Außerdem war das zentrale Virginia viel zu schön, um in einer Wolkendecke darüber hinwegzufliegen. Da wartete er lieber auf perfektes Wetter – kein Wind, der seine Maschine erfasste und die Landung komplizierte, kein Nebel, der seine Sicht behinderte und ihn die Orientierung verlieren ließ, keine Bedrohung durch Sturm oder Regen. War der Himmel während des Joggens klar, bestimmte das in der Regel seinen weiteren Tagesablauf. Er konnte das Mittagessen vorziehen oder hinauszögern, eine Lehrveranstaltung ausfallen lassen und seine wissenschaftliche Arbeit auf einen Regentag verschieben. Oder auf eine verregnete Woche. War der Wetterbericht günstig, machte Ray sich auf den Weg zum Flugplatz.

Die Docker's Flight School lag nördlich der Stadt, fünfzehn Minuten Fahrt von der juristischen Fakultät entfernt. An der Flugschule angekommen, wurde Ray stets mit den üblichen rüden Sprüchen begrüßt. Dick Docker, Charlie Yates und Fog Newton waren ehemalige Militärpiloten, und ihre Flugschule hatte die meisten Freizeitpiloten der Gegend ausgebildet. Jeden Tag saßen sie auf alten Klappstühlen im so genannten »Cockpit«, dem Büro der Flugschule, zusammen, wo sie literweise Kaffee tranken und endlose wahre oder erlogene Geschichten aus dem Fliegerleben erzählten, die stündlich fantastischer wurden. Ob es ihm gefiel oder nicht, jeder Kunde und Flugschüler bekam hier seinen Teil an verbalen Unverschämtheiten ab. Die Reaktionen kümmerten die drei nicht. Sie erhielten eine üppige Pension.

Als Ray auftauchte, animierte sie das prompt dazu, die neuesten Anwaltswitze zu erzählen, von denen zwar keiner besonders witzig war, deren Pointen sie aber laut johlen ließen.

»Kein Wunder, dass Sie keine Flugschüler haben«, sagte Ray und widmete sich den Formularen.

»Wohin soll's gehen?«, fragte Docker.

»Ich will ein paar Löcher in den Himmel bohren.«

»Dann alarmiere ich schon mal die Jungs von der Flugsicherung.«

»Dafür sind Sie doch viel zu beschäftigt.«

Nach zehn Minuten, in denen er die Mietformulare für das Flugzeug ausfüllte und weitere Schmähungen über sich ergehen lassen musste, war Ray startklar. Für achtzig Dollar pro Stunde konnte er eine Cessna mieten, mit der er sich fünfzehnhundert Meter über die Erde erheben und die Welt hinter sich lassen konnte: Menschen, Telefone, Autos, seine Studenten, die wissenschaftliche Forschung und vor allem seinen kranken Vater, seinen verrückten Bruder und die unvermeidliche Misere, mit der er es in Clanton zu tun bekommen würde.

Neben der fahrbaren Treppe gab es Abstellplätze für dreißig Flugzeuge. Die meisten waren Hochdecker-Cessnas mit nicht einziehbaren Fahrgestellen, die noch immer die sichersten Maschinen waren, die man jemals gebaut hatte. Aber es gab auch einige ausgefallenere Modelle. Neben seiner Cessna stand eine prachtvolle einmotorige Beech Bonanza mit zweihundert PS. Mit ein bisschen Training würde Ray sie innerhalb eines Monats fliegen können. Das Flugzeug war fast hundertdreißig Stundenkilometer schneller als die Cessna und verfügte über genügend technische Einrichtungen und Flugelektronik, um das Herz jedes Piloten höher schlagen zu lassen. Doch nicht genug damit – die Beech Bonanza stand für vierhundertfünfzigtausend Dollar zum Verkauf. Das lag zwar außerhalb von Rays Möglichkeiten, doch nicht zu weit. Laut den neuesten Informationen aus dem »Cockpit« baute der Besitzer des Flugzeugs Einkaufszentren und war jetzt auf eine King Air scharf.

Ray wandte sich von der Bonanza ab und konzentrierte sich auf die kleine Cessna daneben. Wie alle noch relativ unerfahrenen Piloten inspizierte er das Flugzeug sorgfältig anhand einer Checkliste. Fog Newton, sein Ausbilder, hatte jede Flugstunde mit Horrorstorys über Brände mit Todesfolge eröffnet, die jene Piloten verursachten, die entweder zu faul oder zu sehr in Eile waren, um eine Checkliste zu benutzen.

Als er sich vergewissert hatte, dass an der Außenseite der Maschine alles in Ordnung war, öffnete er die Tür und schnallte sich im Cockpit an. Der Motor begann zu schnurren, das Funkgerät knisterte. Nachdem er eine weitere Liste über Maßnahmen vor dem Start durchgegangen war, meldete er sich beim Tower. Vor ihm war ein Linienflug dran; nach zehn Minuten im Cockpit erhielt er die Starterlaubnis. Beim Start lief alles glatt, und Ray steuerte die Maschine in westlicher Richtung auf das Shenandoah Valley zu.

Bei gut zwölfhundert Metern Flughöhe überquerte er den Afton Mountain, der sich ziemlich dicht unter ihm befand. Ein paar Sekunden lang geriet die Cessna durch eine Bergturbulenz etwas ins Schlingern, aber das war nichts Außergewöhnliches. Als Ray die Ausläufer der Berge hinter sich gelassen hatte und sich über Weiden und Feldern befand, flog er an einem ruhigen, windstillen Himmel dahin. Offiziell betrug die Sichtweite dreißig Kilometer, aber in dieser Höhe konnte er sehr viel weiter blicken, da kein einziges Wölkchen zu sehen war. Bei tausendfünfhundert Metern tauchten langsam die Gipfel von Westvirginia am Horizont auf. Nachdem er auf einer Checkliste abgehakt hatte, was während des Flugs überprüft werden sollte, stellte er den Gashebel auf Normalbetrieb. Dann entspannte er sich – zum ersten Mal, seit er das Flugzeug vor dem Start auf der Rollbahn in Position gebracht hatte.

Die Stimmen aus dem Funkgerät verstummten, und das würde sich erst wieder ändern, wenn er den Empfang auf den sechzig Kilometer weiter südlich gelegenen Roanoke-Tower umstellte. Aber er beschloss, Roanoke zu meiden und sich weiter im unkontrollierten Luftraum aufzuhalten.

Aus persönlicher Erfahrung wusste Ray, dass es in der Gegend von Charlottesville Psychotherapeuten gab, die pro Stunde zweihundert Dollar berechneten. Dagegen war Fliegen fast schon ein Sonderangebot – und außerdem sehr viel wirkungsvoller. Nichtsdestotrotz war der Therapeut, der ihm damals vorgeschlagen hatte, sich ein Hobby zu suchen, sehr gut gewesen. Ray hatte ihn aufgesucht, weil er einfach mit jemandem sprechen musste. Exakt einen Tag, nachdem die frühere Mrs. Ray Atlee die Scheidung eingereicht, ihren Job gekündigt und das Haus nur mit ihren Kleidungsstücken und ihrem Schmuck verlassen hatte – wofür sie bei ihrer skrupellosen Effizienz weniger als sechs Stunden benötigte –, verließ Ray die Praxis des Therapeuten zum letzten Mal. Er fuhr zum Flugplatz, stolperte ins »Cockpit« und hörte sich die ersten Unverschämtheiten an. Ob sie von Dick Docker oder Fog Newton gekommen waren, wusste er nicht mehr genau.

Die Schmähungen taten ihm gut; immerhin kümmerte sich auf diese Weise jemand um ihn. Weitere Invektiven folgten, aber der verwirrte und mitgenommene Ray fand eine Art neues Zuhause. Seit drei Jahren zog er nun bei gutem Wetter los und schwebte einsam am klaren Himmel über den Blue Ridge Mountains und dem Shenandoah Valley dahin. Dabei besänftigte er seinen Zorn, vergoss ein paar Tränen oder sprach mit einem imaginären Partner auf dem Sitz neben sich über sein unglückliches Leben. Die Antwort des leeren Sitzes war immer dieselbe: Sie ist fort.

Manche Frauen verschwinden und kommen irgendwann

zurück. Andere machen sich aus dem Staub und unterziehen sich dann einer schmerzhaften Überprüfung ihres Entschlusses. Wieder andere setzen ihre Entscheidung mit einer solchen Entschlossenheit in die Tat um, dass sie nie zurückblicken. Vickis Abschied aus seinem Leben war so gut geplant und so kaltblütig inszeniert worden, dass Rays Anwalt nur ein Kommentar eingefallen war: »Geben Sie auf, Kollege.«

Sie hatte schlicht einen besseren Deal gemacht. Wie ein Spitzensportler, der kurz vor Schließung des Transfermarkts das Team wechselte, entschied sie sich für das lukrativere Angebot. Trikotwechsel, ein Lächeln für die Kameras, Vergangenheit abhaken. Eines schönen Tages, Ray war gerade in der Universität, verschwand sie in einer Limousine mit angehängtem Wohnwagen, in dem sie ihre Sachen verstaut hatte. Schon zwanzig Minuten später spazierte sie in ihr neues Zuhause, ein zu einer Pferdefarm gehörendes Landhaus, wo Lew »der Liquidator« sie mit offenen Armen und einem vorehelichen Abkommen in der Tasche erwartete. Lew war ein skrupelloser Unternehmensliquidator, was ihm Rays Recherchen zufolge etwa eine halbe Milliarde eingetragen hatte. Mit vierundsechzig Jahren hatte er sein Geld genommen, der Wall Street den Rücken gekehrt und aus irgendeinem Grund ausgerechnet Charlottesville als neuen Wohnsitz gewählt.

Irgendwann lief ihm dort Vicki über den Weg. Er bot ihr ein Geschäft an, schwängerte sie und wurde so zum Vater der Kinder, die Ray sich gewünscht hatte. Jetzt, mit neuer Gattin als Trophäe und frischer Nachkommenschaft, gerierte sich Lew als der neue Mittelpunkt Charlottesvilles.

Genug jetzt, murmelte Ray. Er sprach laut vor sich hin, doch hier oben, hoch über der Erde, antwortete ihm niemand.

Er nahm an – zumindest hoffte er es –, dass Forrest clean und nüchtern bei ihrem Vater auflaufen würde, aber solche Annahmen waren häufig irrig, und die Hoffnungen wurden enttäuscht. Zwanzig Jahre Entzug und Rückfälle – es war durchaus fraglich, ob Forrest seine Sucht jemals in den Griff bekommen würde. Zudem war Ray sich sicher, dass sein Bruder pleite war, was sich bei seinem Lebenswandel kaum vermeiden ließ. Wenn es so war, musste er sich nach Geld umsehen, und da kam ihm das bald fällige Erbe ihres Vaters gerade recht.

Das Geld, das nicht wohltätigen Organisationen oder kranken Kindern zugute gekommen war, hatte der Richter in etliche Entziehungskuren und Therapien Forrests investiert – ein Fass ohne Boden. Etliche Jahre blanker Geldverschwendung. Schließlich »exkommunizierte« der Alte seinen Sohn Forrest auf die ihm eigene Art und Weise, indem er ihn aus der Vater-Sohn-Beziehung hinauswarf. So viele Jahre lang hatte er Ehen geschieden, Eltern ihre Kinder weggenommen, Kinder an Adoptiveltern vermittelt, geistig kranke Menschen für immer wegschließen lassen und straffällige Väter in den Knast geschickt – alles drastische und schwer wiegende Urteile, die er durch seine Unterschrift besiegelt hatte. Als er seinerzeit Richter geworden war, war die Autorität ihm vom Bundesstaat Mississippi verliehen worden, doch gegen Ende seiner Laufbahn nahm er nur noch von Gott persönlich Befehle entgegen.

Wenn irgendein Vater in der Lage war, seinen Sohn zu verstoßen, dann Chancellor Reuben V. Atlee.

Forrest jedoch tat so, als hätte ihm das nichts ausgemacht. Er hielt sich für einen Freigeist und gab damit an, Maple Run neun Jahre lang nicht mehr betreten zu haben. Einmal, nach einem der drei väterlichen Herzinfarkte, als der Arzt die Familie zusammentrommelte, besuchte er den Richter im Krankenhaus. Überraschenderweise war er damals nüchtern. »Zweiundfünfzig Tage, Bruderherz«, flüsterte er Ray zu, während sie im Flur der Intensivstation warteten. In der Anfangsphase des Entzugs war er geradezu vernarrt in Zahlen.

Sollte der Richter tatsächlich Pläne hegen, Forrest in seinem Testament zu berücksichtigen, würde das diesen am meisten überraschen. Aber wenn die Chance bestand, dass er durch das Erbe Geld in die Finger bekam, würde er zur Stelle sein und jeden Krümel auflesen.

Über der New River Gorge in der Nähe von Beckley in Westvirginia wendete Ray, um sich auf den Rückweg zu machen. Fliegen war zwar preiswerter als der Psychotherapeut, aber deshalb keineswegs billig. Die Uhr lief. Sollte er in der Lotterie gewinnen, würde er die Bonanza kaufen und überallhin fliegen. In zwei Jahren stand ihm das Professoren zugebilligte Sabbatical zu, das eine willkommene Erlösung von den Strapazen des akademischen Alltags sein würde. Man würde von ihm erwarten, dass er in dieser Zeit seinen Achthundert-Seiten-Wälzer zum Thema Monopole abschloss, und es bestand eine realistische Chance, dass er das auch schaffte. Sein Traum war allerdings, die Bonanza zu mieten und damit in den Himmel zu entschwinden.

Zwanzig Kilometer westlich des Flugplatzes meldete er sich beim Tower, der ihn über die Anflugvorschriften informierte. Da nur ein leichter Wind aus unterschiedlichen Richtungen ging, würde die Landung ein Kinderspiel werden. Beim Anflug, als Ray noch etwa eineinhalb Kilometer von der Rollbahn entfernt war und die Flughöhe seiner kleinen Cessna schulbuchmäßig verringerte, meldete sich über Funk ein anderer Pilot. Dem Fluglotsen stellte er sich als »Challenger-two-four-four-delta-mike« vor, seine Position war zwanzig Kilometer weiter nördlich. Der Tower erteilte ihm die Landeerlaubnis, aber die Cessna hatte Vorrang.

Ray konnte die Gedanken an das andere Flugzeug gerade lange genug verdrängen, um eine Bilderbuchlandung hinzulegen. Dann verließ er die Landepiste und rollte auf die fahrbare Treppe zu.

Eine Challenger ist ein Privatjet kanadischer Bauart, der je nach Modell für acht bis fünfzehn Passagiere ausgelegt ist. Damit kann man ohne Zwischenlandung von New York nach Paris fliegen, und zwar auf luxuriöse Art und Weise, weil ein Flugbegleiter Drinks und Mahlzeiten serviert. Eine neue Challenger kostet etwa fünfundzwanzig Millionen Dollar, wobei der genaue Preis davon abhängt, für welche der zahllosen Extras sich der Kunde entscheidet.

Der Privatjet gehörte Lew dem Liquidator, der die Maschine aus der Konkursmasse einer der vielen glücklosen Firmen, die er als Unternehmensabwickler rupfte, herausgepickt hatte. Während Ray die Landung des Privatjets beobachtete, hoffte er einen Augenblick lang, die Maschine würde vor seinen Augen eine Bruchlandung hinlegen und auf der Rollbahn ausbrennen, damit er sich an dem Spektakel weiden konnte. Natürlich kam es nicht so. Als die Challenger auf das Privatterminal zurollte, saß Ray plötzlich in der Klemme.

Seit ihrer Scheidung vor ein paar Jahren hatte er Vicki zweimal gesehen, und er war auf eine Wiederholung in diesem Moment absolut nicht scharf, weil er in einer zwanzig Jahre alten Cessna hockte, während sie gleich die Gangway ihres goldenen Privatjets hinabspazieren würde. Aber vielleicht war sie ja gar nicht an Bord. Möglicherweise kehrte Lew Rodowski nur von einem seiner skrupellosen Beutezüge zurück.

Ray unterbrach die Treibstoffzufuhr, und der Motor erstarb. Während die Challenger weiter auf ihn zukam, versank er so tief wie möglich im Pilotensessel.

Als der Privatjet etwa dreißig Meter von ihm entfernt eben zum Stehen kam, fuhr bereits ein glänzender schwarzer Suburban darauf zu. Ein bisschen zu schnell, mit eingeschaltetem Licht, ganz so, als wäre eben eine königliche Hoheit in Charlottesville eingetroffen. Zwei junge Männer in farblich aufeinander abgestimmten grünen Hemden und Baumwollhosen sprangen aus der Limousine, um den Liquidator und alle, die sonst noch an Bord der Maschine waren, zu empfangen. Die Tür der Challenger öffnete sich, die Gangway wurde ausgefahren, und Ray beobachtete fasziniert über sein Instrumentenbrett hinweg, wie einer der beiden Piloten mit zwei großen Einkaufstüten in den Händen die Treppe hinabstieg.

Dann folgte Vicki mit den Zwillingen, die mittlerweile fast drei Jahre alt waren: Simmons und Ripley, zwei arme Teufel, denen man geschlechtsneutrale Nachnamen als Vornamen verpasst hatte, weil ihre Mutter eine Idiotin war und ihr Vater vorher schon neun Kinder gezeugt hatte und es ihm mittlerweile wahrscheinlich egal war, wie seine Nachkommen hießen. Die Zwillinge waren Jungen. Ray wusste das, weil er im Lokalblatt die Seiten studiert hatte, auf denen Geburten und Todesfälle, aber auch Einbrüche und Ähnliches angezeigt wurden. Zur Welt gekommen waren sie im Martha Jefferson Hospital – sieben Wochen und drei Tage, nachdem die einvernehmlich vollzogene Scheidung der Atlees aktenkundig geworden war, und sieben Wochen und zwei Tage, nachdem die hochschwangere Vicki Lew Rodowski geehelicht hatte. Für den Liquidator war das bereits der vierte Gang zum Traualtar gewesen, wenn es denn auf der Pferdefarm einen gab.

Die beiden Jungen an den Händen haltend, stieg Vicki vorsichtig die Gangway hinab. Die halbe Milliarde Dollar bekamen ihr gut – sie trug eine enge Designer-Jeans, und ihre langen Beine waren merklich schlanker geworden, seit sie zur Welt des Jetset gehörte. Tatsächlich wirkte Vicki fast wie verhungert – spindeldürre Arme, ein kleiner, flacher Hintern, ausgezehrte Wangen. Ihre Augen konnte Ray nicht sehen, weil sie hinter einer Wrap-around-Sonnenbrille verborgen waren. Ob die Brille aus Hollywood oder Paris stammte, konnte man sich aussuchen, auf jeden Fall war sie der letzte Schrei.

Dagegen hatte der Liquidator, der ungeduldig hinter seiner gegenwärtigen Frau und seinen Kindern wartete, ganz offensichtlich nicht am Hungertuch genagt. Angeblich lief er Marathon, aber das, was er den Journalisten erzählte, stimmte in der Regel so gut wie nie. Er war untersetzt und dickbäuchig und hatte eine Halbglatze. Die verbliebenen Haare waren grau. Vicki war einundvierzig und ging für dreißig durch, Lew war vierundsechzig, wirkte aber mindestens wie siebzig. Zumindest erschien es Ray so, der das mit großer Befriedigung zur Kenntnis nahm.

Als sie schließlich in der Limousine Platz genommen hatten, waren die beiden Piloten noch damit beschäftigt, Gepäck und große Einkaufstüten von Saks und Bergdorf in dem Suburban zu verstauen. Nur ein kleiner Shoppingtrip nach Manhattan – dauerte ja nur eine Dreiviertelstunde, wenn man eine Challenger sein Eigen nannte.

Schließlich raste der Suburban davon. Die Show war vorbei, und Ray richtete sich in seiner Cessna wieder auf.

Hätte er Vicki nicht so gehasst, dann wäre er noch lange sitzen geblieben, um seine Ehe Revue passieren zu lassen.

Es hatte keinerlei Warnschüsse gegeben, keine Auseinandersetzungen, keine atmosphärischen Veränderungen. Sie war einfach über eine bessere Partie gestolpert.

Um tief durchzuatmen, öffnete er die Tür. Jetzt bemerkte er, dass sein Kragen völlig durchgeschwitzt war. Nachdem er sich die Stirn abgewischt hatte, stieg er aus.

Zum ersten Mal überhaupt bereute er es, zum Flugplatz gefahren zu sein.

3

Die juristische Fakultät lag direkt neben der für Wirtschaftswissenschaften. Beide Institute befanden sich am nördlichen Rand des Campus, der seit den Zeiten von Thomas Jefferson sehr gewachsen war und nicht mehr viel zu tun hatte mit dem malerischen akademischen Viertel, das dieser einst entworfen und gebaut hatte.

Für eine Universität, an der die Architektur des Gründers so verehrt wurde, war es überraschend, dass die juristische Fakultät in einem rechteckigen und eher niedrigen Bau aus Glas und Betonquadern beheimatet und genauso langweilig und fantasielos wie Millionen andere Gebäude aus den Siebzigerjahren war. Aber in jüngster Zeit waren die Institute renoviert und der Umgebung angepasst worden. Die Universität selbst rangierte in den Top Ten der amerikanischen Unis, was allen, die hier lehrten oder arbeiteten, sehr wohl bewusst war. Zwar hatten einige Ivy-League-Universitäten beim Ranking besser abgeschnitten, aber keine einzige der aus Steuergeldern finanzierten Hochschulen. Die Universität hatte tausend überdurchschnittliche Studenten und äußerst qualifiziertes Lehrpersonal.

Früher hatte Ray Wertpapierrecht an der Northeastern-Universität in Boston gelehrt. Einige seiner Publikationen hatten die Aufmerksamkeit einer Berufungskommission erregt. Eins kam zum anderen, und schließlich erschien die Alternative attraktiv, weiter südlich an einer besseren Universität zu unterrichten. Vicki stammte aus Florida, und wenngleich sie im großstädtischen Leben Bostons aufgeblüht war, hatte sie sich nie mit den dortigen Wintern anfreunden können. Schnell gewöhnten sie sich an den langsameren Lebensrhythmus in Charlottesville. Ray bekam eine Professur auf Lebenszeit, Vicki promovierte in Romanistik. Als sie gerade über Kinder zu reden begannen, erschien der Unternehmensabwickler auf der Bildfläche.

Ein anderer Mann schwängert einem die Frau und nimmt sie mit. Natürlich würde man ihm da gern ein paar Fragen stellen, vielleicht auch der Frau … In den Tagen direkt nach Vickis Abgang ließen Ray diese Fragen nicht schlafen, aber im Laufe der Zeit begriff er, dass er sie nie zur Rede stellen würde. Die Fragen hatten sich längst verflüchtigt, doch die Episode auf dem Flugplatz brachte sie zurück.

Während er das Auto auf seinem Parkplatz vor der juristischen Fakultät abstellte und dann zu seinem Büro ging, unterzog er Vicki in Gedanken erneut einem Kreuzverhör.

Da er in der Regel bis zum Spätnachmittag in seinem Büro blieb, waren Terminabsprachen überflüssig. Seine Tür stand allen offen, jeder Student war willkommen. Aber nun war es Ende April, und die Tage waren bereits warm. Schon jetzt waren die Besuche der Studenten seltener geworden. Ray las die Vorladung seines Vaters erneut und ärgerte sich wieder über dessen obligatorische Strenge und Distanziertheit.

Nachdem Ray sein Büro um siebzehn Uhr abgeschlossen hatte, verließ er die Fakultät, um zu einem auf dem Campus liegenden Sportplatz zu gehen, wo Studenten aus dem sechsten Semester das zweite von insgesamt drei Softball-Matches gegen ein Team des Lehrkörpers bestritten. Beim ersten Spiel waren die Professoren förmlich geschlachtet worden, und die zwei anderen Partien waren eigentlich überflüssig, um das bessere Team zu bestimmen.

Studenten aus niedrigeren Semestern, die Blut gerochen hatten, füllten die kleinen Tribünen oder klebten am Zaun hinter dem ersten Mal, wo sich das Team des Lehrkörpers versammelt hatte und sich vor dem Spiel eine nutzlose, anfeuernde Lektion erteilen ließ. Einige jüngere Semester zweifelhaften Rufs standen um zwei größere Kühlbehälter herum, das Bier floss bereits in Strömen.

Im Frühling gibt's einfach kein besseres Plätzchen als den Campus einer Universität, dachte Ray, während er auf das Spielfeld zuging, um sich eine geeignete Stelle auszusuchen, von wo aus er das Match verfolgen konnte. Junge Frauen in Shorts, immer ein Kühlbehälter in Reichweite, gute Laune, improvisierte Partys, der Sommer vor der Tür. Er war dreiundvierzig Jahre alt, seit fünfunddreißig Monaten wieder Single und wünschte sich jetzt, selbst wieder Student zu sein. Alle behaupteten, das Lehren erhalte einen jung, und vielleicht hatten sie in dem Punkt Recht, dass man tatkräftig und geistig auf der Höhe blieb. Aber Ray verspürte den Wunsch, da vorn bei den Angebern auf einem Kühlbehälter zu sitzen und mit den Studentinnen zu flirten.

Eine kleine Gruppe Kollegen stand lächelnd am Fangzaun, während das Professorenteam in einer wenig beeindruckenden Aufstellung das Spielfeld betrat. Einige humpelten, die Hälfte trug Kniebandagen. Ray entdeckte Carl Mirk – einer der Stellvertreter des Dekans und sein bester Freund –, der an einem Zaun lehnte. Er hatte die Krawatte gelockert und das Jackett über die Schulter geworfen.

»Ein trauriges Team«, bemerkte Ray.

»Warte, bis sie zu spielen beginnen«, antwortete Mirk.

Carl stammte aus einer Kleinstadt in Ohio, wo sein Vater Richter, der örtliche Heilige und jedermanns Großvater zugleich war. Auch er war geflohen und hatte sich geschworen, nie wieder in seine Heimat zurückzukehren.

»Das erste Spiel habe ich verpasst«, sagte Ray.

»Es war zum Heulen. Siebzehn zu null nach zwei Durchgängen.«

Der erste Schlagmann der Studenten ließ den Ball in eine Lücke auf dem linken Außenfeld sausen. Eigentlich hätte er mit diesem Schlag nur das zweite Mal sicher erreichen dürfen. Aber als der linke Außenfeldspieler und der Centerfeldspieler endlich hinübergehumpelt waren, sich um den Ball gebalgt, dagegen getreten und sich gegenseitig behindert hatten, bevor sie ihn in Richtung Innenfeld warfen, konnte der Läufer im Spaziergang einen Home Run verbuchen. Damit waren zumindest schon mal die Ehrenpunkte eingefahren. Die Horden an der linken Feldseite wurden fast wahnsinnig, die Studenten auf den Tribünen forderten lautstark weitere Patzer.

»Es wird noch schlimmer kommen«, kommentierte Mirk.

So war es. Nach ein paar weiteren Katastrophen hatte Ray genug gesehen. »Anfang nächster Woche werde ich aus der Stadt verschwinden«, sagte er. »Man hat mich nach Hause bestellt.«

»Du wirkst richtig begeistert«, bemerkte Carl. »Wieder mal eine Beerdigung?«

»Noch ist es nicht so weit. Mein Vater hat ein Familientreffen einberufen, um über sein Erbe zu sprechen.«

»Das tut mir Leid.«

»Muss es nicht. Es gibt nicht viel, worüber man diskutieren könnte, nichts, weshalb sich ein Streit lohnte. Dennoch wird es wahrscheinlich unangenehm werden.«

»Wegen deinem Bruder?«

»Keine Ahnung, ob mein Bruder oder mein Vater mehr Scherereien machen werden.«

»Ich bin in Gedanken bei dir.«

»Danke. Ich werde meine Studenten informieren und sie an Kollegen verweisen. Damit sollte alles geregelt sein.«

»Wann fährst du?«

»Am Samstag. Wahrscheinlich bin ich am Dienstag oder Mittwoch zurück, aber genau kann ich's nicht sagen.«

»Na, wir sind ja hier«, sagte Mirk. »Hoffentlich ist dann auch das dritte Spiel gelaufen.«

Ein langsamer Bodenball trudelte ungehindert zwischen den Beinen des Pitchers hindurch.

»Das war's dann wohl«, sagte Ray.

Nichts verdarb Ray die Stimmung so sehr wie der Gedanke, sich nach Hause begeben zu müssen. Seit über einem Jahr war er nicht mehr nach Clanton gefahren, und selbst wenn der Ausflug noch in ferner Zukunft gelegen hätte, wäre das schlimm genug gewesen.

Nachdem er sich in einem mexikanischen Restaurant mit Straßenverkauf ein Burrito gekauft hatte, aß er es in einem Café in der Nähe der Schlittschuhbahn, wo sich die übliche Bande schwarzhaariger Grufties versammelt hatte und die Leute erschreckte. Aus der alten Main Street war eine sehr hübsche Fußgängerzone mit Cafés, Antiquitätengeschäften und Buchhandlungen geworden, und wenn das Wetter schön war – womit man in dieser Gegend meistens rechnen konnte –, stellten die Restaurantbesitzer Tische und Stühle für ausgedehnte Abendmahlzeiten vor die Tür.

Nachdem Ray urplötzlich wieder zum Single geworden war, hatte er das malerische Reihenhaus verkauft und war in die Innenstadt gezogen, wo die meisten alten Häuser renoviert und einem zeitgemäßen, urbanen Lebensstil angepasst worden waren. Seine Vier-Zimmer-Wohnung lag über dem Laden eines persischen Teppichhändlers. Der kleine Balkon befand sich auf der Seite der Fußgängerzone, und mindestens einmal im Monat lud Ray seine Studenten zu Lasagne und Wein zu sich ein.

Es war schon fast dunkel, als er die Haustür aufschloss und die quietschende Treppe zu seiner Wohnung hinaufstieg. Er war sehr, sehr allein – kein Mensch, kein Hund, keine Katze, kein Goldfisch erwartete ihn. In den letzten Jahren war er zwei Frauen begegnet, die er attraktiv fand, aber mit keiner der beiden hatte er ein Rendezvous vereinbart. Eine kesse Studentin aus dem sechsten Semester hatte Annäherungsversuche unternommen, doch seine Abwehrmechanismen waren intakt. Sein Verlangen nach Sex war so eingeschlafen, dass er schon überlegt hatte, professionelle Hilfe zu suchen oder vielleicht auch zu Wundermitteln Zuflucht zu nehmen. Er schaltete das Licht an und überprüfte den Anrufbeantworter.

Forrest hatte angerufen, was ein seltenes, wenn auch in dieser Situation nicht völlig unerwartetes Ereignis war. Typisch für seinen Bruder war allerdings, dass er keine Rückrufnummer hinterlassen hatte. Ray braute sich entkoffeinierten Tee, stellte Jazzmusik an und versuchte, sich innerlich auf das Gespräch mit Forrest vorzubereiten. Es war schon merkwürdig, dass ihn ein Telefonat mit seinem Bruder so viel Überwindung kostete, aber eine Unterhaltung mit Forrest war immer deprimierend. Beide hatten weder Frau noch Kinder. Nur ihr Nachname und ihr Vater verbanden sie miteinander.

Ray wählte Ellies Nummer in Memphis. Es dauerte eine halbe Ewigkeit, bis sie an den Apparat ging. »Hallo, Ellie, hier ist Ray Atlee«, sagte er freundlich.

»Oh«, stöhnte sie, als hätte er an diesem Tag bereits zum achten Mal angerufen. »Er ist nicht da.«

Alles in Ordnung, Ellie, und wie geht es Ihnen? Gut, danke der Nachfrage. Schön, Ihre Stimme zu hören. Wie ist denn das Wetter bei Ihnen?

»Er hat's bei mir versucht, ich rufe nur zurück«, sagte Ray.

»Ich hab' doch schon gesagt, dass er nicht hier ist.«

»Das habe ich verstanden, aber kann ich's unter einer anderen Nummer versuchen?«

»Wozu?«

»Um Forrest zu erreichen. Erreicht man ihn bei Ihnen immer noch am ehesten?«

»Vermutlich schon. Meistens ist er hier.«

»Dann sagen Sie ihm bitte, dass ich angerufen habe.«

Forrest und Ellie hatten sich während einer Entziehungskur kennen gelernt. Bei ihr ging es um hochprozentigen Alkohol, bei ihm um eine ganze Kollektion illegaler Substanzen. Damals wog Ellie deutlich unter fünfzig Kilogramm und behauptete, sich die längste Zeit ihres Erwachsenenlebens von nichts anderem als Wodka ernährt zu haben. Sie schwor dem Alkohol ab, verdreifachte ihr Körpergewicht, und irgendwie geriet Forrest in ihre Fänge. Für ihn war sie eher Mutter als Freundin. Jetzt lebte er in einem Kellerraum des Hauses ihrer Vorfahren, eines unheimlichen viktorianischen Gebäudes am Rand der Innenstadt von Memphis.

Als das Telefon klingelte, hielt Ray das Mobilteil noch in der Hand. »He, Bruderherz«, meldete sich Forrest lautstark. »Du hast versucht, mich zu erreichen?«

»Ich wollte dich zurückrufen. Wie geht's?«

»Na ja, bis der Brief von unserem alten Herrn kam, ging's mir ziemlich gut. Hast du ihn auch gekriegt?«

»Heute angekommen.«

»Er tut immer noch so, als wäre er der Richter und wir Verbrecher, findest du nicht?«

»Er wird immer ein Richter sein, Forrest. Hast du mit ihm gesprochen?«

Ein Schnauben, dann eine Pause. »Am Telefon habe ich seit zwei Jahren nicht mehr mit ihm geredet. Wann ich zum letzten Mal einen Fuß in das Haus gesetzt habe, weiß ich schon gar nicht mehr. Und ich bin mir auch nicht sicher, ob ich am Sonntag kommen werde.«

»Du wirst kommen.«

»Hast *du* mit ihm gesprochen?«

»Vor drei Wochen. Ich habe ihn angerufen, nicht er mich. Er klang sehr krank, Forrest. Ich glaube nicht, dass er noch lange leben wird. Meiner Meinung nach solltest du ernsthaft darüber nachdenken …«

»Fang gar nicht erst an, Ray. Ich höre mir keine Strafpredigten an.«

Es entstand eine Gesprächspause, ein bedrückendes Schweigen, das beide nutzten, um erst einmal tief durchzuatmen. Als Süchtiger aus einer weithin bekannten Familie hatte Forrest sich, solange er sich zurückerinnern konnte, permanent Straf- und Moralpredigten und gute Ratschläge aller möglichen Leute anhören müssen.

»Tut mir Leid«, sagte Ray. »Ich werde hinfahren. Wie sieht's mit dir aus?«

»Na ja, ich vermutlich auch.«

»Bist du clean?« Das war zwar eine sehr persönliche Frage, dennoch kam sie Ray so routinemäßig über die Lippen, als fragte er nach dem Wetter. Forrest antwortete immer direkt und ehrlich.

»Seit hundertneunundvierzig Tagen.«

»Großartig.«

Einerseits fand Ray das wirklich großartig, andererseits auch wieder nicht. Jeder Tag ohne Alkohol oder Drogen war eine Erleichterung, aber es war entmutigend, auch nach zwanzig Jahren noch immer zählen zu müssen.

»Und ich habe einen *Job*«, verkündete Forrest stolz.

»Prima. Was machst du?«

»Ich arbeite für ein paar von diesen Anwälten, die Unfallopfer als Klienten zu gewinnen versuchen. Das ist eine Bande schmieriger Dreckskerle, die im Kabelfernsehen Werbespots schalten und in den Krankenhäusern herumlungern. Ich bringe die armen Teufel dazu, den Vertrag zu unterschreiben, und mache so meinen Schnitt.«

Einen so schäbigen Job angemessen zu würdigen, fiel Ray äußerst schwer, aber bei Forrest war jede Anstellung eine gute Nachricht. Er hatte sich als gewerblicher Kautionssteller verdingt, war Gerichtsdiener, Inkasso-Eintreiber, Sicherheitsbeamter und Detektiv gewesen. Irgendwann in seinem Leben hatte er es praktisch mit jedem untergeordneten Job versucht, der im Justizwesen zu finden war.

»Nicht übel«, sagte Ray.

Forrest begann, eine Geschichte über eine handgreifliche Auseinandersetzung in der Notaufnahme eines Krankenhauses zu erzählen, aber Rays Gedanken schweiften ab. Einmal hatte sein Bruder als Rausschmeißer in einer Stripteasebar gearbeitet, doch das war nicht von langer Dauer gewesen, weil er in einer Nacht gleich zweimal zusammengeschlagen worden war. Ein volles Jahr lang war er mit einer neuen Harley-Davidson durch Mexiko gefahren. Es war nie geklärt worden, woher das Geld für die Reise stammte. Schließlich hatte er sich noch als Handlanger eines Kredithais aus Memphis verdingt, aber auch dabei hatte sich gezeigt, dass er sich bei Prügeleien nicht durchsetzen konnte.

Ehrliche Arbeit war nie Forrests Ding gewesen, doch wenn man fair sein wollte, musste man auch einräumen, dass die Personalabteilungen der Firmen sich stets von seinen Vorstrafen abschrecken ließen: zwei Verbrechen, beide in Verbindung mit Drogen. Beide hatten sich schon vor seinem zwanzigsten Geburtstag ereignet, aber dennoch war seine weiße Weste für immer beschmutzt.

»Willst du noch mit dem alten Herrn telefonieren?«, fragte Forrest.

»Nein, ich sehe ihn ja am Sonntag«, antwortete Ray.

»Wann wirst du in Clanton sein?«

»Keine Ahnung, vermutlich so gegen fünf Uhr. Und du?«

»Gott hat fünf gesagt, richtig?«

»Allerdings.«

»Dann komme ich kurz nach fünf. Bis dann, Bruderherz.«

Noch eine Stunde lang schlich Ray um das Telefon herum. Einmal beschloss er, bei seinem Vater anzurufen und hallo zu sagen, dann entschied er sich doch wieder dagegen, weil alles, was zu besprechen war, auch am Sonntag besprochen werden konnte. Der Richter verabscheute Telefone, und zwar besonders dann, wenn sie mitten in der Nacht klingelten und ihn aus seiner Einsamkeit aufschreckten. Meistens ging er gar nicht an den Apparat, und wenn er doch abnahm, war er meistens so grob und unfreundlich, dass der Anrufer seine Entscheidung sofort bereute.

Er würde eine schwarze Hose und ein mit kleinen Brandflecken von der Pfeifenasche übersätes weißes Hemd tragen – ein *gestärktes* weißes Hemd. Das hatte der Richter schon immer so gehalten. Ein weißes Baumwollhemd hielt bei ihm ein Jahrzehnt, und zwar unabhängig von der Anzahl der Flecken und Brandlöcher. Jede Woche wurde es bei Mabe's Cleaners gewaschen und gestärkt. Seine Krawatte würde langweilig gemustert, farblos und genauso alt wie das Hemd sein. Dazu kamen die unvermeidlichen blauen Hosenträger.

Und er würde geschäftig am Schreibtisch seines Arbeitszimmers sitzen, unter dem Porträt von General Forrest, nicht etwa auf der Veranda, um dort die Ankunft seiner Söhne zu erwarten. Zweifellos würde er sie glauben machen wollen, dass er selbst am Sonntagnachmittag Arbeit zu erledigen hatte und dass ihr Besuch für ihn nicht so wichtig war.

4

Die Fahrt nach Clanton dauerte etwa fünfzehn Stunden, wenn man gemeinsam mit den LKWs die verkehrsreichen vierspurigen Autobahnen benutzte und sich durch die Nadelöhre der Umgehungsstraßen zwängte. War man in Eile, konnte die Reise also ohne Übernachtung bewältigt werden. Aber Ray hatte es nicht eilig.

Er packte ein paar Sachen in den Kofferraum seines Audi-TT-Roadster – eines offenen Sportzweisitzers, den er erst seit einer knappen Woche sein Eigen nannte. Da sich hier niemand dafür interessierte, wann er kam oder ging, war jede Verabschiedung überflüssig. Bald hatte er Charlottesville hinter sich gelassen. Er wollte die Geschwindigkeitsbegrenzungen einhalten und, wenn es sich irgendwie machen ließ, die Benutzung der vierspurigen Autobahnen vermeiden. Eine Fahrt ohne Stress – das war sein Ziel. Auf dem Ledersitz neben ihm lagen Karten, eine Thermoskanne mit starkem Kaffee, drei kubanische Zigarren und eine Flasche Mineralwasser.

Ein paar Autominuten westlich der Stadt bog er nach links auf den Blue Ridge Parkway ab, der sich über die Hügel nach Süden schlängelte. Das Audi-TT-Kabriolett war Baujahr 2000, die Entwicklung erst vor einem oder zwei Jahren abgeschlossen worden. Als Ray vor ungefähr eineinhalb Jahren die Ankündigung des Unternehmens über einen brandneuen Sportzweisitzer gelesen hatte, war er sofort losgestürmt, weil er den Wagen als Erster in Charlottesville besitzen wollte. Obwohl ihm der Autohändler versichert hatte, dass der Wagen bald populär werden würde, hatte er bisher noch keinen zweiten in Charlottesville gesehen.

An einem Aussichtspunkt zog er das Verdeck auf. Dann steckte er sich eine Zigarre an und schlürfte dazu seinen Kaffee. Anschließend fuhr er mit einer Höchstgeschwindigkeit von siebzig Stundenkilometern weiter, doch selbst bei diesem gemäßigten Tempo ragten die bevorstehenden Ereignisse in Clanton schon drohend vor ihm auf.

Vier Stunden später, als Ray gerade eine Tankstelle suchte, fand er sich vor einer roten Ampel auf der Hauptstraße einer Kleinstadt in North Carolina wieder. Vor ihm überquerten drei Rechtsanwälte die Straße. Sie redeten wild durcheinander und trugen alle die gleichen ramponierten alten Aktentaschen, die genauso abgenutzt waren wie ihre Schuhe. Zu seiner Linken bemerkte er ein Gerichtsgebäude. Er sah, dass die drei Männer auf der rechten Straßenseite in einem Lokal verschwanden. Auch er war plötzlich hungrig, doch sein Hunger galt nicht nur dem Essen. Er wollte Menschen um sich haben und Stimmen hören.

Die drei Rechtsanwälte saßen in einer Nische in der Nähe des Fensters zu Straße und unterhielten sich weiter, während sie ihren Kaffee umrührten. Nachdem Ray an einem Tisch nicht allzu weit von ihnen entfernt Platz genommen hatte, bestellte er ein Sandwich bei einer ältlichen Kellnerin, die hier vermutlich schon seit Jahrzehnten bediente. Ein Glas Eistee, ein Sandwich – sie notierte alles mit größter Genauigkeit. Wahrscheinlich ist der Chef noch älter, dachte Ray.

Die Anwälte kamen gerade von einer Gerichtsverhandlung, bei der sie den ganzen Morgen über ein Stück Land in den Bergen gefeilscht hatten. Ein Landverkauf, eine Klage und so weiter und so fort, und jetzt hatten sie ihren Prozess. Sie hatten Zeugen aufgerufen, dem Richter Präzedenzfälle vorgetragen und alle Argumente der Gegenseite in Zweifel gezogen. Dabei hatten sie sich so verausgabt, dass sie jetzt dringend eine Pause benötigten.

Das also wäre ich geworden, wenn es nach dem Richter gegangen wäre, dachte Ray. Fast hätte er laut vor sich hin gesprochen. Er gab vor, die Lokalzeitung zu lesen, aber tatsächlich lauschte er dem Gespräch der Rechtsanwälte.

Richter Reuben Atlees Traum war es gewesen, dass seine Söhne nach dem Abschluss ihres Jurastudiums nach Clanton heimkehrten. Dann hätte er sich aus dem Gerichtssaal zurückgezogen und gemeinsam mit Ray und Forrest eine Kanzlei am Clanton Square eröffnet. So hätten seine Söhne einen ehrenwerten Beruf gehabt, und er hätte sie darin unterwiesen, wie man ein richtiger Rechtsanwalt wurde – ein Gentleman-Anwalt vom Land.

Eher ein bankrotter Anwalt, dachte Ray. Wie in allen Kleinstädten im Süden wimmelte es auch in Clanton nur so von Anwälten, die dicht gedrängt in den Bürogebäuden gegenüber dem Gericht residierten. Sie kümmerten sich um die Politik, die Banken, die Bürgerzentren und Schulbehörden, selbst um Kirchenangelegenheiten und sogar die Baseball-Jugendmannschaften. Wo genau wäre sein Platz gewesen?

Während der sommerlichen Semesterferien hatte Ray für seinen Vater gejobbt, selbstverständlich ohne Bezahlung. Folglich kannte er sämtliche Anwälte in Clanton. Alles in allem waren sie keine üblen Menschen, aber es gab einfach zu viele.

Forrests Leben war schon früh auf eine abschüssige Bahn geraten, und das hatte damals den Druck auf Ray verstärkt, dem Beispiel seines Vaters zu folgen und ein Leben in vornehmer Armut zu führen. Allerdings widerstand er diesem Druck, und nach dem ersten Studienjahr an der juristischen Fakultät schwor er sich, später nicht in Clanton zu bleiben. Ein weiteres Jahr benötigte er, um endlich den Mut zu finden, seinen Vater davon zu informieren, worauf dieser acht Monate lang nicht mehr mit ihm sprach. Als Ray das Studium abschloss, saß Forrest gerade im Gefängnis. Bei der Feier anlässlich der Verleihung des akademischen Grads kam der Richter zu spät. Er saß in der letzten Reihe und ging vorzeitig, ohne ein Wort mit Ray zu wechseln. Erst durch den ersten Herzinfarkt seines Vaters kam eine Art Versöhnung zustande.

Geld war nicht der ausschlaggebende Grund für Rays Flucht aus Clanton gewesen. Die Anwaltskanzlei Atlee & Atlee war nie Realität geworden, weil der Juniorpartner dem langen Schatten seines Vaters hatte entfliehen wollen.

Richter Atlee war ein großer Mann in einer kleinen Stadt.

Am Stadtrand fand Ray eine Tankstelle, und bald fuhr er wieder mit siebzig Stundenkilometern auf der reizvoll gelegenen Straße durch die Hügel. Manchmal begnügte er sich sogar mit Tempo fünfundsechzig. An etlichen Aussichtspunkten hielt er an, um die Landschaft zu bewundern. Er vermied große Städte und studierte seine Karten sorgfältig. Früher oder später führten ohnehin alle Straßen nach Mississippi.

In der Nähe von Black Rock an der Grenze North Carolinas fand er ein altes Motel, das auf einem – allerdings bereits verbeulten und angerosteten – Schild damit warb, für 29,99 Dollar Klimaanlage, Kabelfernsehen und saubere Zimmer zu bieten. Offensichtlich war mit dem Kabel auch die Inflation eingetroffen, denn der Preis war mittlerweile auf vierzig Dollar angestiegen. Direkt nebenan befand sich ein rund um die Uhr geöffneter Coffeeshop, wo Ray Knödel, die Spezialität des Hauses, hinunterwürgte. Nach dem Essen setzte er sich auf eine Bank vor dem Motel, um eine Zigarre zu rauchen und den gelegentlich vorbeifahrenden Autos nachzublicken.

Etwa hundert Meter jenseits des gegenüberliegenden Straßenrands befand sich ein altes Autokino. Das Vordach mit dem Schild an der Einfahrt war eingestürzt und mit Kletterpflanzen und Gräsern bewachsen. Die große Leinwand und die Zäune am Rand des Grundstücks verfielen offenbar schon seit Jahren.

Auch in Clanton hatte es einst – neben der Haupteinfallstraße am Stadtrand – ein Autokino gegeben, das einer Kette aus dem Norden gehörte und das übliche Programm zeigte: kitschige Liebesfilme, Horror- und Kung-Fu-Streifen, die die Jugend des Ortes anzogen und den Geistlichen Anlass zum Lamentieren boten. Anfang der Siebzigerjahre entschlossen sich die finsteren Mächte aus dem Norden zu einem weiteren Angriff auf den Süden und überschwemmten diesen mit anrüchigen Filmen.

Wie die meisten guten oder schlechten Neuerungen kam auch die Sexwelle erst spät in Clanton an. Als auf der Anzeigetafel *The Cheerleaders* angekündigt wurde, nahmen die vorbeikommenden Autofahrer den Film zunächst kaum zur Kenntnis. Aber als am nächsten Tag der Zusatz »XXX« hinzugefügt wurde, hielten die Wagen an, und in den Coffeeshops am Clanton Square herrschte aufgeregte Vorfreude. Am Montag lief der Film vor einem kleinen, neugierigen und in gewisser Hinsicht enthusiasmierten Publikum an, auf den Schulhöfen wurde er gut rezensiert, und am Dienstag versteckten sich Horden von Teenagern, teilweise mit Ferngläsern bewaffnet, in den Büschen und trauten ihren Augen nicht. Nach der Abendandacht am Mittwoch nahmen die Priester die Sache in die Hand, doch die von ihnen gestartete Gegenoffensive verließ sich eher auf Einschüchterung als auf gewiefte Taktik.

Die Geistlichen hatten wohl bei demonstrierenden Bürgerrechtlern gelernt, für die sie ansonsten absolut keine Sympathien hegten. Gemeinsam mit ihren Schäfchen erschienen sie vor dem Autokino, wo sie Transparente hochreckten, sangen, beteten und sich die Autokennzeichen der Wagen notierten, deren Besitzer den Film sehen wollten.

Mit dem Geschäft der Betreiber war es damit fürs Erste vorbei. Die Kinokette aus dem Norden erhob sofort Klage, um eine einstweilige Verfügung gegen die Vorführung des Streifens auszuhebeln. Jetzt reagierten die Priester ihrerseits mit einer Klage, und es war nicht weiter überraschend, dass die Angelegenheit vor dem Richterstuhl des ehrenwerten Reuben V. Atlee ausgetragen wurde, der seit jeher Mitglied der presbyterianischen Kirche und außerdem ein Abkömmling jener Atlees war, die das Gotteshaus gebaut hatten. Zudem war er seit dreißig Jahren Lehrer einer Gruppe alter Knaben, die sich in der Küche im Keller der Kirche zur Sonntagsschule trafen.

Drei Tage lang zogen sich die Anhörungen hin. Da kein einziger Rechtsanwalt aus Clanton für *The Cheerleaders* eintreten wollte, wurden die Betreiber der Kinokette durch eine große Kanzlei aus Jackson vertreten. Ein rundes Dutzend ortsansässiger Anwälte sprachen sich gegen den Film und ganz im Sinne der Geistlichen aus.

Als Ray zehn Jahre später an der juristischen Fakultät der Tulane-Universität studierte, beschäftigte er sich mit der Begründung, die sein Vater zu diesem Fall verfasst hatte. Der alte Atlee hatte sich an den seinerzeit auf Landesebene repräsentativen Fällen orientiert. Er wahrte in seinem Urteil die Rechte der Demonstranten – allerdings mit gewissen Einschränkungen –, gestattete die weitere Vorführung des Films jedoch mit Bezugnahme auf ein aktuelles Urteil des Obersten Gerichtshofs.

Juristisch gesehen hätte die Urteilsbegründung nicht perfekter, in politischer Hinsicht nicht unglücklicher sein können. Niemand war zufrieden. Nachts wurde der Richter von anonymen Anrufern bedroht, und die Geistlichen beschimpften ihn von ihren Kanzeln herab als Verräter, der bei der nächsten Wahl die Quittung erhalten werde.

Der *Clanton Chronicle* und die *Ford County Times* wurden mit Leserbriefen überschwemmt. Jeder einzelne beschimpfte Richter Atlee, weil er die Vorführung dieses obszönen Schunds in einer ansonsten moralisch tadellosen Stadt gestattete. Als der Richter von der Kritik die Nase voll hatte, entschloss er sich zu einer öffentlichen Stellungnahme, die er an einem Sonntag in der Kirche der Presbyterianer abgeben wollte. Zeit und Ort schienen ihm ausgezeichnet gewählt. Wie immer in Clanton, sprach sich die Neuigkeit auch diesmal in Windeseile herum. In der bis auf den letzten Platz besetzten Kirche schritt der alte Atlee durch das Mittelschiff und erklomm dann die Stufen zur Kanzel. Er war über einen Meter neunzig groß und stämmig, und sein schwarzer Anzug verlieh ihm eine Aura der Allmächtigkeit. »Ein Richter, der vor einem Verfahren die Wählerstimmen zählt, sollte seine Robe verbrennen und die County schnellstens verlassen«, begann er in strengem Tonfall.

Ray und Forrest saßen in der hintersten Ecke der Empore, beide den Tränen nah. Sie hatten ihren Vater angefleht, ihnen dieses eine Mal zu erlauben, den Gottesdienst zu schwänzen, doch das war unter keinen Umständen zulässig.

Nachdem der alte Atlee den weniger gut Informierten erläutert hatte, dass man unabhängig von persönlichen Ansichten und Meinungen Präzedenzfällen zu folgen habe, betonte er, dass ein guter Richter sich immer an das Gesetz halte, während ein schlechter sich an der Menge orientiere. Letzterer buhle um Wählerstimmen und sei dann empört, wenn gegen seine feigen Urteile bei höheren Gerichten Revision eingelegt werde.

»Nennen Sie mich, wie Sie wollen«, verkündete er der schweigenden Menge, »aber ein *Feigling* bin ich nicht.«

Ray hörte die Worte seines Vaters noch immer, sah ihn noch immer vor sich, ein Riese, der in der Ferne auf der Kanzel stand.

Nach einer Woche wurden die Protestierenden der Sache überdrüssig, und der Film lief planmäßig, bis er schließlich abgesetzt wurde. Die Kung-Fu-Filme kehrten zurück, und alle waren zufrieden. Zwei Jahre später, bei der nächsten Wahl, kam Richter Atlee in Ford County auf die üblichen achtzig Prozent.

Ray schnippte den Zigarrenstummel in einen Busch und ging zu seinem Zimmer. Die Nacht war kühl, und er öffnete das Fenster und lauschte den Autos, die die Stadt verließen und über die Hügel entschwanden.

5

Mit jeder Straße verband sich eine Geschichte, mit jedem Gebäude eine Erinnerung. Diejenigen, die mit einer wundervollen Kindheit gesegnet sind, können durch die Straßen ihrer Heimatstadt fahren und glückliche Jahre Revue passieren lassen, aber Ray hätte Clanton am liebsten schon nach einer Viertelstunde wieder den Rücken gekehrt.

Einerseits hatte sich die Stadt verändert, andererseits aber auch wieder nicht. An den Einfallstraßen drängten sich so eng wie möglich billige Blechhütten und Wohnanhänger, am liebsten dicht an der Straße, wohl damit sie besser zu sehen waren. In Ford County gab es keinerlei Bauvorschriften. Besaß man Land, konnte man ohne Genehmigung, Prüfung und einengende Vorschriften bauen, man musste nicht einmal die Nachbarn informieren. Lediglich wenn man eine Schweinefarm oder einen Nuklearreaktor errichten wollte, gab es Papierkram zu erledigen, weil man eine Bewilligung brauchte. Das Resultat waren unreglementierte Abrisse und Neubauten, ein architektonisches Chaos, das von Jahr zu Jahr hässlicher wurde.

Die in der Nähe des Clanton Square gelegenen älteren Viertel der Kleinstadt hatten sich dagegen überhaupt nicht verändert. Ihre langen, schattigen Straßen waren noch genauso sauber und ordentlich wie zu der Zeit, als Ray dort Rad gefahren war. Noch immer waren die meisten Häuser von Menschen bewohnt, die Ray kannte, und wenn jemand weggezogen war, hatte er für neue Besitzer gesorgt, die ebenfalls den Rasen mähten und die Fensterläden strichen. Nur wenige Häuser wirkten vernachlässigt, bloß eine Hand voll lag verlassen da.

Hier, mitten im »Bibelgürtel«, war es noch immer ein ungeschriebenes Gesetz, dass am Sonntag nicht viel auf dem Programm stand. Man ging in die Kirche, saß auf der Veranda, besuchte Nachbarn, ruhte und entspannte sich auf die Gott gefällige Weise.

Es war ein bewölkter, für Mai ziemlich kühler Tag. Während Ray durch seine alte Heimatstadt fuhr, um die Zeit bis zu der Verabredung mit seinem Vater totzuschlagen, bemühte er sich, die wenigen guten Erinnerungen an Clanton wachzurufen, die ihm geblieben waren. Da waren der Dizzy Dean Park, wo er mit der Jugendmannschaft der Pirates Baseball gespielt hatte, die öffentliche Badeanstalt, wo er jeden Sommer geschwommen war – wenn man vom Jahr 1969 absah, als die Stadtverwaltung das Schwimmbad lieber ganz schloss, als auch für schwarze Kinder zu öffnen. Dann die Kirchen der Baptisten, Methodisten und Presbyterianer, die sich an der Kreuzung Second Street und Elm Street wie aufmerksame Wachtposten gegenüberstanden und sich gegenseitig den Rang des höchsten Gotteshauses streitig zu machen schienen. Im Moment waren die Kirchen leer, doch in etwa einer Stunde würden die gläubigeren Bürger der Stadt sich zum Abendgottesdienst versammeln.

Der Clanton Square und die in ihn mündenden Straßen lagen verlassen da. Mit seinen achttausend Einwohnern war Clanton gerade groß genug, um für die Supermärkte, die so vielen anderen Kleinstädten den Garaus gemacht hatten, interessant zu sein. Aber hier waren die Menschen ihren Einzelhändlern treu geblieben, und um den ganzen Clanton Square herum gab es kein einziges leerstehendes oder mit Brettern vernageltes Geschäft, was schon eher ein großes als ein kleines Wunder war. Die Läden waren umgeben von Banken, Anwaltsbüros und Coffeeshops, die am Sonntag geschlossen hatten.

Ray fuhr langsam in den Friedhof hinein und warf einen Blick auf die den Atlees vorbehaltene Zone im älteren Teil, wo die Grabsteine imposanter waren. Einige seiner Vorfahren hatten für ihre Toten wahre Monumente errichten lassen. Schon immer hatte Ray vermutet, dass das Familienvermögen, von dem er nie etwas gesehen hatte, in diesen Gräbern verbuddelt sein musste. Nachdem er den Wagen geparkt hatte, ging er zum Grab seiner Mutter, was er jahrelang nicht mehr getan hatte. Zwar war sie bei den Atlees beigesetzt worden, doch am hinteren Ende der Familiensektion, weil sie nicht lange zu ihnen gehört hatte.

Schon bald, in weniger als einer Stunde, würde er im Arbeitszimmer seines Vaters sitzen, schlechten Instanttee trinken und Instruktionen entgegennehmen, wie genau sein Vater zur Ruhe gebettet werden sollte. Weil der Richter ein bedeutender Mann und sehr um seinen Nachruhm besorgt war, musste er mit vielen Beschlüssen, Verfügungen und Anweisungen rechnen.

Ray fuhr weiter und kam an dem Wasserturm vorbei, den er zweimal erklommen hatte – beim zweiten Mal wartete unten die Polizei. Als er seine alte Highschool sah, zog er eine Grimasse. Seit seinem Abschluss hatte er die Schule nie wieder betreten. Dahinter lag der Football-Platz, wo Forrest seine Gegner über den Haufen gerannt hatte und fast berühmt geworden wäre, bevor man ihn aus dem Team warf.

Es war Sonntag, der 7. Mai, zwanzig Minuten vor fünf – Zeit für das Familientreffen.

Maple Run wirkte völlig ausgestorben. Der Rasen vor dem Haus war offenbar vor ein paar Tagen gemäht worden, und der alte schwarze Lincoln des Richters stand hinter dem Haus, aber abgesehen von diesen beiden Indizien gab es keinerlei Beweis dafür, dass während der letzten Jahre jemand hier gelebt hatte.

Die Vorderseite des Hauses wurde von vier großen runden Säulen und einem Portikus dominiert. Wenn Ray hier wohnen würde, wären diese Säulen weiß gestrichen gewesen; jetzt waren sie mit wildem Wein und Efeu umrankt, die über die Säulen bis auf das Dach wuchsen. Hohes Gras überwucherte die Blumenbeete, Sträucher und Wege.

Wie immer, wenn er langsam auf die Auffahrt fuhr und kopfschüttelnd den Zustand des einstmals schönen Hauses zur Kenntnis nahm, trafen ihn auch diesmal die Erinnerungen mit voller Wucht. Und er empfand die immer gleichen Schuldgefühle. Er hätte bleiben, den Wünschen des alten Mannes nachgeben und mit ihm Atlee & Atlee gründen sollen. Er hätte ein Mädchen aus der Stadt heiraten und ein halbes Dutzend Kinder mit ihr haben sollen, die auf Maple Run lebten, um den Richter zu bewundern und ihm seine alten Tage zu versüßen.

Weil er auf sich aufmerksam machen wollte, knallte er die Autotür so laut wie möglich zu, aber Maple Run schien sämtliche Geräusche zu verschlucken. Das östliche Nachbarhaus war ebenfalls ein Relikt aus einer vergangenen Zeit und wurde von alten Jungfern bewohnt, deren Familie seit Jahrzehnten im Aussterben begriffen war. Das Gebäude stammte wie Rays Elternhaus aus der Zeit vor dem Amerikanischen Bürgerkrieg, war aber nicht so mit Kletterpflanzen und Gräsern zugewuchert. Allerdings wurde es von den fünf größten Eichen Clantons völlig verschattet.

Die Stufen und die Veranda vor dem Haus waren kürzlich gefegt worden. Neben der einen Spaltbreit geöffneten Tür lehnte ein Besen an der Wand. Der Richter weigerte sich, das Haus abzuschließen; da er Klimaanlagen verabscheute, ließ er Türen und Fenster einfach rund um die Uhr offen stehen.

Nachdem Ray tief durchgeatmet hatte, stieß er die Tür so kräftig auf, dass sie geräuschvoll gegen den Anschlag knallte. Er trat ein und rechnete mit strengen Gerüchen – welche es auch diesmal sein mochten. Jahrelang hatte sein Vater eine alte Katze besessen, deren schlechte Angewohnheiten sich im Haus bemerkbar machten. Aber mittlerweile war die Katze tot, und es gab keine unangenehmen Gerüche. Die warme Luft roch lediglich etwas staubig und nach Pfeifentabak.

»Jemand zu Hause?«, fragte Ray mit gedämpfter Stimme. Er erhielt keine Antwort.

Wie der Rest des Hauses diente auch die großräumige Diele als Lager für die Kartons mit alten Akten und Papieren, an denen der Richter hing, als wären sie noch wichtig. Sie standen hier, seit man ihn aus dem Gerichtsgebäude vertrieben hatte. Ray spähte in das rechts liegende Esszimmer, wo sich seit vierzig Jahren nichts verändert hatte. Dann trat er um eine Ecke in den Flur, der ebenfalls mit Kartons zugestellt war. Nach ein paar leisen Schritten blickte er in das Arbeitszimmer seines Vaters.

Der Richter lag auf dem Sofa und hielt ein Nickerchen.

Ray zog sich schnell zurück und ging in die Küche, wo keine schmutzigen Teller im Spülbecken standen und die Arbeitsflächen sauber waren. Gewöhnlich herrschte hier Chaos – heute nicht. Nachdem er im Kühlschrank Diät-Limonade gefunden hatte, setzte er sich an den Küchentisch und überlegte, ob er seinen Vater wecken oder das Unvermeidliche noch hinausschieben sollte. Doch der Richter war krank und brauchte seine Ruhe, und folglich schlürfte Ray seine Limonade und beobachtete, wie sich die Zeiger auf der Uhr über dem Herd langsam auf fünf zu bewegten.

Forrest würde kommen, da war er sich sicher. Das Treffen war zu wichtig, um es einfach platzen zu lassen. Aber Pünktlichkeit war noch nie die Stärke seines Bruders gewesen. Forrest weigerte sich, eine Uhr zu tragen, und gab vor, nie zu wissen, welcher Tag war; die meisten Menschen nahmen ihm das auch ab.

Um Punkt siebzehn Uhr beschloss Ray, dass er jetzt vom Warten die Nase voll hatte. Wegen dieses Augenblicks hatte er einen langen Weg zurückgelegt, und er wollte nun endlich zur Sache kommen. Er ging ins Arbeitszimmer, wo ihm auffiel, dass sich sein Vater nicht gerührt hatte. Einen langen Augenblick blieb Ray wie erstarrt stehen, weil er den alten Mann nicht wecken wollte, aber zugleich fühlte er sich auch wie ein Eindringling.

Der Richter trug die gleiche schwarze Hose und das gleiche weiße gestärkte Hemd, die Ray immer an ihm gesehen hatte. Marineblaue Hosenträger, keine Krawatte, schwarze Socken, schwarze Hausschlappen. Er hatte offenbar Gewicht verloren; seine Kleidungsstücke waren ihm viel zu weit. Das Gesicht war ausgezehrt und bleich, das schüttere Haar zurückgekämmt. Seine Hände waren über dem Unterleib gefaltet und fast so weiß wie sein Hemd.

Neben seinen Händen, an der rechten Seite am Gürtel befestigt, bemerkte Ray einen kleinen weißen Kunststoffbehälter. Vorsichtig trat er einen Schritt näher, um besser sehen zu können – es war eine Dose mit Morphium.

Ray schloss die Augen, öffnete sie wieder und blickte sich in dem Raum um. Der Sekretär mit dem Rollverschluss unter dem Porträt von General Forrest stand da wie eh und je. Auch die altmodische Underwood-Schreibmaschine war an ihrem Platz; daneben lag ein Stapel Papiere. Ein Stück entfernt befand sich der große Mahagonischreibtisch, eine Hinterlassenschaft jenes Atlee, der einst mit General Forrest in den Krieg gezogen war.

Während Ray unter dem strengen Blick von General Nathan Bedford Forrest in diesem Raum verharrte, in dem die Zeit still zu stehen schien, bemerkte er schließlich, dass sein Vater nicht atmete. Nur langsam trat diese Tatsache wirklich in sein Bewusstsein. Er hustete, und auch das löste keinerlei Reaktion aus. Dann beugte er sich über den Richter und berührte dessen linkes Handgelenk. Es war kein Puls zu fühlen.

Richter Reuben V. Atlee war tot.

6

In dem Arbeitszimmer stand ein alter Korbstuhl mit einem zerschlissenen Kissen, über dessen Lehne eine zerfetzte Decke hing. Außer der Katze hatte ihn nie jemand benutzt. Ray nahm darauf Platz, weil es die nächste Sitzgelegenheit war. Dann saß er lange da, sah hinüber zum Sofa und wartete darauf, dass sein Vater wieder zu atmen beginnen, aufwachen, sich aufsetzen, das Gespräch eröffnen und »Wo ist Forrest?« fragen würde.

Aber der Richter blieb völlig reglos. Auf ganz Maple Run war nur der stoßweise gehende Atem Rays zu hören, der seine Gefühle unter Kontrolle zu bringen versuchte. Ansonsten herrschte im Haus Totenstille, die unbewegte Luft lastete schwer. Ray starrte auf die friedlich über dem Bauch gefalteten Hände seines Vaters, als warte er darauf, dass dieser sie langsam anheben und dann auf und ab bewegen würde, bis das Blut wieder zu zirkulieren und die Lungen sich mit Luft zu füllen begannen. Aber nichts dergleichen geschah. Sein Vater lag stocksteif da, Hände und Füße aneinander, das Kinn auf der Brust. Es schien, als hätte er gewusst, dass sein letztes Nickerchen ewig dauern würde. Seine Lippen waren geschlossen, schienen aber vom Anflug eines Lächelns umspielt. Das Morphium hatte den Schmerzen ein Ende bereitet.

Als der Schock nachzulassen begann, drängten sich Ray Fragen auf. Wie lange war der Richter schon tot? Hatte der Krebs ihn schließlich eingeholt, oder hatte der alte Mann einfach die Morphiumdosis erhöht? Machte das einen Unterschied? War dies eine Inszenierung für seine Söhne? Und wo zum Teufel blieb Forrest? Nicht dass er irgendwie hilfreich gewesen wäre.

Zum letzten Mal allein mit seinem Vater, kämpfte Ray gegen die Tränen an und wurde bedrängt von den üblichen quälenden Fragen, warum er nicht früher gekommen war und nicht häufiger, warum er nicht geschrieben oder angerufen hatte. Hätte er es zugelassen, wäre die Liste dieser Fragen endlos gewesen.

Stattdessen löste er sich endlich aus der Erstarrung. Nachdem er sich leise neben dem Sofa niedergekniet hatte, legte er seinen Kopf auf die Brust des Richters und flüsterte: »Ich liebe dich, Vater«. Dann sprach er ein kurzes Gebet. Als er wieder aufstand, hatte er Tränen in den Augen, und das passte ihm überhaupt nicht. Jeden Augenblick konnte sein jüngerer Bruder auftauchen, und Ray war entschlossen, möglichst emotionslos mit der Situation umzugehen.

Auf dem Mahagonischreibtisch fand er den Aschenbecher, in dem zwei Pfeifen lagen. Der Kopf der einen war mit kürzlich angerauchtem Tabak gefüllt und noch ein bisschen warm. Zumindest schien es Ray so, doch sicher war er sich nicht. Er sah seinen Vater vor sich, wie er rauchend vor dem Schreibtisch saß und Papiere ordnete, weil seine Söhne das Arbeitszimmer nicht allzu unaufgeräumt sehen sollten. Dann schlug wohl der Schmerz zu, und er hatte sich auf dem Sofa ausgestreckt, sich mit dem Morphium etwas Linderung verschafft und war eingenickt.

Neben der Underwood lag ein Bogen Briefpapier des Richters, auf den er »Letzter Wille und Testament von

Reuben V. Atlee« getippt hatte. Darunter stand das gestrige Datum: 6. Mai 2000. Mit dem Kuvert in der Hand verließ Ray den Raum. Im Kühlschrank fand er eine weitere Dose Limonade. Er ging auf die Veranda, wo er sich auf die Hollywoodschaukel setzte und auf Forrest wartete.

Sollte er das Bestattungsinstitut anrufen und die Leiche seines Vaters wegbringen lassen, bevor Forrest eintraf? Eine Zeit lang dachte er hektisch über diese Frage nach, dann las er das Testament. Es war ein schlichtes, nur eine Seite langes Schriftstück, das keinerlei Überraschungen barg.

Er beschloss, bis achtzehn Uhr zu warten. War sein Bruder bis dahin immer noch nicht da, würde er das Bestattungsinstitut anrufen.

Der Richter war immer noch tot, als Ray ins Arbeitszimmer zurückkehrte, doch nun war das keine Überraschung mehr. Nachdem er das Kuvert mit dem Testament wieder neben die Schreibmaschine gelegt hatte, blätterte er einige Papiere durch. Zunächst befiel ihn dabei ein merkwürdiges Gefühl, aber er war als Nachlassverwalter eingesetzt und würde bald für diesen ganzen Papierkram verantwortlich sein. Er musste eine Liste der Vermögenswerte erstellen, die Rechnungen bezahlen, das Testament rechtswirksam bestätigen lassen und alles wie vorgesehen erledigen. Durch den letzten Willen wurde das Erbe zu gleichen Teilen zwischen den beiden Söhnen aufgeteilt, wodurch sich alles sauber und einigermaßen unkompliziert über die Bühne bringen ließ.

Während die Zeit verging und Ray auf seinen Bruder wartete, durchstöberte er das Arbeitszimmer. General Forrest beobachtete von dem Porträt herab aufmerksam jeden seiner Schritte. Noch immer bewegte Ray sich leise, ganz so, als wollte er seinen toten Vater nicht aufwecken. Die Schubladen des Sekretärs waren mit Kuverts und Briefpapier gefüllt, auf dem Mahagonischreibtisch lag ein Stoß Schreiben jüngeren Datums.

An der Wand hinter dem Sofa befanden sich Bücherregale mit juristischen Abhandlungen, die augenscheinlich seit Jahrzehnten niemand mehr angerührt hatte. Die Regale waren aus Nussbaumholz und einst als Geschenk von einem Mörder geschreinert worden, der gegen Ende des letzten Jahrhunderts durch den Großvater des Richters aus dem Gefängnis freigekommen war. Zumindest behauptete das die Familienlegende, die vor Forrest nie jemand in Zweifel gezogen hatte. Die Regale ruhten auf einem ebenfalls aus Nussbaumholz gefertigten, etwa einen Meter hohen Kabinettschrank, der sechs kleine Türen hatte. Noch nie hatte Ray hineingesehen. Davor stand das Sofa, das den Schrank fast völlig verbarg.

Eine der Türen stand einen Spaltbreit offen, und Ray sah einen ordentlichen Stapel dunkelgrüner Pappkartons von Blake & Son, die ihm schon seit Kindesbeinen vertraut waren. Blake & Son war eine alteingesessene Druckerei in Memphis, bei der seit eh und je praktisch jeder Rechtsanwalt und Richter aus dem gesamten Bundesstaat seine mit Briefköpfen versehenen Bögen und Kuverts bestellte. Ray kauerte sich nieder und zwängte sich hinter das Sofa, um einen genaueren Blick auf die engen, düsteren Fächer zu werfen.

Ein Karton für Briefumschläge, dessen Deckel fehlte, stand zwischen der offenen Tür und dem Innenraum des Schranks. Von Kuverts war freilich nichts zu sehen. In dem Karton war Bargeld – zahllose ordentlich gestapelte Einhundert-Dollar-Scheine. Der Pappkarton war etwa fünfunddreißig Zentimeter tief, fünfundfünfzig lang und vielleicht fünfzehn hoch. Ray hob ihn an – er war schwer. Und in den Tiefen des Kabinettschranks waren noch Dutzende dieser Kartons verstaut.

Er zog einen weiteren Karton hervor. Auch dieser war mit Einhundert-Dollar-Scheinen gefüllt. Beim dritten verhielt es sich nicht anders. Im vierten Karton wurden die Banknoten von gelben Papierbanderolen zusammengehalten, die mit dem Aufdruck »$ 2000« versehen waren. Ray zählte rasch und kam auf dreiundfünfzig Bündel.

Hundertsechstausend Dollar.

Auf allen vieren kroch er an der Hinterseite des Sofas entlang, wobei er sich größte Mühe gab, nicht die Rückenlehne zu berühren und den Richter in seiner ewigen Ruhe zu stören. Nacheinander öffnete er die anderen Türen des Kabinettschranks – es waren mindestens zwanzig dunkelgrüne Kartons von Blake & Son.

Er stand auf, ging zur Tür des Arbeitszimmers und trat dann durch die Diele auf die Veranda, wo er erst einmal frische Luft schnappen wollte. Ihm war etwas schwindelig, und als er sich auf die oberste Stufe der Treppe zur Veranda setzte, rollte ein großer Schweißtropfen über seine Nase und fiel auf seine Hose.

Obgleich es schwer war, einen klaren Kopf zu behalten, brachte Ray es dennoch fertig, ein paar schnelle Rechenaufgaben zu bewältigen. Wenn er davon ausging, dass es zwanzig Kartons gab und dass jeder gut einhunderttausend Dollar enthielt, dann war das weitaus mehr als die Summe, die der Richter in zweiunddreißig Jahren auf dem Richterstuhl verdient hatte. Als Chancellor hatte er einen Fulltimejob gehabt und nichts nebenher verdient; auf die Seite gelegt hatte er nichts. Viel hatte sich daran vermutlich auch nach seiner Wahlniederlage vor neun Jahren nicht geändert.

Soweit Ray wusste, hatte sein Vater nie ein Faible für das Glücksspiel gehabt und niemals auch nur eine einzige Aktie gekauft.

Auf der Straße näherte sich ein Wagen. Ray erstarrte, weil er befürchtete, es könnte Forrest sein, doch das Auto fuhr weiter. Er sprang auf und rannte in das Arbeitszimmer zurück, wo er ein Ende des Sofas anhob und es gut zehn Zentimeter weiter von den Regalen abrückte. Dann wiederholte er auf der anderen Seite dieselbe Prozedur. Er ließ sich auf die Knie fallen und zog mehrere Blake & Son-Kartons aus dem Kabinettschrank. Als er fünf aufeinander gestapelt hatte, schleppte er sie durch die Küche zu einem kleinen Raum hinter der Speisekammer, wo das Hausmädchen Irene immer Besen und Mops aufbewahrt hatte. Die Putzgeräte befanden sich dort noch immer, offensichtlich hatte sie seit Irenes Tod niemand mehr angerührt. Nachdem er ein paar Spinnweben zur Seite gefegt hatte, stellte Ray die Kartons auf den Boden.

Die Besenkammer hatte kein Fenster und war von der Küche aus nicht zu sehen.

Vom Esszimmer aus beobachtete er die Auffahrt, aber da er nichts sah, rannte er in das Arbeitszimmer, wo er weitere sieben Blake & Son-Kartons aufeinander türmte und sie dann zur Besenkammer trug. Zurück zum Fenster des Esszimmers, wo von Forrest immer noch nichts zu sehen war, dann wieder ins Arbeitszimmer, wo die Leiche des Richters von Minute zu Minute kälter wurde. Nach zwei weiteren Gängen zur Besenkammer war der Job erledigt. Insgesamt siebenundzwanzig Pappkartons, sicher verstaut an einem Ort, wo niemand sie finden würde.

Als Ray zu seinem Wagen ging, um seine Reisetasche zu holen, war es fast achtzehn Uhr. Er musste ein frisches Hemd und eine saubere Hose anziehen. Das ganze Haus war staubig und schmutzig. Wo immer man einen Gegenstand berührte, hatte man sofort einen Fleck. Im Erdgeschoss gab es nur ein Badezimmer, wo er sich wusch und mit einem Handtuch abtrocknete. Dann machte er im Arbeitszimmer Ordnung, schob das Sofa wieder an seinen Platz und ging durch die vorderen Räume, um nach weiteren Kabinettschränken Ausschau zu halten.

Als er im ersten Stock gerade die Schränke im Schlafzimmer seines Vaters, wo die Fenster offen standen, durchsuchte, hörte er von der Straße her erneut einen Wagen. Er rannte die Treppe hinab und konnte sich gerade noch auf die Hollywoodschaukel auf der Veranda werfen, als Forrest auch schon hinter seinem Audi parkte. Ray atmete tief durch und versuchte, sich zu beruhigen.

Der Schock, den ihm der plötzliche Tod seines Vaters versetzt hatte, war schon fast zu groß, um ihn an nur einem Tag zu verkraften, aber nach dem überraschenden Fund des Vermögens zitterte er am ganzen Körper.

Forrest kam die Stufen so langsam wie möglich heraufgeschlendert, die Hände tief in den Taschen seiner Anstreicherhose vergraben. Glänzende schwarze Kampfstiefel mit grellen grünen Schnürsenkeln. Immer etwas anders als die anderen, der gute Forrest.

»Forrest«, sagte Ray leise, während sein Bruder auf ihn zukam.

»Tag, Bruderherz.«

»Er ist tot.«

Forrest blieb stehen und betrachtete seinen Bruder einen Augenblick lang. Dann schaute er zur Straße hinüber. Er trug einen alten braunen Blazer über einem roten T-Shirt – eine Kombination, die sich außer Forrest niemand zu tragen getraut hätte. Und außer bei Forrest hätte man dieses Outfit auch bei niemandem durchgehen lassen. Aber als Clantons selbst ernannter Freigeist hatte er sich immer große Mühe gegeben, cool, extravagant, avantgardistisch und hip aufzutreten.

Zwar hatte er inzwischen ein paar Pfunde zugelegt, aber das fiel nicht weiter auf. Sein langes, sandfarbenes Haar wurde sehr viel früher grau als das Rays. Er trug eine ramponierte Baseballkappe mit dem Emblem der Cubs.

»Wo ist er?«

»Im Haus.«

Forrest zog die Fliegengittertür auf, und Ray folgte ihm in die Diele. Im Türrahmen des Arbeitszimmers blieb Forrest stehen, augenscheinlich unschlüssig, was er jetzt tun sollte. Während er seinen Vater anstarrte, sackte sein Kopf seitlich etwas herab, und einen Augenblick lang glaubte Ray, dass er vielleicht zusammenbrechen würde. So hart er sich auch immer zu geben versuchte, Forrest war ein sehr emotionaler und dünnhäutiger Typ. »O mein Gott«, murmelte er jetzt. Dann ging er unbeholfen zu dem Korbstuhl hinüber, setzte sich und starrte seinen Vater ungläubig an.

»Ist er wirklich tot?«, brachte er zwischen zusammengebissenen Zähnen hervor.

»Ja, Forrest.«

Forrest musste schwer schlucken und gegen die Tränen ankämpfen. »Wann bist du angekommen?«, fragte er schließlich.

Ray setzte sich auf einen Stuhl und drehte ihn herum, um seinem Bruder in die Augen blicken zu können. »So um fünf. Ich ging in sein Arbeitszimmer und dachte erst, dass er nur ein Nickerchen hält. Dann begriff ich, dass er tot war.«

»Tut mir Leid, dass du ihn finden musstest«, sagte Forrest, der sich Tränen aus den Augenwinkeln wischte.

»Einer musste ihn ja finden.«

»Und was tun wir jetzt?«

»Wir werden das Bestattungsinstitut anrufen.«

Forrest nickte, als wüsste er genau, dass exakt das zu tun war. Er stand auf und ging mit unsicheren Schritten zum Sofa hinüber, wo er die Hände seines Vaters berührte. »Wie lange ist er schon tot?«, murmelte er. Seine Stimme klang heiser und mitgenommen.

»Ich weiß es nicht. Ein paar Stunden.«

»Und was ist das da?«

»Morphium.«

»Glaubst du, dass er die Dosis absichtlich ein bisschen erhöht hat?«

»Ich hoffe es«, antwortete Ray.

»Eigentlich hätten wir bei ihm sein sollen.«

»Lass uns jetzt nicht damit anfangen.«

Forrest blickte sich in dem Arbeitszimmer um, als sähe er es zum ersten Mal. Dann ging er zu dem Sekretär hinüber und blickte auf die Schreibmaschine. »Vermutlich wird er jetzt kein neues Farbband mehr brauchen«, bemerkte er.

»Nein, vermutlich nicht.« Ray sah auf den Kabinettschrank hinter dem Sofa. »Wenn du es lesen willst, da liegt sein Testament. Er hat es gestern unterschrieben.«

»Was steht drin?«

»Alles wird gleichmäßig zwischen uns aufgeteilt. Ich bin der Nachlassverwalter.«

»Natürlich bist du der Nachlassverwalter.« Forrest trat hinter den Mahagonischreibtisch und warf einen schnellen Blick auf die Papierstöße. »Seit neun Jahren war ich nicht mehr in diesem Haus. Kaum zu glauben, oder?«

»Allerdings.«

»Ein paar Tage nach seiner Abwahl war ich hier, um ihm zu sagen, wie Leid es mir tut, dass die Wähler ihn aus dem Amt gekippt haben. Dann habe ich ihn angepumpt, und es gab eine Auseinandersetzung.«

»Bitte nicht jetzt, Forrest.«

Gespräche über die Streitigkeiten zwischen Forrest und ihrem Vater konnten sich endlos in die Länge ziehen.

»Ich habe das Geld nie bekommen«, murmelte Forrest,

während er die Schreibtischschublade aufzog. »Vermutlich werden wir das alles durchsehen müssen, stimmt's?«

»Ja, aber nicht jetzt.«

»Du wirst das tun, Ray. Schließlich bist du der Nachlassverwalter. Die Drecksarbeit ist dein Job.«

»Wir müssen das Bestattungsinstitut anrufen.«

»Ich brauche einen Drink.«

»Bitte nicht, Forrest.«

»Gib's auf, Ray. Wenn ich einen Drink will, genehmige ich mir auch einen.«

»Was du schon unzählige Male unter Beweis gestellt hast. Komm, ich rufe das Beerdigungsinstitut an, und dann warten wir gemeinsam auf der Veranda.«

Zuerst traf ein Polizist ein, ein junger Mann mit kahl geschorenem Schädel, der ganz so wirkte, als hätte ihn jemand bei seinem sonntäglichen Nickerchen gestört und ihn unsanft an seinen Beruf erinnert. Nachdem er auf der Veranda ein paar Fragen gestellt hatte, sah er sich die Leiche an. Papierkram musste erledigt werden, und während das geschah, bereitete Ray eine Kanne Eistee mit viel Zucker zu.

»Todesursache?«, fragte der Polizist.

»Krebs, Herzschwäche, Diabetes und das Alter«, erwiderte Ray. Er und Forrest saßen auf der Hollywoodschaukel und wippten leicht.

»Reicht Ihnen das?«, fragte Forrest sarkastisch. Sollte er jemals Respekt vor Polizisten gehabt haben, so waren diese Zeiten seit Ewigkeiten vorbei.

»Bestehen Sie auf einer Obduktion?«

»Nein«, antworteten die beiden Brüder wie aus einem Mund.

Nachdem der Polizist die Formulare ausgefüllt und Ray und Forrest sie unterzeichnet hatten, verschwand der

Gesetzeshüter. »Jetzt wird sich die Neuigkeit wie ein Lauffeuer verbreiten«, sagte Ray.

»Aber doch nicht in unserer lieblichen Kleinstadt.«

»Kaum zu glauben, oder? Die Menschen in dieser Gegend *tratschen*.«

»Ich habe ihnen zwanzig Jahre lang Gesprächsstoff geliefert.«

»Allerdings.«

Ihre leeren Gläser in der Hand haltend, saßen sie Schulter an Schulter nebeneinander. »Also, was steht in dem Testament?«, fragte Forrest schließlich.

»Willst du es lesen?«

»Nein, erzähl's mir.«

»Er hat seine Vermögenswerte aufgelistet: das Haus, das Mobiliar, den Wagen, die Bücher. Auf der Bank hat er sechstausend Dollar.«

»Das ist alles?«

»Mehr hat er nicht erwähnt«, antwortete Ray, um nicht lügen zu müssen.

»Hier gibt's bestimmt mehr Geld«, sagte Forrest, der sich offenbar schon auf die Suche machen wollte.

»Vermutlich hat er alles gespendet«, bemerkte Ray ruhig.

»Und was ist mit seiner staatlichen Rente?«

»Nach seiner Abwahl hat er sie sich auszahlen lassen. Ein schwerer Fehler, der ihn zehntausende Dollar gekostet hat. Was er bekommen hat, wird er gespendet haben.«

»Du verarschst mich doch nicht etwa, Ray?«

»Komm schon, Forrest, hier gibt's nichts, worüber sich zu streiten lohnte.«

»Irgendwelche Schulden?«

»Er hat behauptet, keine zu haben.«

»Das ist alles?«

»Wenn du willst, kannst du das Testament ja lesen.«

»Nicht jetzt.«

»Er hat es gestern unterzeichnet.«

»Glaubst du, dass er alles so geplant hatte?«

»Sieht ganz so aus.«

Ein schwarzer Leichenwagen vom Bestattungsinstitut Magargel's blieb auf der Straße vor dem Anwesen stehen und bog dann langsam auf die Auffahrt von Maple Run ein.

Forrest beugte sich vor, die Ellbogen auf die Knie und das Gesicht in die Hände gestützt, und begann zu weinen.

7

Dem Leichenwagen folgte der Coroner der County, Thurber Foreman, der noch immer denselben roten Dodge-Pickup fuhr wie zu jener Zeit, als Ray auf das College ging. Unmittelbar nach Thurber traf Reverend Silas Palmer von der presbyterianischen Kirche ein, ein altersloser kleiner Mann schottischer Abstammung, der die Atlee-Brüder getauft hatte. Forrest machte sich aus dem Staub, um sich hinter dem Haus zu verstecken, während Ray die Neuankömmlinge auf der Veranda begrüßte. Sie sprachen ihm ihr Beileid aus. Mr. B. J. Magargel vom Bestattungsinstitut und Reverend Palmer schienen gar den Tränen nahe zu sein. Thurber hingegen hatte schon zahllose Leichen gesehen, er wirkte gleichgültig, zumindest im Augenblick noch. Allerdings verbanden sich für ihn auch keine finanziellen Interessen mit diesem Toten.

Ray führte sie in das Arbeitszimmer, wo sie den Richter so lange respektvoll anblickten, bis Thurber offiziell dessen Tod festgestellt hatte. Worte benötigte er dafür nicht, er nickte nur – mit einem düsteren und bürokratischen Senken des Kinns schien er sagen zu wollen: »Er ist tot, Sie können die Leiche mitnehmen.« Auch Mr. Magargel nickte, womit er seinen Teil des stillen Rituals erledigte, das die beiden schon so oft hinter sich gebracht hatten.

Thurber zog ein Blatt Papier hervor und fragte dann nach den Personalien des Richters: voller Name, Geburtsdatum, Geburtsort, nächste Angehörige. Zum zweiten Mal lehnte Ray eine Obduktion ab.

Ray und Reverend Palmer gingen ins Esszimmer hinüber. Der Geistliche war viel aufgewühlter als der Sohn. Er hatte den Richter bewundert und behauptete, eng mit ihm befreundet gewesen zu sein.

Der Trauergottesdienst für einen Mann von der Bedeutung Reuben V. Atlees würde zahlreiche Freunde und Bewunderer anziehen und erforderte deshalb wohl bedachte Vorbereitungen. »Vor nicht allzu langer Zeit haben Reuben und ich darüber gesprochen«, sagte Palmer. Seine leise und heisere Stimme klang, als müsste er jeden Augenblick zu schluchzen beginnen.

»Das ist gut«, sagte Ray.

»Er hat die Kirchenlieder und Bibelzitate ausgewählt, außerdem hat er noch eine Liste mit den Sargträgern zusammengestellt.«

An diese Details hatte Ray bisher noch gar nicht gedacht. Vielleicht wäre das anders gewesen, wenn er nicht über das Millionenvermögen in bar gestolpert wäre. Sein überanstrengtes Gehirn lauschte Palmer und registrierte auch das meiste dessen, was er sagte. Doch dann musste er auf einmal wieder an die Besenkammer denken, und in seinem Kopf begann sich alles zu drehen. Plötzlich machte es ihn nervös, dass Thurber und Magargel allein mit dem Toten im Arbeitszimmer waren. Entspann dich, ermahnte er sich immer wieder selbst.

»Danke«, sagte er erleichtert darüber, dass sich jemand um die Einzelheiten kümmerte. Mr. Magargels Assistent rollte eine fahrbare Bahre durch die Eingangstür in die Diele und mühte sich dann, sie in das Arbeitszimmer zu bugsieren.

»Und er wollte eine Totenwache«, fügte der Reverend hinzu. Totenwachen hatten in Clanton Tradition und waren das unverzichtbare Vorspiel zu einer angemessenen Beerdigung, speziell für die älteren Menschen.

Ray nickte.

»Hier im Haus.«

»Nein«, widersprach Ray sofort. »Nicht hier.«

Ray hatte vor, das gesamte Haus zu durchsuchen, sobald er wieder allein war, um herauszufinden, ob noch weitere Schätze zu heben waren. Außerdem machte er sich schon jetzt große Sorgen um die Barschaft, die er in der Besenkammer versteckt hatte. Wie viel Geld war es? Wie lange würde er benötigen, um es zu zählen? Waren die Banknoten echt oder gefälscht? Woher kam das Geld? Was sollte er damit machen, wohin sollte er es bringen, wem davon erzählen? Er musste allein sein, um nachdenken, seine Gedanken ordnen und einen Plan entwickeln zu können.

»Ihr Vater hat sich in diesem Punkt sehr deutlich ausgedrückt«, sagte Palmer.

»Tut mir Leid, Reverend. Es wird eine Totenwache geben, aber nicht hier.«

»Darf ich nach dem Grund fragen?«

»Wegen meiner Mutter.«

Der Geistliche nickte. »Ich erinnere mich gut an Ihre Mutter«, sagte er dann lächelnd.

»Man hat sie auf einem Tisch im vorderen Salon aufgebahrt, und es dauerte zwei Tage, bis die ganze Stadt an ihr vorbeidefiliert war. Mein Bruder und ich hatten uns oben versteckt und verfluchten unseren Vater, weil er ein solches Spektakel veranstaltete.« Ray sprach mit fester Stimme, seine Augen blitzten. »In diesem Haus wird es keine Totenwache mehr geben, Reverend.«

Weil er sich Sorgen darüber machte, wie das Haus vor neugierigen Blicken Unbefugter zu schützen war, stand

Rays Entschluss unwiderruflich fest. Wenn die Totenwache hier stattfand, würde er das gesamte Anwesen zunächst von einer Reinigungsfirma säubern lassen und zudem Essen und einen Floristen bestellen müssen. Und all das hätte bereits für den nächsten Morgen auf dem Programm gestanden.

»Ich verstehe«, sagte der Reverend.

Nun tauchte der Assistent des Bestattungsunternehmers aus dem Arbeitszimmer auf. Er zog die Bahre, während Mr. Magargel an der anderen Seite schob. Die Leiche des Richters war von Kopf bis Fuß mit einem gestärkten weißen Laken bedeckt, das an den Seiten ordentlich unter den Körper geschoben war. Thurber folgte ihnen auf dem Fuße. Sie brachten den Richter über die Veranda nach draußen.

Den letzten Atlee, der auf Maple Run gelebt hatte.

Eine halbe Stunde später erschien Forrest wieder, der sich irgendwo hinten im Haus versteckt gehalten hatte. In der Hand hatte er ein hohes Glas mit einer verdächtig aussehenden braunen Flüssigkeit. Eistee war es mit Sicherheit nicht.

»Sind sie weg?«, fragte er, während er den Blick über die Auffahrt schweifen ließ.

»Ja«, antwortete Ray, der auf der Treppe vor der Veranda saß und eine Zigarre rauchte. Als Forrest neben ihm Platz nahm, roch er sofort den Whiskey.

»Wo hast du den Fusel gefunden?«

»Er hatte ein Versteck in seinem Badezimmer. Willst du auch einen Schluck?«

»Nein. Seit wann weißt du das?«

»Seit dreiundzwanzig Jahren.«

Ein Dutzend Strafpredigten kamen Ray in den Sinn, aber er kämpfte dagegen an. Schon so oft hatte er seinem Bruder Vorträge gehalten, aber offensichtlich war das sinnlos gewesen, weil Forrest jetzt hier saß und Bourbon schlürfte, nachdem er hunderteinundvierzig Tage trocken geblieben war.

»Wie geht's Ellie?«, fragte er nach einem tiefen Zug aus seiner Zigarre.

»Sie ist total verrückt, ganz wie immer.«

»Wird sie zur Beerdigung kommen?«

»Nein, sie ist jetzt wieder bei hundertvierzig Kilo angelangt. Siebzig Kilo ist ihr Limit. Liegt sie darunter, geht sie aus dem Haus, aber ab einundsiebzig Kilo verbarrikadiert sie sich.«

»Wann war sie zum letzten Mal unter siebzig Kilo?«

»Vor drei oder vier Jahren. Sie hatte einen durchgeknallten Arzt gefunden, der ihr Pillen gab. Bald wog sie keine fünfzig mehr. Der Arzt wanderte in den Knast, und sehr schnell war sie wieder bei hundertvierzig. Aber nach oben ist das ihr absolutes Maximum. Sie stellt sich jeden Tag auf die Waage und flippt aus, wenn die Nadel auch nur ein Gramm mehr anzeigt.«

»Ich habe Reverend Palmer gesagt, dass es eine Totenwache geben wird, aber nicht hier im Haus.«

»Du bist der Verantwortliche.«

»Bist du einverstanden?«

»Klar.«

Ein tiefer Schluck Bourbon, ein tiefer Zug aus der Zigarre.

»Was ist mit der Schlampe, die dich sitzen gelassen hat? Wie hieß sie noch gleich?«

»Vicki.«

»Genau, Vicki. Schon auf deiner Hochzeit habe ich diese Kuh gehasst.«

»Ich wollte, bei mir wär's genauso gewesen.«

»Lebt sie noch in deiner Nähe?«

»Letzte Woche habe ich sie auf dem Flugplatz gesehen, als sie gerade aus ihrem Privatjet stieg.«

»Und sie hat tatsächlich dieses alte Arschloch geheiratet, diesen Gangster von der Wall Street?«

»Ja. Lass uns von etwas anderem reden.«

»Du hast mit dem Thema Frauen angefangen.«

»Was immer ein großer Fehler ist.«

Forrest stürzte einen weiteren Drink hinunter. »Dann lass uns über Geld reden. Wo ist die Kohle?«

Ray zuckte ein bisschen zusammen, und sein Herzschlag setzte einen Moment lang aus, doch da Forrest den Blick auf den Rasen vor dem Haus gerichtet hielt, war ihm nichts aufgefallen. Von welchem Geld redest du, lieber Bruder? »Er hat es gespendet.«

»Aber warum?«

»Es war sein Geld, nicht unseres.«

»Und warum hat er uns nicht ein bisschen was hinterlassen?«

Vor nicht allzu vielen Jahren hatte der Richter Ray anvertraut, dass er im Laufe von fünfzehn Jahren für Prozesskosten, Geldstrafen, Entziehungskuren und Therapien mehr als neunzigtausend Dollar für Forrest hingeblättert hatte. Entweder hinterließ er Forrest das Geld, damit dieser es sich in Form von Alkohol durch die Kehle rinnen ließ und in Form von Kokain durch die Nase jagte. Oder er schenkte es zu Lebzeiten wohltätigen Organisationen und bedürftigen Familien. Ray hatte einen Beruf und konnte für sich selbst sorgen.

»Er hat uns das Haus hinterlassen«, sagte Ray.

»Und was wird damit geschehen?«

»Wenn du willst, verkaufen wir es. Der Erlös fließt mit allem anderen in einen Topf. Fünfzig Prozent gehen für die Erbschaftssteuer drauf, und bis zur gerichtlichen Testamentsbestätigung wird es etwa ein Jahr dauern.«

»Sag mir einfach, was unter dem Strich herauskommen wird.«

»Wenn wir Glück haben, können wir uns in einem Jahr fünfzigtausend Dollar teilen.«

Natürlich gab es noch anderes Vermögen. Die Beute schlummerte friedlich in der Besenkammer, aber Ray brauchte Zeit zum Nachdenken. War es schmutziges Geld? Sollte es in das Erbe einbezogen werden? In diesem Fall würde es fürchterliche Probleme geben. Zuerst musste alles erklärt werden, dann würde mindestens die Hälfte für Steuern draufgehen, und am Ende hätte Forrest die Taschen voller Bargeld, das er in Drogen investierte, die ihn schließlich vermutlich das Leben kosten würden.

»Dann kriege ich also in einem Jahr fünfundzwanzigtausend Dollar?«, fragte Forrest.

Ray konnte nicht sagen, ob er besorgt oder angewidert war. »So in der Größenordnung.«

»Willst du das Haus übernehmen?«

»Nein, du?«

»Zum Teufel, nein. Ich setze da keinen Fuß mehr rein.«

»Ach komm, Forrest.«

»Als er mich rausgeschmissen hat, warf er mir vor, ich hätte lange genug Schande über die Familie gebracht. Er selbst hat gesagt, ich soll nie wieder einen Fuß auf sein Grundstück setzen.«

»Aber er hat sich dafür entschuldigt.«

Forrest nahm schnell einen weiteren Schluck. »Ja, hat er. Aber dieser Ort deprimiert mich. Du bist der Nachlassverwalter und wirst dich um alles kümmern. Schick mir einfach einen Scheck, wenn das Ganze gelaufen ist.«

»Wir sollten wenigstens seine Sachen zusammen durchsehen.«

»Ich rühre nichts an«, sagte Forrest, während er aufstand. »Ich will ein Bier. Mein letztes hatte ich vor fünf Monaten, ich will jetzt ein Bier.« Er ging bereits auf seinen Wagen zu. »Du auch?«

»Nein.«

»Begleitest du mich wenigstens?«

Einerseits wollte Ray mitfahren, weil er dann auf seinen Bruder aufpassen konnte, aber stärker als dieser Wunsch war sein Bedürfnis, zu bleiben und das Vermögen der Atlees zu schützen. Der Richter hatte das Haus nie abgeschlossen. Wo waren die Schlüssel? »Ich werde hier warten.«

»Wie du willst.«

Der nächste Besucher kam nicht überraschend. Als Ray auf der Suche nach den Schlüsseln gerade die Schubladen in der Küche durchwühlte, vernahm er von der Eingangstür her eine laute Stimme, die er jahrelang nicht mehr gehört hatte. Dennoch bestand kein Zweifel daran, dass sie Harry Rex Vonner gehörte.

Harry Rex umarmte ihn wie ein Bär, Ray drückte ihn nur leicht und wich dabei etwas zurück. »Es tut mir ja so Leid«, wiederholte Harry Rex mehrere Male. Er war ein schnurrbärtiger Bär von einem Mann, großgewachsen und mit einem mächtigen Brustumfang. Er hatte den Richter verehrt und hätte auch für dessen Söhne alles getan. Obgleich ein brillanter Anwalt, war er im kleinen Clanton hängen geblieben. An ihn hatte sich der Richter immer wegen Forrests Problemen mit dem Gesetz gewandt.

»Wann bist du angekommen?«, fragte Harry Rex.

»Ungefähr um fünf. Ich habe ihn in seinem Arbeitszimmer gefunden.«

»In den letzten zwei Wochen hatte ich viel im Gericht zu tun, deshalb habe ich eine Weile nicht mehr mit ihm gesprochen. Wo ist Forrest?«

»Bier kaufen.«

Während sie sich auf die Schaukelstühle neben der Hollywoodschaukel setzten, ließen sie diese schwer wiegende Tatsache auf sich einwirken.

»Schön, dass wir uns wieder mal sehen, Ray.«

»Finde ich auch.«

»Ich kann einfach nicht glauben, dass er tot ist.«

»Ich auch nicht. Irgendwie dachte ich, dass er immer da sein würde.«

Harry Rex wischte sich mit dem Ärmel Tränen aus den Augen. »Es tut mir so Leid«, murmelte er. »Ich kann's einfach nicht glauben. Vor gut zwei Wochen habe ich ihn noch gesehen. Er lief herum und war richtig auf Zack. Zwar hatte er Schmerzen, aber er hat sich nicht beklagt.«

»Die Ärzte hatten ihm noch ein Jahr gegeben, und das war vor etwa zwölf Monaten. Trotzdem habe ich geglaubt, dass er länger durchhalten würde.«

»Ich auch. Er war ein harter alter Brocken.«

»Möchtest du Eistee?«

»Das wäre fein.«

Ray ging in die Küche und schenkte zwei Gläser mit Instanttee voll. Dann kehrte er damit auf die Veranda zurück. »Besonders gut ist dieses Zeug nicht.«

Harry Rex trank einen Schluck und pflichtete Ray bei. »Wenigstens ist er kalt.«

»Wir müssen eine Totenwache organisieren, Harry Rex, aber nicht hier. Hast du irgendwelche Ideen?«

Nachdem Harry Rex einen Augenblick lang nachgedacht hatte, beugte er sich mit einem breiten Grinsen vor. »Wir bringen ihn ins Gerichtsgebäude, in die Rotunde im Erdgeschoss. Dort lassen wir ihn stilvoll wie einen König aufbahren.«

»Ist das dein Ernst?«

»Warum nicht? Ihm hätte das gefallen. Die ganze Stadt kann an ihm vorbeidefilieren und ihm die letzte Ehre erweisen.«

»Die Idee gefällt mir.«

»Sie ist brillant, glaub mir. Ich werde mit dem Sheriff

reden und ihn dazu bringen, seinen Segen zu geben. Alle werden sich freuen. Wann findet die Beerdigung statt?«

»Am Dienstag.«

»Dann werden wir die Totenwache für morgen Nachmittag ansetzen. Möchtest du, dass ich eine kleine Ansprache halte?«

»Natürlich. Warum organisierst du nicht alles?«

»Okay. Habt ihr schon einen Sarg ausgesucht?«

»Wollten wir morgen früh erledigen.«

»Nimm einen Eichensarg, vergiss diesen ganzen Mist mit Bronze und Kupfer. Letztes Jahr haben wir unsere Mutter in einem Eichensarg begraben, etwas Schöneres habe ich noch nie gesehen. Innerhalb von zwei Stunden kann Magargel aus Tupelo einen besorgen lassen. Eine Gruft kannst du ebenfalls vergessen. Das ist nur Nepp. Asche zu Asche, Staub zu Staub. Man muss sie verbuddeln und verrotten lassen, das ist die einzig anständige Methode. Die Episkopalkirche macht das genau richtig.«

Zwar war Ray von diesem Sturzbach an Vorschlägen etwas benommen, aber trotzdem dankbar. Den Sarg hatte der alte Atlee nicht erwähnt, dafür aber ausdrücklich eine Gruft verlangt. Außerdem einen hübschen Grabstein. Immerhin war er ein Atlee und musste zwischen anderen bedeutenden Leuten beerdigt werden.

Wenn irgendjemand etwas über die finanziellen Angelegenheiten seines Vaters wusste, dann Harry Rex. Während die Schatten sich über den langen Vorderrasen von Maple Run senkten, bemerkte Ray so beiläufig wie möglich: »Sieht so aus, als hätte er sein ganzes Geld gespendet.«

»Mich überrascht das nicht. Dich etwa?«

»Nein.«

»Zu seiner Beerdigung werden tausend Leute kommen, die von seiner Großzügigkeit profitiert haben. Behinderte Kinder, Kranke ohne Versicherung, schwarze Kinder, denen er das College ermöglicht hat, jedes einzelne Mitglied der freiwilligen Feuerwehren aus der ganzen Gegend, die Bürgervereine und das All-Star-Team, die Schüler der Klasse, die in Europa war. Unsere Kirche hat ein paar Ärzte nach Haiti geschickt, und dein Vater hat uns dafür tausend Dollar gespendet.«

»Seit wann gehst du in die Kirche?«

»Seit zwei Jahren.«

»Und warum?«

»Ich hab' eine neue Frau.«

»Die wievielte ist das?«

»Die vierte. Diese mag ich aber wirklich.«

»Da hat sie ja Glück gehabt.«

»Sie ist auch sehr glücklich.«

»Mir gefällt die Idee mit der Aufbahrung im Gerichtsgebäude. Die ganzen Leute, die du eben erwähnt hast, können ihm dann in aller Öffentlichkeit die letzte Ehre erweisen. Um Parkplätze braucht man sich auch keine Sorgen zu machen.«

»Es ist eine großartige Idee.«

In diesem Moment bog Forrests Wagen in die Einfahrt ein und kam kurz darauf mit quietschenden Bremsen nur Zentimeter hinter Harry Rex' Cadillac zum Stehen. Forrest stieg aus und ging durch das Dämmerlicht schwerfällig auf sie zu. Offenbar brachte er einen ganzen Träger Bier mit.

8

Als Ray wieder allein war, setzte er sich in den Korbstuhl gegenüber dem mittlerweile leeren Sofa und versuchte sich davon zu überzeugen, dass es keinen großen Unterschied machte, ob sein Vater gestorben war oder ob sie in weiter Entfernung voneinander lebten. Schon lange war dieser Tag abzusehen gewesen, und er würde alles mit Würde hinnehmen und mit ein bisschen Trauer im Herzen weiterleben. Bring die Angelegenheit hinter dich, ohne groß nachzudenken, sagte er sich. Erledige, was es in Mississippi zu erledigen gibt, und dann fahr heim nach Virginia.

Das Arbeitszimmer wurde nur von der trüben Glühbirne einer verstaubten Lampe auf dem Sekretär erhellt, und die Schatten waren lang und finster. Morgen würde er hier am Schreibtisch sitzen und sich auf den Papierkram stürzen, aber noch nicht heute Abend.

Denn jetzt musste er nachdenken.

Forrest war von Harry Rex mitgenommen worden, beide waren betrunken. Wie nicht anders zu erwarten, war Forrest mürrisch geworden. Er wollte unbedingt nach Memphis fahren. Ray schlug ihm vor zu bleiben. »Wenn du nicht im Haus schlafen willst, kannst du dich ja auf der Veranda hinlegen«, sagte er, ohne allzu viel Druck auszuüben, denn das hätte sofort zu einer Auseinandersetzung geführt. Harry Rex sagte, unter normalen Umständen würde er Forrest einladen, bei ihm zu übernachten, aber seine neue Frau sei eine harte Nuss, und zwei Betrunkene wären wahrscheinlich zu viel für sie.

»Bleib hier«, riet er, doch Forrest wollte nicht nachgeben. Selbst nüchtern war er ein Dickschädel, nach ein paar Drinks bekam man ihn nicht mehr unter Kontrolle. Allzu oft hatte Ray das schon miterleben müssen, und deshalb saß er schweigend dabei, während sein Bruder und Harry Rex debattierten.

Erledigt war das Thema erst, als Forrest beschloss, in das im Norden der Stadt gelegene Deep Rock Motel zu gehen. »Ich war da früher öfter, vor fünfzehn Jahren, als ich was mit der Frau des Bürgermeisters hatte«, sagte er.

»Da gibt's nichts als Fliegen«, bemerkte Harry Rex.

»Ich vermisse sie schon.«

»Die Frau des Bürgermeisters?«, fragte Ray.

»Das willst du nicht wirklich wissen«, sagte Harry Rex.

Ein paar Minuten nach elf verschwanden sie, und über das Haus senkte sich Stille.

Die Eingangstür hatte ein Schnappschloss, die zur Veranda einen Riegel. An der hinteren Seite des Hauses gab es nur die Küchentür, die einen wackeligen Knauf und ein nicht funktionierendes Schloss besaß. Mit einem Schraubenzieher hatte der Richter nicht umgehen können, und Ray hatte sein mangelndes handwerkliches Talent geerbt. Jedes Fenster war mittlerweile geschlossen und verriegelt. So sicher, das wusste Ray, war das Haus der Atlees schon seit Jahrzehnten nicht mehr gewesen. Sollte es notwendig sein, würde er in der Küche schlafen, wo er die Besenkammer bewachen konnte.

Er versuchte, nicht an das Geld zu denken. Stattdessen bemühte er sich, in Gedanken eine Art inoffiziellen Nachruf zu formulieren, während er allein im geheiligten Refugium seines Vaters saß.

Der Richter war im Jahr 1959 auf den Richterstuhl des 25. Chancery District gewählt und bis 1991 alle vier Jahre mit überwältigenden Wahlerfolgen im Amt bestätigt worden – zweiunddreißig Jahre gewissenhafter Pflichterfüllung. Als Jurist hatte er eine makellose Bilanz vorzuweisen gehabt. Kaum jemals hatte das Appellationsgericht eine seiner Entscheidungen rückgängig gemacht. Häufig wurde er von Kollegen anderer Gerichtsbezirke gebeten, für sie besonders komplizierte Fälle zu verhandeln. Er war Gastdozent an der juristischen Fakultät der Universität von Mississippi, hatte Hunderte von Artikeln über Praxis, Verfahrensweisen und Entwicklung des Rechtswesens geschrieben. Eine Berufung an den Obersten Gerichtshof des Bundesstaates Mississippi lehnte er zweimal ab, weil er an einem Gericht erster Instanz arbeiten wollte.

Wenn der Richter seine Robe abgelegt hatte, mischte er in allen lokalen Angelegenheiten mit: Politik, soziale Probleme, Schul- und Kirchenfragen. Ohne seine Billigung wurde in Ford County kaum etwas genehmigt, und fast nie versuchte man, etwas durchzusetzen, wogegen er opponierte. Es gab praktisch keinen Ausschuss, keinen Rat, keinen Verband und kein spontan gegründetes Komitee, bei dem er nicht zu irgendeinem Zeitpunkt seines Lebens die Hand im Spiel gehabt hatte. Stillschweigend suchte er Kandidaten für lokale Ämter aus und trug im Hintergrund zur Niederlage derjenigen Aspiranten bei, die nicht seinen Segen hatten.

In seiner knapp bemessenen Freizeit studierte er, wenn er nicht gerade juristische Artikel schrieb, historische Werke und die Bibel. Nie hatte er mit seinen Söhnen Baseball gespielt, nie war er mit ihnen zum Angeln gegangen.

Seine Frau Margaret starb 1969 urplötzlich an einem Aneurysma. Seine Söhne blieben nun allein zurück.

Irgendwann während dieses Lebenswegs hatte es der Richter geschafft, ein immenses Barvermögen abzuzweigen.

Vielleicht war des Rätsels Lösung irgendwo zwischen den Papierstößen auf seinem Schreibtisch oder in den Schubladen zu finden. Wenn der Richter schon keine umfassende Erklärung hinterlassen hatte, gab es doch mit Sicherheit irgendeinen Anhaltspunkt oder eine Spur. Ray kannte niemanden in Ford County, der überhaupt zwei Millionen Dollar besaß, aber es war schlechthin unvorstellbar, dass jemand eine solche Summe *in bar* aufbewahrte.

Er musste das Geld zählen. Während des Abends hatte er bereits zweimal danach gesehen, doch schon das Zählen der siebenundzwanzig Blake & Son-Kartons hatte ihm Angst gemacht. Der geeignete Zeitpunkt war der frühe Morgen – dann war es hell, aber die Stadt war noch nicht auf den Beinen. Er würde die Küchenfenster verhängen und sich einen Karton nach dem anderen vornehmen.

Kurz vor Mitternacht fand Ray in einem im Erdgeschoss gelegenen Schlafzimmer eine kleine Matratze, die er ins Esszimmer schleifte und an einer Stelle deponierte, die fünf Meter von der Besenkammer entfernt war und von wo aus er zugleich die Auffahrt und das Nachbarhaus im Auge behalten konnte. Oben, in der Schublade des Nachttischs seines Vaters, hatte er dessen 38er Smith & Wesson entdeckt. Das Kopfkissen und die Wolldecke rochen modrig, und er fand keinen Schlaf.

Von der Rückseite des Hauses ertönte ein klapperndes Geräusch. Es dauerte ein paar lange Augenblicke, bis Ray aufgewacht war, wieder einen klaren Kopf und begriffen hatte, was er da hörte – vermutlich ein Fenster. Zuerst eine Art pickendes Geräusch, dann ein etwas heftigeres Rütteln, schließlich Stille. Er richtete sich auf der Matratze auf und griff nach dem Achtunddreißiger. Weil fast alle Glühbirnen defekt und der Richter zu geizig gewesen war, sie auszutauschen, war das Haus sehr viel dunkler, als es Ray lieb war.

Zu geizig. Und das, obwohl er siebenundzwanzig Kartons mit Bargeld im Haus gehabt hatte.

Am nächsten Morgen, nahm Ray sich vor, würde er als Erstes Glühbirnen auf seine Einkaufsliste setzen.

Wieder ertönte das Rütteln, aber es war zu energisch und erfolgte zu rasch, als dass es von den Zweigen der Bäume stammen konnte, die gegen ein Fenster schlugen. Tak, tak, tak, dann ein harter Stoß, als würde jemand versuchen, das Fenster aufzubrechen.

In der Auffahrt standen Rays und Forrests Autos. Jeder Narr musste wissen, dass jemand im Haus war. Wer immer dieser Narr auch sein mochte, es schien ihm egal zu sein. Wahrscheinlich war er bewaffnet, und mit Sicherheit wusste er besser mit einer Pistole umzugehen als Ray.

Wie ein Krebs kroch er auf dem Bauch durch die Diele, doch sein Atem ging stoßweise wie der eines Hundertmeterläufers. In dem dunklen Flur hielt er an, um in die Stille zu lauschen. Eine liebliche Stille. Hau doch einfach wieder ab, dachte er, hau einfach ab.

Erneut erklang das Geräusch. Ray robbte mit gezückter Waffe auf das nach hinten gelegene Schlafzimmer zu. Viel zu spät fragte er sich, ob der Revolver überhaupt geladen war. Natürlich, immerhin hatte der Richter ihn zu seiner Sicherheit im Nachttisch aufbewahrt. Das Geräusch wurde lauter. Es kam aus dem kleinen Raum, den sie früher als Gästeschlafzimmer benutzt hatten, der aber schon seit Jahrzehnten als Abstellkammer für Kartons mit wertlosem Trödel diente. Langsam schob Ray die Tür mit dem Kopf auf. Er sah nichts als Pappkartons. Die Tür schlug gegen eine Stehlampe, die vor dem ersten der drei dunklen Fenster auf den Boden knallte.

Fast hätte Ray gefeuert, aber er konnte sich gerade noch beherrschen und hielt den Atem an. Unbeweglich lag er auf dem unebenen Holzboden, bis es ihm so vorkam, als wäre schon eine ganze Stunde vergangen. Schwitzend fegte er Spinnweben zur Seite und lauschte, hörte aber nichts. Schwankende Schatten fielen in den Raum, weil ein leichter Wind durch die Zweige strich, und irgendwo unter dem Dach schlug ein Ast sanft gegen das Haus.

Es war wohl doch der Wind gewesen. Der Wind und die alten Geister von Maple Run, an die seine Mutter geglaubt hatte, weil in dem betagten Haus schon Dutzende Menschen gestorben waren. Ihren Worten nach lagen im Keller Sklaven begraben, deren rastlose Geister jetzt durch das Haus irrten.

Der Richter hatte Gespenstergeschichten gehasst und sie nicht hören wollen.

Als Ray sich schließlich aufsetzte, waren seine Ellbogen und Knie taub. Nach einer Weile erhob er sich und lehnte sich an den Türrahmen. Den Revolver in der Hand, ließ er den Blick über die drei Fenster gleiten. Falls es tatsächlich einen Eindringling gegeben hatte, war er offensichtlich durch den Lärm abgeschreckt worden. Aber je länger Ray dort stand und nachdachte, desto mehr war er überzeugt, dass der Wind die Geräusche verursacht hatte.

Forrest hatte Recht gehabt. So heruntergekommen das Deep Rock Motel auch sein mochte, es war dort bestimmt friedlicher als hier.

Da war das Geräusch erneut zu hören, und schon lag Ray wieder auf dem Boden. Wieder wurde er von Angst gepackt, nur war diesmal alles schlimmer, weil der Lärm aus der Richtung der Küche kam. Aus taktischen Gründen entschloss er sich zu kriechen, statt auf dem Bauch zu rutschen. Seine Knie schmerzten höllisch, als er die Diele erreicht hatte. An der Glastür zum Esszimmer hielt er inne. Der Fußboden war dunkel, doch von einer schwachen Lampe auf der Veranda sickerte trübes Licht durch die Jalousien, das den oberen Teil der Wände und die Decke beleuchtete.

Nicht zum ersten Mal fragte er sich, was er hier eigentlich tat. War es wirklich möglich, dass er, ein Juraprofessor von einer renommierten Universität, sich in seinem finsteren Elternhaus versteckte, bewaffnet, zu Tode verängstigt und zu allem bereit? Und das alles nur, weil er um jeden Preis einen rätselhaften Haufen Bargeld verteidigen wollte, über den er gestolpert war? »Darauf find mal eine Antwort«, murmelte er vor sich hin.

Die Küchentür führte auf eine kleine hölzerne Terrasse hinaus. Schritte waren zu hören – irgendjemand bewegte sich draußen auf den Holzdielen, direkt hinter der Tür. Dann hörte Ray den wackeligen Türknauf mit dem defekten Schloss klappern. Wer immer es auch sein mochte, er hatte die kühne Entscheidung gefällt, direkt durch die Tür hereinzuspazieren, statt sich für ein Fenster zu entscheiden.

Ray war ein Atlee, und dies war sein Grundstück. Außerdem war er in Mississippi, wo jeder damit rechnen musste, dass man sich mit der Waffe verteidigte. Kein Richter im ganzen Bundesstaat würde auch nur die Stirn runzeln, wenn jemand in einer Situation wie dieser zu drastischen Maßnahmen griff. Ray kauerte sich neben den Küchentisch, zielte auf eine Stelle des Fensters über dem Spülbecken und legte den Finger um den Abzug. Ein lauter Schuss in der Finsternis, der aus dem Haus abgefeuert wurde und ein Fenster zersplittern ließ, war zweifellos ein sicheres Mittel, um jeden Einbrecher abzuschrecken.

Als der Türknopf erneut zu klappern begann, drückte

Ray ab. Der Hahn klickte, doch nichts geschah. Offensichtlich war die Waffe nicht geladen. Die Trommel drehte sich, er versuchte es erneut, wieder Fehlanzeige. In Panik griff er nach der leeren Teekanne und schleuderte sie in Richtung Tür. Zu seiner großen Erleichterung war der Lärm lauter als jeder Schuss. Vor Angst wie von Sinnen, schlug er auf einen Lichtschalter und stürmte dann mit gezückter Waffe auf die Tür zu. »Zum Teufel, verschwinden Sie!«, brüllte er. Doch als er die Tür aufriss, erblickte er niemanden. Erleichtert stieß er die Luft aus und versuchte, sich zu beruhigen.

Eine halbe Stunde verbrachte er damit, die Scherben aufzufegen, und er gab sich alle Mühe, dabei so viel Lärm wie möglich zu verursachen.

Der Cop hieß Andy und war der Neffe eines alten Klassenkameraden, mit dem Ray die Highschool besucht hatte. Schon eine halbe Minute nach seinem Eintreffen waren dadurch gewisse Bande geknüpft. Während sie Maple Run in Augenschein nahmen, unterhielten sie sich über Football. Keines der unteren Fenster zeigte Spuren eines Einbruchsversuchs, und außer den Glasscherben war auch an der Küchentür nichts festzustellen. Während Andy von Zimmer zu Zimmer ging, suchte Ray oben nach Patronen, doch beide kamen von ihrer Suche erfolglos zurück. Ray kochte Kaffee, den sie auf der Veranda tranken, wo sie sich leise bis in die frühen Morgenstunden unterhielten. Um diese Uhrzeit war Andy der einzige Polizist, der in Clanton Dienst tat, und seinen Worten nach war auch er eigentlich überflüssig. »In der Nacht von Sonntag auf Montag passiert nie was«, sagte er. »Die Leute schlafen, um frisch in die Arbeitswoche zu starten.« Ray hakte ein bisschen nach, und Andy informierte ihn über die Kriminalität in Ford County – gestohlene Pick-ups, Prügeleien in irgendwelchen Spelunken, Drogenhandel in Lowtown, dem Viertel der Farbigen. Einen Mord, fügte er stolz hinzu, habe es in Clanton schon seit vier Jahren nicht mehr gegeben. Nachdem er um eine zweite Tasse Kaffee gebeten hatte, plapperte er weiter. Wenn es nötig sein sollte, würde Ray bis zum Sonnenaufgang Kaffee nachschenken und neuen kochen, weil es ihm sehr zusagte, dass ein Streifenwagen vor dem Haus parkte.

Um halb vier verließ Andy ihn. Eine Stunde lang lag Ray auf der Matratze und starrte Löcher in die Decke. Die Waffe in seiner Hand war nutzlos. Um nicht einzuschlafen, dachte er darüber nach, wie er das Geld vor dem Zugriff anderer schützen konnte. Dagegen hatten Überlegungen bezüglich möglicher Invesitionen noch Zeit. Wichtiger war ein Plan, wie er es aus der Besenkammer, aus dem Haus und dann an einen sicheren Ort transportieren konnte. Musste er es nach Virginia bringen? In Clanton konnte er es nicht lassen. Und wann würde er es endlich zählen können?

Irgendwann überwältigten ihn die Müdigkeit und die emotionalen Belastungen des Tages, und er nickte ein. Wieder ertönten die Geräusche, doch diesmal hörte er sie nicht. Die Küchentür, mittlerweile durch einen unter die Klinke geklemmten Stuhl und einen Strick gesichert, klapperte und schlug, aber Ray wachte nicht auf.

9

Um halb acht weckte ihn das Sonnenlicht. Das Geld war noch da, niemand hatte es angerührt. Soweit er es beurteilen konnte, waren Türen und Fenster nicht geöffnet worden. Er kochte Kaffee, und während er am Küchentisch die erste Tasse trank, fällte er eine wichtige Entscheidung. Da womöglich jemand hinter dem Geld her war, durfte er es keinen Augenblick länger hier lassen.

In dem kleinen Kofferraum seines Audis war kein Platz für siebenundzwanzig Blake & Son-Kartons. Um acht Uhr klingelte das Telefon. Es war Harry Rex. Er berichtete, dass er Forrest wohlbehalten im Deep Rock Motel abgeliefert habe, dass die für nachmittags um halb fünf angesetzte Zeremonie in der Rotunde des Gerichtsgebäudes genehmigt worden sei und dass er bereits eine Sopranistin und eine Fahnenwache organisiert habe. Außerdem brüte er gerade eine Lobrede auf den geliebten Freund aus.

»Wie sieht's mit dem Sarg aus?«, fragte er.

»Um zehn sind wir mit Magargel verabredet«, antwortete Ray.

»Gut. Und denk daran, nimm einen Eichensarg. Deinem Vater hätte das gefallen.«

Ein paar Minuten lang sprachen sie über Forrest. Das Gespräch unterschied sich kaum von den vielen anderen, die sie zu diesem Thema bereits miteinander geführt hatten. Nachdem Harry Rex eingehängt hatte, machte sich Ray sofort an die Arbeit. Er öffnete die Fenster und Läden, damit er jeden Besucher gleich sehen und hören konnte. In den Coffeeshops am Clanton Square verbreitete sich jetzt die Neuigkeit, dass der Richter gestorben war, und es war durchaus möglich, dass bald Besucher auf Maple Run auftauchten.

Das Haus hatte zu viele Türen und Fenster, und Ray konnte schlecht rund um die Uhr Wache schieben. Wenn jemand auf das Geld scharf war, dann konnte es dieser Jemand auch in seinen Besitz bringen. Angesichts von ein paar Millionen Dollar war eine Kugel in Rays Kopf eine gute Investition.

Das Geld musste unbedingt weggeschafft werden.

Vor der Besenkammer leerte er den Inhalt des ersten Kartons in einen schwarzen Müllsack aus Kunststoff. Nach acht weiteren Kartons befand sich ungefähr eine Million Dollar in dem Müllsack. Er schleppte ihn zur Küchentür und spähte nach draußen. Die leeren Kartons hatte er wieder in dem Kabinettschrank unter den Bücherregalen verstaut. Nachdem er zwei weitere Müllsäcke gefüllt hatte, setzte er seinen Wagen rückwärts so dicht wie möglich an die Terrasse vor der Küche. Dann überprüfte er, ob ihn jemand beobachtete, aber er bemerkte nichts. Die einzigen Nachbarn waren die alten Jungfern nebenan, doch die konnten nicht einmal mehr das Bild auf dem Fernseher in ihrer eigenen Bude erkennen. Zwischen Tür und Auto hin und her eilend, verstaute er das Vermögen im Kofferraum. Er manövrierte die Müllsäcke herum, und obwohl es so aussah, als würde sich der Deckel des Kofferraums nicht mehr schließen lassen, knallte er ihn zu. Es klickte, der Kofferraum war geschlossen. Ray Atlee war erleichtert.

Noch wusste er nicht, wie er das Geld in Virginia vom

Parkplatz durch die gut besuchte Fußgängerzone zu seiner Wohnung bringen sollte, doch darüber konnte er sich später Gedanken machen.

Zum Deep Rock Motel gehörte ein heißer, enger, schmutziger Diner, den Ray nicht kannte, aber es war genau der Ort, wo man am Morgen nach dem Tod von Richter Atlee in Ruhe frühstücken konnte. In den drei Coffeeshops am Clanton Square wurden vermutlich gerade Geschichten und Tratsch über den großen Mann erzählt, und darauf hatte Ray überhaupt keine Lust.

Forrest machte einen ganz anständigen Eindruck; Ray hatte ihn schon in schlechterer Verfassung erlebt. Er trug dieselbe Kleidung wie gestern und hatte auch nicht geduscht, doch das war bei Forrest nichts Ungewöhnliches. Seine Augen waren zwar gerötet, aber nicht verquollen. Er behauptete, er habe gut geschlafen, müsse aber dringend etwas zu beißen kriegen. Beide bestellten Rührei mit Speck.

»Du siehst müde aus«, sagte Forrest, der schwarzen Kaffee trank.

Tatsächlich fühlte sich Ray erschöpft. »Mir geht's gut. Zwei Stunden Pause, dann bin ich zu allem bereit.« Durch das Fenster warf er einen Blick auf seinen Audi, den er so dicht wie möglich vor dem Diner geparkt hatte. Falls nötig, würde er in der verdammten Karre sogar übernachten.

»Es ist seltsam«, sagte Forrest. »Wenn ich trocken bin, schlafe ich wie ein Baby. Acht, neun Stunden Tiefschlaf pro Nacht. Bin ich nicht trocken, kriege ich mit Glück fünf Stunden, und von Tiefschlaf kann keine Rede sein.«

»Nur so aus Neugier: Denkst du an die nächsten Drinks, wenn du trocken bist?«

»Immer. Der Druck baut sich auf, es ist wie beim Sex. Man kann eine Weile ohne, aber der Druck wächst immer mehr, und früher oder später braucht man Erleichterung. Schnaps, Sex, Drogen – irgendwann holt es mich wieder ein.«

»Du warst hunderteinundvierzig Tage trocken.«

»Sogar einen Tag mehr.«

»Wo steht dein Rekord?«

»Bei vierzehn Monaten. Vor ein paar Jahren kam ich aus einer Entziehungskur in dieser Riesenanstalt, die der alte Herr bezahlt hat. Für lange Zeit habe ich es gelassen, aber dann hatte ich einen Rückfall.«

»Aber warum?«

»Es ist immer dasselbe. Als Süchtiger kann man jederzeit und überall aus jedem beliebigen Grund einen Rückfall haben. Bisher ist noch nichts erfunden worden, was mich dann aufhalten könnte. Ich bin abhängig, Bruderherz. So einfach ist das.«

»Bist du noch auf Drogen?«

»Klar. Letzte Nacht waren es Whiskey und Bier. Heute wird's genauso sein, morgen auch. Am Ende der Woche ist dann härterer Stoff dran.«

»Willst du es so?«

»Nein. Aber ich weiß, dass es passieren wird.«

Die Kellnerin brachte ihr Essen. Forrest bestrich rasch ein Brötchen mit Butter und biss hinein. »Unser alter Herr ist tot, Ray«, sagte er dann. »Kannst du das wirklich glauben?«

Ray kam der Themenwechsel sehr gelegen. Wenn sie weiterhin über Forrests Probleme diskutierten, würde das bald zu einer Auseinandersetzung führen. »Nein. Ich habe zwar geglaubt, darauf vorbereitet zu sein, aber ich war es nicht.«

»Wann hast du ihn zum letzten Mal gesehen?«

»Im November, als er die Prostata-Operation hatte. Und du?«

Während er über die Frage nachdachte, würzte Forrest

sein Rührei mit Tabascosauce. »Wann war das noch mit dem Herzinfarkt?«

Der Richter hatte so viele Leiden gehabt und war so häufig operiert worden, dass es nicht einfach war, sich zu erinnern.

»Er hatte drei Infarkte.«

»Ich meine den in Memphis.«

»Das war der zweite«, antwortete Ray. »Ist mittlerweile vier Jahre her.«

»Das kommt ungefähr hin. Ich habe ihn öfter im Krankenhaus besucht. Verdammt, es liegt keine sechs Blocks von Ellies Haus entfernt. Ich dachte, das ist das Mindeste, was ich tun kann.«

»Worüber habt ihr geredet?«

»Über den Bürgerkrieg. Er glaubte immer noch, wir hätten gewonnen.«

Beide lächelten und aßen dann ein paar Augenblicke schweigend. Als Harry Rex auftauchte, war es mit der Stille vorbei. Er nahm sich ein Brötchen und erzählte ihnen die letzten Einzelheiten über die prächtige Trauerzeremonie, die er im Andenken an den toten Richter plante.

»Alle wollen nach Maple Run kommen«, sagte Harry Rex mit vollem Mund.

»Ist absolutes Sperrgebiet«, bemerkte Ray.

»Das habe ich ihnen auch gesagt. Wollt ihr heute Abend Gäste empfangen?«

»Nein«, antwortete Forrest.

»Sollten wir?«, fragte Ray.

»Das wäre angemessen, entweder zu Hause oder im Bestattungsinstitut. Aber wenn ihr nicht wollt, ist das auch kein großes Problem. Die Leute werden bestimmt nicht gleich beleidigt sein und auch in Zukunft mit euch reden.«

»Es gibt die Totenwache im Gerichtsgebäude und die Beerdigung, reicht das denn nicht?«, fragte Ray.

»Meiner Meinung nach schon.«

»Ich sitze auf keinen Fall den ganzen Abend im Bestattungsinstitut rum, um alte Omis zu umarmen, die zwanzig Jahre lang über mich hergezogen sind«, sagte Forrest. »Du kannst ja hingehen, wenn du Lust hast, aber ich werde nicht kommen.«

»Damit wäre das erledigt.«

»Die Bemerkung eines wahren Nachlassverwalters«, kommentierte Forrest mit einem sarkastischen Grinsen.

»Eines Nachlassverwalters?«, fragte Harry Rex.

»Ja, auf seinem Schreibtisch lag sein vom Samstag datierender letzter Wille. Ein schlichtes, eine Seite langes, handschriftliches Testament, in dem er uns beiden alles zu gleichen Teilen vermacht. Darin hat er seine Vermögenswerte aufgelistet und mich als Nachlassverwalter eingesetzt. Außerdem will er, dass du das Testament gerichtlich bestätigen lässt, Harry Rex.«

Harry Rex hörte zu kauen auf, rieb sich mit einem seiner Wurstfinger die Nase und blickte sich dann in dem Lokal um. »Das ist seltsam«, bemerkte er. Offensichtlich irritierte ihn etwas.

»Was ist seltsam?«

»Vor einem Monat habe ich ein langes Testament für ihn aufgesetzt.«

Jetzt aß keiner mehr. Ray und Forrest tauschten Blicke, die allerdings nichts verrieten, weil keiner von ihnen eine Ahnung hatte, was der andere dachte.

»Vermutlich hat er seine Meinung geändert«, sagte Harry Rex.

»Was stand denn in dem anderen Testament?«, fragte Ray.

»Das kann ich euch nicht sagen. Er war mein Mandant, also unterliegt das der Schweigepflicht.«

»Und was passiert jetzt?«, sagte Forrest. »Tut mir ja Leid, aber ich bin nun mal kein Rechtsanwalt.«

»Nur das letzte Testament zählt«, erklärte Harry Rex. »Es macht alle früheren Testamente nichtig. Was immer euer Vater also in dem letzten Willen berücksichtigt haben wollte, den ich für ihn aufgesetzt habe, ist jetzt irrelevant.«

»Warum kannst du uns dann nicht sagen, was drin stand?«, fragte Forrest.

»Weil ich als Anwalt nicht über das Testament eines Mandanten reden darf.«

»Aber der letzte Wille, den du aufgesetzt hast, ist doch nicht mehr gültig, oder?«

»Schon richtig, aber ich darf trotzdem nicht darüber reden.«

»Was für ein Scheiß«, sagte Forrest, der Harry Rex mit einem funkelnden Blick anstarrte. Die drei Männer atmeten tief durch und aßen dann weiter.

Ray war klar, dass er das erste Testament so schnell wie möglich sehen musste. Wenn darin das in dem Kabinettschrank verborgene Vermögen erwähnt wurde, wusste Harry Rex davon. Und wenn Harry Rex davon wusste, musste das Geld schnell aus dem Kofferraum des Audi herausgeholt, wieder in den Blake & Son-Kartons verstaut und in das ursprüngliche Versteck zurückgebracht werden. Dann würde es in das Erbe einbezogen und offiziell registriert werden.

»Könnte in seinem Büro nicht eine Kopie von dem von dir aufgesetzten Testament herumliegen?«, fragte Forrest Harry Rex.

»Nein.«

»Bist du sicher?«

»Ziemlich sicher«, sagte Harry Rex. »Wenn man ein neues Testament macht, vernichtet man das alte, weil man nicht will, dass jemand es findet und versucht, es als rechtswirksam bestätigen zu lassen. Manche Leute ändern ihren letzten Willen jedes Jahr, und Anwälte wissen, dass die alten

Testamente verbrannt werden sollten. Euer Vater war fest davon überzeugt, dass widerrufene Testamente vernichtet werden müssen. Schließlich hat er dreißig Jahre lang beruflich mit Erbschaftsstreitigkeiten zu tun gehabt.«

Die Tatsache, dass ihr Freund etwas über ihren toten Vater wusste, das dieser seinen Söhnen nicht hatte anvertrauen wollen, kühlte die Atmosphäre des Gesprächs deutlich ab. Ray beschloss, Harry Rex erst dann in die Mangel zu nehmen, wenn er mit ihm allein war.

»Magargel erwartet uns«, sagte er zu Forrest.

»Na, das wird bestimmt lustig.«

Mr. Magargel und sein Helfer rollten den schönen, mit purpurfarbenem Samt drapierten Eichensarg durch den Ostflügel des Gerichtsgebäudes. Hinter dem Sarg schritten Ray und Forrest, gefolgt von einer Fahnenwache der Pfadfinder, die Flaggen trugen und scharf gebügelte Kaki-Uniformen anhatten.

Weil der Richter für sein Land gekämpft hatte, war sein Sarg auch mit der amerikanischen Flagge geschmückt. Deshalb nahm ein Kontingent aus der Gegend stammender Reservisten sofort Haltung an, als der Sarg von Captain Atlee a. D. schließlich in der Mitte der Rotunde des Gerichtsgebäudes stand.

Sämtliche Rechtsanwälte der County waren anwesend. Harry Rex hatte vorgeschlagen, ihnen einen speziellen, durch ein Seil abgetrennten Bereich in der Nähe des Sargs zuzuweisen. Alle Offiziellen von Stadt und County waren gekommen, außerdem die Angestellten des Gerichts, die Polizisten und die Abgeordneten der Gegend. Als Harry Rex vortrat, um die Zeremonie zu eröffnen, drängte die Menge nach vorn. Über ihnen, im ersten und zweiten Stock des Gerichtsgebäudes, beugten sich weitere Menschen über die Geländer.

Ray trug einen nagelneuen marineblauen Anzug, den er ein paar Stunden zuvor bei Pope's gekauft hatte, dem einzigen Herrenausstatter in Clanton. Mit einem Preis von dreihundertzehn Dollar war es der teuerste Anzug in dem Geschäft gewesen. Von dem saftigen Betrag waren zehn Prozent Rabatt abgegangen, auf dem Mr. Pope bestanden hatte. Forrests dunkelgrauer Anzug, den ebenfalls Ray bezahlt hatte, war vor dem Preisnachlass mit zweihundertachtzig Dollar ausgezeichnet gewesen. Schon seit zwanzig Jahren hatte Forrest keinen Anzug mehr getragen, und er hatte geschworen, dass sich daran auch anlässlich der Beerdigung nichts ändern würde. Nur einer Standpauke von Harry Rex war es zu verdanken, dass er seine Meinung geändert hatte.

An einem Ende des Sargs standen die Söhne des Richters, am anderen Ende Harry Rex. Etwa in der Mitte stellte Billy Boone, der scheinbar alterslose Pförtner des Gerichts, behutsam ein Porträt des verstorbenen Richters auf. Das Bild war vor zehn Jahren kostenlos von einem ortsansässigen Künstler gemalt worden. Alle wussten, dass es dem Richter zu Lebzeiten nicht besonders gefallen hatte. Damit niemand es zu Gesicht bekam, hatte er es in seinen Amtszimmern hinter dem Gerichtssaal an der Rückseite einer Tür aufgehängt. Nach seiner Abwahl war es hoch über dem Richterstuhl im Verhandlungssaal angebracht worden.

Auf dem gedruckten Programm der Trauerzeremonie stand »Abschiedsgruß für Richter Atlee«. Ray studierte sein Exemplar eingehend, weil er sich nicht umblicken wollte. Alle Augen waren auf ihn und Forrest gerichtet. Reverend Palmer trug ein pathetisches Gebet vor. Weil es am nächsten Tag ja noch die Beerdigung gab, hatte Ray auf einer kurzen Zeremonie bestanden.

Nun traten die Pfadfinder mit der amerikanischen Flagge vor und sprachen den feierlichen Fahneneid. Dann sang Schwester Oleda Shumpert von der Holy Ghost Church of God in Christ eine schwermütige A-Cappella-Version von »Shall we Gather at the River«. Der Text und die Melodie des Lieds ließen vielen Tränen in die Augen treten, selbst Forrest, der mit gesenktem Kopf dicht neben Ray stand.

Während Ray in der hohen Rotunde dem Nachhall der vollen Stimme der Sängerin lauschte, spürte er zum ersten Mal, wie schwer der Tod seines Vaters für ihn wog. Er dachte an all die Dinge, die sie als Erwachsene zusammen hätten unternehmen können, all die Dinge, die sie nicht unternommen hatten, als Forrest und er Kinder gewesen waren. Aber er hatte sein Leben gelebt und der Richter seines, und beide hatten daran nichts auszusetzen gehabt.

Es war Unsinn, die Vergangenheit wieder aufzurollen, nur weil der alte Mann nicht mehr unter den Lebenden weilte, sagte er sich immer wieder. Angesichts des Todes war es natürlich, dass er sich wünschte, er hätte mehr mit seinem Vater unternommen. Aber Tatsache war, dass der Richter Ray jahrelang gegrollt hatte, weil dieser aus Clanton weggegangen war. Leider war er dann nach seinem Abschied aus dem Beruf zum Einsiedler geworden.

Als der Augenblick der Schwäche vorbei war, straffte Ray sich. Er würde sich nicht selbst geißeln, weil er sich für einen Lebensweg entschieden hatte, der nicht dem Ideal seines Vaters entsprochen hatte.

Jetzt begann Harry Rex mit seiner Ansprache, einer, wie er versprochen hatte, »kurzen Gedenkrede«. »Heute haben wir uns hier versammelt, um von einem alten Freund Abschied zu nehmen. Uns allen war klar, dass dieser Tag kommen würde, und doch haben wir darum gebetet, ihn nie erleben zu müssen.« Er ließ die Höhepunkte der beruflichen Laufbahn des Verstorbenen Revue passieren und erinnerte dann an seinen eigenen ersten Auftritt vor dem Richterstuhl des großen Mannes. Das war dreißig Jahre her, Harry Rex hatte gerade das Jurastudium absolviert und es bei seinem ersten Job als Anwalt mit einem eindeutigen Scheidungsfall zu tun. Irgendwie hatte er es geschafft, trotzdem zu unterliegen.

Jeder hiesige Anwalt hatte die Geschichte schon hundertmal gehört, dennoch lachten alle an der richtigen Stelle. Ray ließ seinen Blick über die Juristen schweifen und dachte über sie nach. Wie konnte es in einer Kleinstadt nur so viele Anwälte geben? Ungefähr die Hälfte von ihnen war ihm vertraut. Viele von den Älteren, die er als Kind oder Schüler gekannt hatte, waren mittlerweile im Ruhestand oder tot, etliche der Jüngeren hatte er noch nie gesehen.

Ihn kannten natürlich alle. Schließlich war er Richter Atlees Sohn.

Langsam begann Ray zu begreifen, dass sein rascher Abschied von Clanton nach der Beerdigung nur zeitweilig sein würde. Schon bald würde er zurückkehren müssen, um zur Bestätigung des Testaments mit Harry Rex vor Gericht zu erscheinen. Dann musste er eine Liste der Vermögensgegenstände seines Vaters erstellen und als Nachlassverwalter ein halbes Dutzend weitere Pflichten erfüllen. Das war Routine und konnte in ein paar Tagen erledigt werden. Aber es würde Wochen oder sogar Monate in Anspruch nehmen, das Rätsel des von ihm gefundenen Geldes zu lösen.

Wusste einer der anwesenden Anwälte etwas darüber? Das Geld musste mit irgendeiner Rechtssache zu tun haben. Außerhalb der Juristerei war im Leben des Richters für nichts anderes Platz gewesen. Doch während Ray seinen Blick über die Anwälte schweifen ließ, konnte er sich nicht vorstellen, dass hier eine reich sprudelnde Geldquelle zu orten war, welche die riesige Summe im Kofferraum seines Autos erklärte. Diese Leute hier waren nicht besonders gut gestellte Kleinstadtanwälte, die nur mit Mühe ihre Rechnungen bezahlen konnten und immer wieder den Konkurrenten von nebenan ausstechen mussten. Großes Geld war da nicht zu vermuten. Die Kanzlei Sullivan hatte acht oder neun Rechtsanwälte, die Banken und Versicherungen vertraten, und sie verdienten gerade genug, um sich mit befreundeten Ärzten im Country-Klub zu amüsieren.

In der ganzen County gab es keinen einzigen Anwalt mit einem wirklichen Vermögen. Da drüben stand zum Beispiel Irv Chamberlain, ein Mann mit dicken Brillengläsern und einem schlecht sitzenden Toupet, der tausende Morgen Land besaß, die über Generationen vererbt worden waren, es aber nicht verkaufen konnte, weil es keine Interessenten gab. Außerdem liefen Gerüchte um, dass er die neuen Spielkasinos in Tunica frequentierte.

Noch immer leierte Harry Rex seine Gedenkrede herunter, doch Ray gingen die Anwälte nicht aus den Kopf. Irgendjemand teilte sein Geheimnis. Irgendjemand wusste von dem Geld. Konnte es sich um eines der ehrenwerten Mitglieder der Anwaltschaft von Ford County handeln?

Harry Rex' Stimme brach, er kam allmählich zum Ende. Er dankte allen, dass sie erschienen waren, und verkündete, der Verstorbene bleibe bis zehn Uhr abends im Gerichtsgebäude aufgebahrt. Die Trauernden begannen, an Ray und Forrest vorbeizudefilieren. Brav stellten sich die Wartenden im Ostflügel an; die Schlange war so lang, dass sie bis auf die Straße reichte.

Eine Stunde lang musste Ray lächeln, Hände schütteln und allen gnädig für ihr Kommen danken. Dabei hörte er sich Dutzende von Geschichten über seinen Vater und das Leben derer an, die mit ihm in Berührung gekommen waren. Er gab vor, sich an alle Namen zu erinnern, und drückte alte Damen an sich, die er nie zuvor gesehen hatte. Langsam zog die Prozession an Ray und Forrest vorbei, dann gingen die Trauergäste zu dem Sarg hinüber, wo sie versunken auf das miserable Porträt des Verstorbenen starrten. Anschließend trugen sie sich in die Kondolenzliste ein. Harry Rex dirigierte die Menge wie ein Politiker.

Irgendwann im Verlauf dieser harten Prüfung machte Forrest sich aus dem Staub. Er flüsterte Harry Rex ins Ohr, dass er todmüde sei und nach Hause wolle – nach Memphis.

Schließlich sagte Harry Rex leise zu Ray: »Da draußen wartet noch eine Riesenschlange. Das könnte die ganze Nacht dauern.«

»Bring mich hier raus«, wisperte Ray.

»Möchtest du auf die Toilette?«, fragte Harry Rex gerade so laut, dass die Umstehenden es verstehen konnten.

»Ja«, antwortete Ray, der sich bereits auf den Weg gemacht hatte. Sie taten so, als würden sie sich leise über wichtige Angelegenheiten unterhalten, während sie auf den schmalen Korridor zugingen. Sekunden später standen sie hinter dem Gerichtsgebäude.

Sie fuhren los, natürlich in Rays Wagen. Als sie den Platz umrundeten, ließen sie die Szenerie noch einmal auf sich wirken. Die Flagge vor dem Gerichtsgebäude hing auf halbmast, und noch immer wartete eine große Menschenmenge geduldig darauf, dem toten Richter die letzte Ehre erweisen zu dürfen.

10

Nach vierundzwanzig Stunden in Clanton wünschte sich Ray nichts sehnlicher, als endlich abzureisen. Nach der Totenwache aß er mit Harry Rex bei Claude's. In dem von Schwarzen geführten Restaurant auf der Südseite des Clanton Square gab es wie immer montags Grillhähnchen mit gebackenen Bohnen. Das Ganze war so scharf gewürzt, dass man zwei Liter Eistee dazu serviert bekam. Harry Rex aalte sich in dem Erfolg, den er mit der großartig inszenierten Verabschiedung vom Richter erzielt hatte, und hatte es nach dem Essen eilig, ins Gerichtsgebäude zurückzukehren, um die Totenwache weiterhin zu beaufsichtigen.

Forrest hatte die Stadt offenbar bereits verlassen. Ray hoffte, dass er in Memphis bei Ellie war und sich zusammenriss, aber im Grunde seines Herzens war ihm klar, dass das nicht der Fall war. Wie oft würde sein Bruder wohl noch rückfällig werden, bis ihn seine Sucht das Leben kostete? Harry Rex zufolge standen die Chancen fünfzig zu fünfzig, dass Forrest morgen zur Beerdigung kommen würde.

Nachdem Harry Rex gegangen war, setzte sich Ray ans Steuer seines Wagens und fuhr los in Richtung Westen, ohne ein bestimmtes Ziel zu haben. Er wollte nur raus aus

Clanton. Rund einhundert Kilometer entfernt hatten am Fluss kürzlich ein paar Kasinos eröffnet. Bei jedem Besuch in Mississippi kamen Ray neue Gerüchte über den jüngsten Industriezweig des Staates zu Ohren. Das Glücksspiel war in dem Staat mit dem geringsten Pro-Kopf-Einkommen der USA bis vor kurzem illegal gewesen, hatte sich inzwischen aber zu einem florierenden Gewerbe entwickelt.

Eineinhalb Stunden von Clanton entfernt hielt er an einer Tankstelle an. Beim Einfüllen des Benzins entdeckte er auf der anderen Seite des Highways ein neues Motel. Wo sich noch vor kurzem weite Baumwollfelder erstreckt hatten, war jetzt alles übersät mit Straßen, Motels, Fastfood-Restaurants, Tankstellen und Werbetafeln, die im Dunstkreis der nahen Kasinos entstanden waren.

Das Motel war zweistöckig, und alle Zimmer hatten direkten Zugang zum Parkplatz. Es schien nicht viel los zu sein. Ray zahlte 39,99 Dollar für ein Doppelzimmer im Erdgeschoss auf der Rückseite, wo keine Autos oder LKWs parkten. Dann stellte er den Audi so nah wie möglich vor seinem Zimmer ab. In Sekundenschnelle hatte er die drei Müllsäcke ins Innere verfrachtet.

Das Geld bedeckte eines der beiden Betten vollständig. Er konnte nicht aufhören, es anzustaunen, weil er fest davon überzeugt war, dass es sich um schmutziges Geld handelte. Wahrscheinlich war es sogar irgendwie gekennzeichnet. Vielleicht war es auch Falschgeld. Woher auch immer es stammte, er konnte es nicht behalten.

Es waren nur Hundert-Dollar-Scheine, manche davon druckfrisch und offenbar noch nie in Gebrauch gewesen. Andere sahen etwas mitgenommener aus, doch kein einziger war wirklich abgenutzt. Die ältesten stammten von 1986, die jüngsten von 1994. Etwa die Hälfte war in Bündeln zu je zweitausend Dollar zusammengebunden. Diese zählte Ray zuerst. Einhunderttausend Dollar in Hundert-Dollar-Scheinen ergaben einen Stapel von rund fünfunddreißig Zentimetern Höhe. Er zählte das Geld auf dem einen Bett, dann reihte er die Stapel auf dem anderen sauber nebeneinander auf. Zeit spielte keine Rolle, und so ging er in aller Ruhe vor. Um zu prüfen, ob es sich wirklich um Falschgeld handelte, rieb er die Scheine zwischen den Fingern und roch sogar daran. Sie schienen echt zu sein.

Am Ende kam er auf einunddreißig Stapel und ein paar überzählige Scheine – summa summarum 3 118 000 Dollar. Gehoben wie ein Schatz aus dem im Verfall begriffenen Haus eines Mannes, der in seinem ganzen Leben insgesamt weniger als halb so viel verdient hatte.

Es war unmöglich, sich von dem Vermögen, das da vor ihm lag, nicht beeindrucken zu lassen. Wie oft im Leben würde er drei Millionen Dollar in bar vor sich haben? Wie viele Menschen bekamen jemals so eine Gelegenheit? Ray saß auf einem Stuhl, das Kinn in die Hände gestützt, und starrte auf die dicht nebeneinander liegenden Stapel, während sich in seinem Kopf Fragen über Fragen auftürmten. Woher kam das Geld? Und wofür war es bestimmt?

Das Schlagen einer Autotür irgendwo draußen holte ihn in die Wirklichkeit zurück. Dieser Ort war für einen Überfall geradezu prädestiniert. Wenn man mit Bargeld in Millionenhöhe unterwegs ist, wird jeder zum potenziellen Dieb.

Er packte alles wieder ein, verstaute es im Kofferraum des Audis und fuhr zum nächsten Kasino.

Rays Erfahrung mit dem Glücksspiel beschränkte sich auf einen Wochenendausflug nach Atlantic City mit zwei Kollegen von der juristischen Fakultät. Die beiden hatten ein Buch darüber gelesen, wie man erfolgreich Craps spielt, und waren felsenfest davon überzeugt, mit Hilfe ihres Wissens über dieses Würfelspiel die Bank sprengen zu können.

Es gelang ihnen nicht. Ray dagegen entschied sich, obwohl er im Kartenspiel kaum Erfahrung hatte, damals für Blackjack. Nach zwei freudlosen Tagen ohne natürliches Licht hatte er sechzig Dollar verloren und sich geschworen, nie wieder ein Kasino zu betreten. Die Verluste seiner Kollegen wurden nicht näher beziffert, aber wie er erfuhr, logen Gewohnheitsspieler ohnehin oft, wenn es um ihre Bilanz ging.

Für einen Montagabend war der Santa Fe Club, eine auf die Schnelle hochgezogene Halle von der Größe eines Footballfeldes, ziemlich voll. Ein zehnstöckiger Hotelturm, der daran angebaut war, bot Zimmer für die Gäste, überwiegend Rentner aus dem Norden der USA, die vorher wahrscheinlich nie daran gedacht hätten, jemals einen Fuß nach Mississippi zu setzen, sich aber von den unzähligen Spielautomaten und dem kostenlosen Gin für die Spieler hatten anlocken lassen.

Ray hatte fünf Scheine aus fünf verschiedenen Stapeln in der Tasche. Er ging zu einem leeren Blackjack-Tisch, an dem die Geberin vor sich hin döste, und legte ihr den ersten hin. »Setzen Sie den.«

»Einhundert Dollar zum Einsatz«, sagte die Geberin über die Schulter hinweg, wo jedoch niemand saß, der sie hätte hören können. Sie nahm den Schein, rieb ihn desinteressiert zwischen den Fingern und setzte ihn.

Offenbar ist er tatsächlich echt, dachte Ray und entspannte sich ein wenig. Sie muss einen Blick dafür haben, schließlich tut sie den ganzen Tag nichts anderes. Die Geberin mischte einen Stoß, gab Karten aus, prompt verlor die Bank mit vierundzwanzig. Daraufhin zog sie den Schein aus Richter Atlees geheimem Schatz ein und reichte Ray zwei schwarze Jetons dafür – zweihundert Dollar. Ray setzte beide, als besäße er Nerven aus Stahl. Gekonnt mischte die Geberin die Karten erneut, bei fünfzehn gab sie sich eine Neun. Machte vier schwarze Jetons. In weniger als einer Minute hatte Ray dreihundert Dollar gewonnen.

Die vier schwarzen Jetons in der Hosentasche, schlenderte er durch das Kasino, zunächst zwischen den einarmigen Banditen hindurch, wo das Publikum älter und schweigsamer war. Als wären die Besucher hirntot, saßen sie auf ihren Barhockern, zogen unablässig an den Hebeln und glotzten traurig auf die Displays. Am Craps-Tisch rauchten die Würfel buchstäblich, und ein wilder Haufen Hinterwäldler stritt sich lautstark über Spielregeln, die Ray ziemlich wirr vorkamen. Er sah einen Augenblick lang zu, völlig überfordert von dem Tempo, mit dem Würfel, Einsätze und Jetons durcheinander schwirrten.

An einem weiteren leeren Blackjack-Tisch setzte er den zweiten Hundert-Dollar-Schein, nun bereits fast so souverän, als wäre er ein alter Hase in diesem Geschäft. Der Geber sah sich den Schein aus nächster Nähe an, hielt ihn gegen das Licht, rieb ihn zwischen den Fingern und ging dann ein paar Schritte hinüber zum Pit Boss, der die Geber überwachte. Misstrauisch holte der ein Vergrößerungsglas hervor und klemmte es sich vor das linke Auge, um den Schein mit geradezu chirurgischer Sorgfalt zu untersuchen. Ray stand schon kurz davor, die Nerven zu verlieren und durch die Menge davonzulaufen, da hörte er, wie einer der beiden Angestellten sagte: »Der ist in Ordnung.« Welcher der Männer gesprochen hatte, wusste er nicht, weil er sich hektisch nach bewaffneten Sicherheitsleuten umgesehen hatte. Der Geber kam an den Tisch zurück und legte den Schein vor Ray, der sagte: »Setzen Sie ihn.« Sekunden später blickten Herzdame und Pikkönig zu ihm auf, und er hatte sein drittes Spiel in Folge gewonnen.

Da dieser Geber hellwach war und der Pit Boss das Geld abgesegnet hatte, beschloss Ray, alles auf eine Karte zu setzen. Er nahm die übrigen drei Hundert-Dollar-Scheine aus der Tasche und legte sie auf den Tisch. Der Geber untersuchte sie sorgfältig, zuckte dann die Achseln und sagte: »Möchten Sie wechseln?«

»Nein, setzen.«

»Dreihundert in bar zum Einsatz«, sagte der Geber laut, und der Pit Boss blickte ihm über die Schulter.

Ray hörte mit einer Zehn und einer Sechs auf. Der Geber legte sich eine Zehn und eine Vier, und als er den Karobuben aufdeckte, hatte Ray erneut ein Spiel gewonnen. Das Bargeld verschwand und wurde durch sechs schwarze Jetons ersetzt. Nun hatte Ray zehn, das waren eintausend Dollar. Außerdem konnte er davon ausgehen, dass die anderen dreißigtausend Scheine in seinem Kofferraum ebenfalls echt waren. Er ließ einen Jeton für den Geber liegen und ging los, um sich ein Bier zu bestellen.

Die Sportsbar lag etwas erhöht, so dass man das Treiben auf dem Parkett bei einem Drink von oben verfolgen konnte, wenn man wollte. Man konnte sich aber auch auf einem der Dutzend Fernsehbildschirme Profi-Baseballspiele, Wiederholungen von NASCAR-Rennen oder Bowling ansehen. Auf diese Wettbewerbe allerdings durfte man nicht setzen, das war im Staat Mississippi weiterhin verboten.

Ray wusste, welche Risiken das Kasino für ihn barg. Nachdem sich das Geld als echt erwiesen hatte, musste er herausfinden, ob es in irgendeiner Form markiert war. Das Misstrauen, das der zweite Geber und seine Aufsicht gezeigt hatten, genügte wahrscheinlich, um die Scheine von den Jungs aus der oberen Etage überprüfen zu lassen. Sie hatten Ray auf Video, dessen war er sich sicher, ebenso wie alle anderen Gäste. Die Überwachung in Kasinos war lückenlos. Das wusste er von seinen schlauen Kollegen, die damals am Craps-Tisch die Bank hatten sprengen wollen.

Wenn das Geld Verdacht erregte, würden sie ihn mit Leichtigkeit aufspüren.

Aber wo sonst sollte er es überprüfen lassen, wenn nicht in einem Kasino? Sollte er vielleicht in Clanton in die First National Bank marschieren und der Schalterbeamtin ein paar von seinen Scheinen vor die Nase halten? »Würden Sie sich die bitte einmal ansehen, Mrs. Dempsey, und mir sagen, ob sie echt sind oder nicht?« Kein Bankangestellter in ganz Clanton hatte je Falschgeld gesehen, und bis zum Mittag wüsste die ganze Stadt, dass Richter Atlees Sohn mit verdächtigem Geld in der Tasche herumlief.

Er überlegte, ob er die Angelegenheit aufschieben sollte, bis er wieder in Virginia war. Dort würde er zu seinem Anwalt gehen, und der würde einen Experten auftreiben, der das Geld zuverlässig und vertraulich überprüfte. Aber so lange konnte er nicht warten. Falls das Geld gefälscht war, würde er es verbrennen. Und falls nicht … Nun, was er dann damit anfangen würde, wusste er bei weitem nicht so genau.

Langsam trank er sein Bier, um dem Kasinopersonal Zeit zu geben, ein paar Schläger in dunklen Anzügen herunterzuschicken, die ihn höflich zum Mitkommen auffordern würden. Doch so schnell konnten sie gar nicht arbeiten, und das wusste Ray. Falls das Geld tatsächlich markiert war, würde es Tage dauern, um herauszufinden, woher es stammte.

Mal angenommen, die Scheine wären gekennzeichnet und er würde erwischt werden. Was wäre ihm dann vorzuwerfen? Er hatte sie aus dem Haus seines verstorbenen Vaters, das er zusammen mit seinem Bruder geerbt hatte. Als Nachlassverwalter war er damit betraut, die Vermögenswerte festzustellen. Er hatte Monate Zeit, um sie bei Gericht und den Steuerbehörden zu melden. Wenn der Richter das Geld illegal verdient hatte – nun ja, Pech, er war tot. Ray hatte nichts Unrechtes getan. Jedenfalls noch nicht.

Er kehrte mit seinem Gewinn zum ersten Blackjack-Tisch zurück und setzte fünfhundert Dollar. Die Geberin machte ihrem Pit Boss ein Zeichen, der unauffällig herbeigeschlendert kam. Er hatte die Fingerknöchel ans Kinn gelegt und klopfte sich mit einem Finger gelangweilt auf die Wange, als würden im Santa Fe Club beim Blackjack jeden Tag fünfhundert Dollar bei einer Runde gesetzt. Ray bekam ein Ass und einen König, und die Geberin schob ihm siebenhundertfünfzig Dollar zu.

»Möchten Sie etwas trinken?«, fragte der Pit Boss und zeigte lächelnd seine schlechten Zähne.

»Ein Beck's, bitte«, sagte Ray, woraufhin wie aus dem Nichts eine Bedienung auftauchte.

Bei der nächsten Runde setzte er einhundert Dollar und verlor. Dann legte er rasch drei Jetons für das nächste Spiel hin, das er gewann. Von den folgenden zehn Runden gewann er acht, wobei er immer abwechselnd einhundert und fünfhundert Dollar setzte, als wüsste er genau, was er tat. Der Pit Boss hatte sich inzwischen hinter der Geberin postiert. Vielleicht hatten sie einen Trickspieler vor sich, einen Blackjack-Profi, der beobachtet und auf Video aufgenommen werden musste.

Wenn sie wüssten.

Zweimal hintereinander verlor Ray zweihundert Dollar, dann setzte er einfach so aus Jux und Tollerei einen Tausender. Schließlich hatte er weitere drei Millionen im Kofferraum. Dies hier waren Peanuts, mehr nicht. Als zwei Königinnen neben seinen Jetons landeten, verzog er keine Miene, als würde er schon seit Jahren in diesem Stil gewinnen.

»Möchten Sie etwas essen, Sir?«, fragte der Pit Boss.

»Nein danke«, erwiderte Ray.

»Können wir sonst irgendetwas für Sie tun?«

»Ich hätte gern ein Zimmer.«

»Standard oder Suite?«

Ein Trottel hätte jetzt gesagt: »Eine Suite natürlich«, doch Ray hatte sich im Griff. »Mir ist jedes Zimmer recht.« Er hatte nicht die Absicht gehabt, länger zu bleiben, aber nach zwei Bier hielt er es für besser, sich nicht mehr hinters Steuer zu setzen. Was, wenn ihn eine Streife anhielt? Und was, wenn ein Polizist seinen Kofferraum öffnete?

»Kein Problem, Sir«, sagte der Aufseher. »Ich lasse Sie einchecken.«

In der folgenden Stunde gewann Ray weiter. Die Bedienung kam alle fünf Minuten vorbei, um ihn zum Trinken zu animieren, doch Ray hielt sich an seinem ersten Bier fest. Einmal, während die Geberin mischte, zählte er die schwarzen Jetons, die vor ihm auf dem Tisch lagen. Es waren neununddreißig.

Um Mitternacht begann er zu gähnen, und ihm fiel ein, wie wenig Schlaf er in der Nacht zuvor bekommen hatte. Den Zimmerschlüssel hatte er bereits. An seinem Tisch durften maximal tausend Dollar gesetzt werden, sonst hätte er jetzt alles auf einmal gesetzt, um mit Pauken und Trompeten unterzugehen. So legte er zehn schwarze Jetons in den Kreis, und unter den Augen der Umstehenden erhielt er Blackjack. Danach setzte er noch einmal zehn Jetons, doch diesmal erhielt er von der Geberin zweiundzwanzig. Er sammelte seine Jetons ein, warf der Geberin vier hin und ging zur Kasse. Drei Stunden hatte er in dem Kasino verbracht.

Von seinem Zimmer im fünften Stock aus konnte er auf den Parkplatz hinuntersehen, und weil der Audi TT in Sichtweite stand, verspürte er den Drang, ihn unter ständiger Beobachtung zu halten. Trotz Müdigkeit konnte er nicht einschlafen. Er zog einen Stuhl zum Fenster und versuchte zu dösen, doch die Gedanken in seinem Kopf hörten nicht auf, sich zu überschlagen.

Hatte der Richter einen Hang zum Glücksspiel entwickelt und ein einträgliches kleines Laster gepflegt, das er für sich behalten hatte? Waren die Kasinos die Quelle seines Vermögens?

Je länger Ray sich einzureden versuchte, dass das an den Haaren herbeigezogen war, desto mehr war er davon überzeugt, die wahre Herkunft des Geldes gefunden zu haben. Seines Wissens hatte der Richter nie an der Börse spekuliert – und falls doch, falls er ein zweiter Warren Buffett war, warum hätte er dann seine Gewinne in bar unter dem Bücherregal verstecken sollen? Außerdem hätte es dann jede Menge schriftliche Unterlagen geben müssen.

Hatte er vielleicht ein Doppelleben geführt und war hinter der sauberen Fassade korrupt gewesen? Doch selbst dann … Im ländlichen Mississippi gaben die Prozesslisten keine drei Millionen Dollar Bestechungsgelder her, außerdem wären zu viele Mitwisser beteiligt gewesen.

Also *musste* es das Glücksspiel gewesen sein. Bei diesem Geschäft wurde noch mit Bargeld gehandelt. Ray hatte gerade an einem Abend sechstausend Dollar gewonnen. Gewiss war das reines Glück gewesen, aber war das nicht eine Grundvoraussetzung beim Spielen? Vielleicht hatte der alte Mann einfach ein Händchen für Spielkarten und Würfel gehabt. Vielleicht hatte er an einem einarmigen Banditen den Jackpot geknackt. Er lebte allein und brauchte niemandem Rechenschaft abzulegen.

Vermutlich war es so gelaufen.

Aber drei Millionen Dollar innerhalb von sieben Jahren?

Wurden größere Gewinne in Kasinos nicht dokumentiert? Für die Steuer zum Beispiel?

Und warum hätte der Richter seine Gewinne geheim halten sollen? Warum hatte er das Geld dann nicht verschenkt wie den Rest seines Vermögens?

Kurz nach drei gab Ray auf und verließ sein kostenloses Zimmer, um bis zum Morgengrauen im Auto zu schlafen.

11

Die Vordertür war leicht angelehnt, kein gutes Zeichen in Anbetracht dessen, dass es acht Uhr morgens war und das Haus leer stand. Ray starrte eine Minute lang auf den Spalt und konnte sich nicht entscheiden, ob er hineingehen sollte, doch im Grunde war ihm längst klar, dass er gar keine Wahl hatte. Er gab der Tür einen Stoß und ballte mit einem tiefen Atemzug die Fäuste, als bestünde kein Zweifel daran, dass der Dieb noch im Haus war. Quietschend ging die Tür auf. Als das Licht in die Diele fiel, entdeckte Ray zwischen Stapeln von Kartons Fußspuren auf dem Boden. Der Einbrecher war über den Rasen hinter dem Haus gekommen und aus irgendeinem unerfindlichen Grund durch die Vordertür wieder gegangen.

Langsam nahm Ray den Revolver aus der Tasche, obwohl er noch immer ungeladen war.

Im Arbeitszimmer des Richters lagen alle siebenundzwanzig grünen Blake & Son-Kartons über den Boden verteilt. Das Sofa war umgestürzt worden. Die Schranktüren am Fuß des Bücherregals standen offen. Der Rollverschluss am Schreibtisch schien unberührt, doch die Papiere, die auf der Platte gelegen hatten, waren ebenfalls überall verstreut.

Der Eindringling hatte offenbar die Kartons hervorgeholt und geöffnet und sie, nachdem er begriffen hatte, dass sie leer waren, in einem Wutanfall zertrampelt und um sich geworfen. Trotz der Stille spürte Ray die Gewalttätigkeit, die hier am Werk gewesen war, und allein der Gedanke daran verursachte ihm weiche Knie.

Das Geld könnte ihn umbringen.

Als er wieder in der Lage war, sich zu bewegen, stellte er das Sofa ordentlich hin und sammelte die Papiere auf. Er war gerade dabei, die Kartons wegzuräumen, als er auf der vorderen Veranda etwas hörte. Er lugte durch das Fenster und sah eine alte Frau an die Tür klopfen.

Claudia Gates hatte den Richter besser gekannt als jeder andere. Sie war Gerichtsstenotypistin, Sekretärin, Chauffeuse und laut Gerüchten, die schon seit Rays früher Kindheit kursierten, vieles mehr für ihn gewesen. Fast dreißig Jahre lang hatten der Richter und sie die sechs Countys des 25. Chancery District abgefahren. Häufig waren sie morgens um sieben in Clanton aufgebrochen und erst lange nach Einbruch der Dunkelheit zurückgekehrt. Wenn sie nicht gerade in einer Verhandlung waren, saßen sie zusammen im Büro des Richters im Gerichtsgebäude, wo sie Protokolle tippte, während er seinen Papierkram erledigte.

Ein Anwalt namens Turley hatte sie während einer Mittagspause im Büro einmal in einer kompromittierenden Position überrascht und den Fehler gemacht, die Episode herumzuerzählen. Daraufhin verlor er ein Jahr lang jeden Fall am Chancery Court und bekam keine Mandanten mehr. Nach vier Jahren hatte Richter Atlee es geschafft, dass ihm die Zulassung entzogen wurde.

»Hallo, Ray«, sagte Claudia durch die Scheibe. »Darf ich hereinkommen?«

»Klar«, erwiderte er und öffnete die Tür.

Ray und Claudia hatten sich nie leiden können. Er hatte immer das Gefühl gehabt, dass sie all die Zuneigung und Aufmerksamkeit vom Richter bekam, die ihm und Forrest zustanden, und sie wiederum betrachtete ihn als Bedrohung. Wenn es um Richter Atlee ging, war für sie alles und jeder eine potenzielle Bedrohung.

Sie hatte wenige Freunde und noch weniger Verehrer. Da sie ihr Leben in Gerichtssälen verbracht hatte, war sie rüde und herzlos. Außerdem gab sie sich arrogant, weil sie der Schatten eines großen Mannes hatte sein dürfen.

»Es tut mir so Leid«, sagte sie.

»Mir auch.«

Als sie am Arbeitszimmer vorbeikamen, schloss Ray die Tür und sagte: »Geh da nicht rein.« Claudia bemerkte die Fußspuren des Eindringlings nicht.

»Sei nett zu mir, Ray«, bat sie.

»Warum?«

Sie gingen in die Küche. Ray setzte Kaffee auf, und sie setzten sich einander gegenüber an den Tisch. »Darf ich rauchen?«, fragte sie.

»Von mir aus.« Rauch doch, bis du erstickst, dachte er. In den schwarzen Anzügen seines Vaters hatte immer der bittere Geruch ihrer Zigaretten gehangen. Sie hatte im Auto, im Amtszimmer, in seinem Büro und wahrscheinlich auch im Bett rauchen dürfen. Überall, außer im Gerichtssaal.

Der rasselnde Atem, die heisere Stimme, die zahllosen Falten um die Augen … die Segnungen des Nikotins.

Sie hatte geweint, und das war für sie etwas durchaus Ungewöhnliches. Einmal hatte Ray in den Sommerferien für seinen Vater gearbeitet und das Pech gehabt, einen schlimmen Fall von Kindesmissbrauch begleiten zu müssen. Die Zeugenaussage war so traurig und Mitleid erregend gewesen, dass allen im Saal, einschließlich dem Richter und sämtlichen Anwälten, die Tränen in den Augen standen. Die einzigen trockenen Augen gehörten zu Claudia, deren versteinerte Miene keinerlei Regung zeigte.

»Ich kann nicht glauben, dass er tot ist«, sagte sie und blies eine Rauchwolke an die Decke.

»Er ist fünf Jahre lang gestorben, Claudia. Es war keine Überraschung.«

»Trotzdem ist es traurig.«

»Es ist sehr traurig, aber er hat lange gelitten. Der Tod war ein Segen für ihn.«

»Er wollte nicht, dass ich ihn besuche.«

»Lass uns jetzt nicht die alte Geschichte wieder aufwärmen, okay?«

Fast zwei Jahrzehnte lang hatte die besagte Geschichte in Clanton in verschiedensten Versionen für Gesprächsstoff gesorgt. Ein paar Jahre nach dem Tod von Rays Mutter ließ sich Claudia aus nie ganz klar gewordenen Gründen von ihrem Mann scheiden. Die eine Hälfte der Stadt glaubte, der Richter habe ihr versprochen, sie nach der Scheidung zu heiraten. Die andere war davon überzeugt, dass der Richter als echter Atlee nie die Absicht gehabt hatte, eine nicht Standesgemäße wie Claudia zu ehelichen, und dass Claudia allein deshalb geschieden wurde, weil ihr Mann sie mit einem anderen erwischt hatte. Jahrelang genossen die beiden die Vorzüge des Ehelebens, wenn auch ohne Trauschein und gemeinsames Heim. Sie versuchte weiterhin, den Richter dazu zu bewegen, sie vor den Traualtar zu führen, doch er vertröstete sie immer wieder. Offensichtlich hatte er alles, was er wollte.

Schließlich stellte sie ihm ein Ultimatum, was sich als schlechte Strategie herausstellte. Ultimaten beeindruckten Reuben Atlee nicht im Mindesten. Ein Jahr, bevor er aus dem Amt gewählt wurde, heiratete sie einen neun Jahre jüngeren Mann. Der Richter setzte sie umgehend vor die Tür, woraufhin in den Coffeeshops und Strickzirkeln Clantons über nichts anderes mehr geredet wurde. Nach ein paar harten Jahren starb ihr junger Gatte. Sie war einsam, genau wie der Richter. Doch sie hatte ihn, wie er fand, mit ihrer zweiten Heirat betrogen, und das verzieh er ihr nicht.

»Wo ist Forrest?«, fragte sie.

»Er dürfte bald hier sein.«

»Was macht er?«

»Was Forrest eben so macht.«

»Soll ich gehen?«

»Das liegt ganz bei dir.«

»Ich bleibe lieber noch ein bisschen, Ray. Ich muss mit jemandem reden.«

»Hast du denn keine Freunde?«

»Nein. Reuben war mein einziger Freund.«

Er zuckte zusammen, als sie seinen Vater Reuben nannte. Sie steckte sich die Zigarette zwischen ihre klebrig roten Lippen. Es war ein blasses Rot, wegen der Trauer, nicht das Hellrot, für das sie berühmt gewesen war. Sie war mindestens siebzig, sah aber jung aus für ihr Alter. Immer noch aufrecht und schlank, trug sie ein enges Kleid, das keine andere Siebzigjährige in Ford County je anzuziehen gewagt hätte. An den Ohren und an einem Finger glitzerten Diamanten, wobei Ray nicht sagen konnte, ob sie echt waren. Außerdem trug sie einen hübschen goldenen Anhänger und zwei goldene Armbänder.

Sie war eine gealterte Femme fatale, doch ihr Vulkan war noch längst nicht erloschen. Er würde Harry Rex fragen, mit wem sie zurzeit liiert war.

Er goss Kaffee nach und sagte: »Worüber möchtest du denn reden?«

»Über Reuben.«

»Mein Vater ist tot. Ich wühle nicht gern in der Vergangenheit herum.«

»Könnten wir nicht Freunde sein?«

»Nein. Wir beide haben einander noch nie gemocht. Wir werden uns jetzt nicht am Grab in die Arme fallen. Warum sollten wir das tun?«

»Ich bin eine alte Frau, Ray.«

»Und ich lebe in Virginia. Wir werden heute gemeinsam die Beerdigung durchstehen und uns dann nie wieder sehen. Wie wär's damit?«

Sie zündete sich noch eine Zigarette an und weinte ein bisschen. Ray dachte an das Chaos im Arbeitszimmer. Was sollte er Forrest erzählen, wenn er jetzt hereinplatzte und überall Fußspuren und herumliegende Kartons sah? Außerdem, wenn Forrest Claudia an diesem Tisch sitzen sah, würde er ihr ohne zu zögern an die Gurgel gehen.

Ray und Forrest hatten lange den Verdacht gehegt, dass der Richter ihr wesentlich mehr bezahlte, als es für Gerichtsstenotypistinnen allgemein üblich war, auch wenn sie nie Beweise dafür gefunden hatten. Ein kleines Extragehalt als Entlohnung für die Extraleistungen, die sie ihm bot. Der Groll gegen sie kam nicht von ungefähr.

»Ich möchte so gern etwas haben, das mich an ihn erinnert«, sagte sie.

»Und ich bin so etwas?«

»Du bist wie dein Vater, Ray. Ich hänge an all dem hier.«

»Willst du Geld?«

»Nein.«

»Bist du pleite?«

»Na ja, ausgesorgt habe ich nicht gerade.«

»Hier gibt's nichts zu holen für dich.«

»Hast du sein Testament?«

»Ja, und dein Name kommt nicht darin vor.«

Sie weinte erneut, und Ray begann innerlich zu kochen. Sie hatte vor zwanzig Jahren jede Menge Geld bekommen, als er als Student von Erdnussbutterbroten gelebt und in Kneipen gejobbt hatte, um nicht aus seiner billigen Bude zu fliegen. Während sie einen nagelneuen Cadillac fuhr, reichte es bei Forrest und ihm immer nur für alte Schrottschleudern. Sie beide lebten jahrelang wie verarmte Adelige, während Claudia in Garderobe und Schmuck schwelgte.

»Er hat immer versprochen, für mich zu sorgen«, jammerte sie.

»Das gilt seit Jahren nicht mehr, Claudia. Finde dich damit ab.«

»Ich kann nicht. Ich habe ihn so geliebt.«

»Es ging um Sex und Geld, nicht um Liebe. Ich würde es vorziehen, nicht darüber zu reden.«

»Was gehört alles zur Erbmasse?«

»Nichts. Er hat alles verschenkt.«

»Er hat *was*?«

»Du hast mich schon verstanden. Du weißt doch, wie gern er Schecks ausgestellt hat. Es wurde sogar noch schlimmer, nachdem du von der Bildfläche verschwunden warst.«

»Was ist mit seiner Rente?« Jetzt weinte sie nicht mehr, jetzt ging's ums Geschäft. Ihre grünen Augen waren trocken und glitzerten.

»Er ließ sich alles auf einmal auszahlen, ein Jahr nachdem er ausgeschieden war. Finanziell gesehen ein ziemlicher Fehler, aber er tat es ohne mein Wissen. Er war verrückt und eigensinnig. Er nahm das Geld, verwendete einen Teil für seinen Lebensunterhalt und spendete den Rest den Pfadfindern und Pfadfinderinnen, dem Lions Club, den Söhnen der Konföderation, dem Komitee zur Erhaltung historischer Schlachtfelder und so weiter.«

Wenn sein Vater bestechlich gewesen wäre – was Ray sich einfach nicht vorstellen konnte –, hätte Claudia von dem Geld wissen müssen. Offensichtlich hatte sie aber keine Ahnung. Ray hatte sie nie in Verdacht gehabt, denn wenn sie etwas gewusst hätte, dann wäre das Geld nicht mehr im Arbeitszimmer versteckt gewesen. Hätte sie drei Millionen Dollar in die Finger bekommen, würde es die gesamte County wissen. Wenn sie nur einen Dollar hätte, würde man es ihr ansehen. Aber so erbarmungswürdig, wie sie aussah, ging Ray davon aus, dass sie nicht viel besaß.

»Ich dachte, dein zweiter Mann hätte ein bisschen Geld gehabt«, sagte er ein wenig zu brutal.

»Das dachte ich auch«, erwiderte sie und brachte ein Lächeln zustande. Ray musste grinsen. Dann lachten sie beide los, und das Eis zwischen ihnen schmolz. Sie war immer für ihre unverblümte Art berühmt gewesen.

»Nie was davon gesehen, hm?«

»Nicht einen Cent. Er war einer dieser gut aussehenden Typen und viele Jahre jünger als ich, weißt du …«

»Ich erinnere mich gut. Es war damals ein waschechter Skandal.«

»Er war einundfünfzig, konnte das Blaue vom Himmel herunter versprechen und hatte die fixe Idee, mit Öl Geld zu machen. Vier Jahre lang bohrten wir wie die Wilden, und am Ende stand ich mit leeren Händen da.«

Ray lachte noch lauter. Er konnte sich nicht erinnern, jemals mit einer Siebzigjährigen über Sex und Geld geredet zu haben, und sie musste zu diesen Themen jede Menge interessanter Geschichten auf Lager haben. Claudias Greatest Hits.

»Du siehst gut aus, Claudia. Du hast immer noch genug Zeit für einen neuen Mann.«

»Ich bin müde, Ray. Alt und müde. Ich müsste ihn mir erst erziehen. Das ist es nicht wert.«

»Was passierte mit Nummer zwei?«

»Starb nach einem Herzanfall. Ich habe nicht mal tausend Dollar bekommen«, berichtete sie.

»Der Richter hat auch nur sechstausend hinterlassen.«

»Nicht mehr?«, fragte sie ungläubig.

»Keine Aktien, keine Anleihen, nichts außer einem alten Haus und sechstausend Dollar auf der Bank.«

Sie senkte die Augen und schüttelte den Kopf. Offenbar glaubte sie Ray. Sie hatte keine Ahnung von dem Geld.

»Was hast du mit dem Haus vor?«

»Forrest will es anzünden und die Versicherung kassieren.«

»Keine schlechte Idee.«

»Wir werden sehen.«

Auf der Veranda waren Geräusche zu hören, dann klopfte es an der Tür. Es war Reverend Palmer. Er wollte den Trauergottesdienst besprechen, der in zwei Stunden beginnen würde. Claudia umarmte Ray, bevor er sie zu ihrem Wagen begleitete. Dann umarmte sie ihn noch einmal und verabschiedete sich. »Tut mir Leid, dass ich nicht netter zu dir war«, flüsterte sie, als er ihr die Wagentür öffnete.

»Auf Wiedersehen, Claudia. Wir sehen uns in der Kirche.«

»Er hat mir nie vergeben, Ray.«

»Ich vergebe dir.«

»Wirklich?«

»Ja. Lass uns Freunde sein.«

»Ich bin dir so dankbar.« Sie umarmte ihn ein drittes Mal und fing wieder an zu weinen. Er half ihr beim Einsteigen; sie fuhr noch immer Cadillac. Bevor sie den Zündschlüssel im Schloss drehte, fragte sie: »Hat er *dir* jemals vergeben, Ray?«

»Ich glaube nicht.«

»Ich auch nicht.«

»Aber das spielt jetzt keine Rolle mehr. Lass uns ihn begraben.«

»Er konnte schon ein fieser alter Hurensohn sein, nicht wahr?« Sie lächelte unter Tränen.

Ray musste lachen. Die siebzigjährige ehemalige Geliebte seines toten Vaters hatte den Richter gerade einen Hurensohn genannt.

»Ja«, pflichtete er ihr bei. »Das ist wohl wahr.«

12

Die Sargträger schoben Richter Atlee in seinem eleganten Eichensarg den Mittelgang entlang und stellten ihn am Altar vor der Kanzel ab, wo Reverend Palmer in einer schwarzen Soutane wartete. Zur großen Enttäuschung der Trauernden blieb der Sarg zu. Die meisten hätten den Verstorbenen gern ein letztes Mal gesehen; es war ein altes Ritual des Südens, das nur den seltsamen Zweck haben konnte, den Kummer noch zu verstärken. »Um Himmels willen, nein«, hatte Ray höflich zu Mr. Magargel gesagt, als der ihn darauf angesprochen hatte. Nachdem alles arrangiert worden war, breitete Palmer langsam die Arme aus, und als er sie wieder sinken ließ, nahm die Menge Platz.

In der ersten Bank zu seiner Rechten saßen die Familienangehörigen, also die beiden Söhne. Ray trug seinen neuen Anzug und sah ziemlich müde aus. Forrest hatte Jeans und eine schwarze Wildlederjacke an und wirkte bemerkenswert nüchtern. Hinter ihnen saßen Harry Rex und die anderen Sargträger, noch weiter hinten ein trauriges Grüppchen alter Richter, die selbst längst mit einem Fuß im Grab standen. In der vordersten Bank linkerhand vom Reverend hatten verschiedene Honoratioren Platz genommen: Politiker, ein ehemaliger Gouverneur und ein paar Richter vom Obersten Gerichtshof des Staates Mississippi. So viel geballte Macht hatte Clanton noch nie gesehen.

Die Kirche war voll, selbst an den Seitenwänden unter den Buntglasscheiben standen Trauergäste. Auf der Empore drängten sich Menschen, und selbst ins Untergeschoss wurde der Gottesdienst akustisch übertragen, so dass auch hier Freunde und Bewunderer teilnehmen konnten.

Ray war beeindruckt von der Anzahl der Trauergäste. Forrest sah bereits auf die Uhr. Er war vor einer Viertelstunde gekommen und gleich von Harry Rex – nicht von Ray – zusammengestaucht worden. Sein neuer Anzug sei schmutzig gewesen, behauptete er, außerdem habe ihm Ellie die Lederjacke vor Jahren gekauft und gefunden, sie wäre für diese Gelegenheit bestens geeignet.

Wegen ihrer hundertvierzig Kilo Lebendgewicht hatte Ellie das Haus nicht verlassen, und Ray und Harry Rex waren dankbar dafür. Sie hatte es irgendwie geschafft, Forrest nüchtern zu halten, doch ein Rückfall lag in der Luft. Aus tausenderlei Gründen wünschte Ray sich nichts mehr, als so schnell wie möglich nach Virginia zurückzukehren.

Der Reverend sprach ein kurzes Gebet, einen Dank für das Leben eines großen Mannes. Dann kündigte er einen Jugendchor an, der bei einem Musikwettbewerb in New York zu nationalen Ehren gelangt war. Richter Atlee hatte die Reise mit dreitausend Dollar mitfinanziert, wie Palmer erwähnte. Die zwei Stücke, die der Chor sang, hatte Ray noch nie gehört, aber sie wurden wirklich wunderschön vorgetragen.

Die erste Trauerrede – es würde gemäß Rays Anweisung nur zwei kurze geben – wurde von einem alten Mann gehalten, der es kaum bis zur Kanzel schaffte, dann aber die Menge mit einer vollen und kräftigen Stimme überraschte. Er hatte vor ungefähr einhundert Jahren mit Reuben Jura studiert. Nach zwei pointenlosen Anekdoten begann seine kraftvolle Stimme zu schwinden.

Der Reverend las ein paar Bibeltexte vor und sprach tröstende Worte zum Verlust einer geliebten Person, selbst wenn es sich dabei um einen alten Mann handelte, der ein erfülltes Leben hinter sich hatte.

Die zweite Trauerrede hielt ein junger Schwarzer namens Nakita Poole, der in Clanton bereits so etwas wie eine Legende war. Er stammte aus einer einfachen Familie, die im Süden der Stadt lebte. Einem Chemielehrer der Highschool hatte er es zu verdanken, dass er nicht in der neunten Klasse von der Schule abging und eine weitere Zahl in einer Statistik wurde. Der Richter hatte ihn anlässlich einer unschönen Familiensache am Gericht kennen gelernt und Interesse für den Jungen entwickelt. Poole besaß ein erstaunliches Talent für Mathematik und Naturwissenschaften. Er schnitt als Bester seiner Klasse ab, bewarb sich bei den führenden Colleges und wäre überall angenommen worden. Der Richter schrieb gewichtige Empfehlungsschreiben und zog alle Fäden, derer er habhaft werden konnte. Als Nakita sich für Yale entschied, bezahlte er ihm alles außer dem Taschengeld. Darüber hinaus schrieb er dem Jungen vier Jahre lang jede Woche, und in jedem Brief steckte ein Scheck über fünfundzwanzig Dollar.

»Ich war nicht der Einzige, der Briefe oder Schecks erhielt«, erzählte Poole der schweigenden Menge. »Viele von uns kamen in diesen Genuss.«

Inzwischen war er Arzt und wollte für zwei Jahre nach Afrika, um dort ehrenamtlich zu arbeiten. »Ich werde diese Briefe vermissen«, schloss er, und sämtliche anwesenden Damen hatten Tränen in den Augen.

Nun war Thurber Foreman an der Reihe. Als Coroner der Stadt oblag es ihm, unerwartete und verdächtige Todesfälle zu untersuchen. Seit vielen Jahren war er fester

Bestandteil bei allen Beerdigungen in Ford County. Der Richter hatte sich ausdrücklich gewünscht, dass er »Just a Closer Walk with Thee« sang und sich auf der Mandoline dazu selbst begleitete. Obwohl Thurber weinte, gelang es ihm, wunderschön zu singen.

Irgendwann rieb sich auch Forrest die Augen. Ray starrte indessen nur auf den Sarg und fragte sich, wo das Geld herkam. Was hatte der alte Mann getan? Und was hatte er sich für den Fall seines Todes für das Geld überlegt?

Der Reverend sprach noch ein kurzes Gebet, dann schoben die Sargträger Richter Atlee aus der Kirche. Mr. Magargel begleitete Ray und Forrest auf dem Weg über den Mittelgang und die Freitreppe hinunter bis zum Leichenwagen, hinter dem eine Limousine wartete. Die Leute strömten hinterdrein und gingen zu ihren Autos, um zum Friedhof zu fahren.

Wie alle Kleinstädte liebte Clanton Beerdigungsprozessionen. Der gesamte Verkehr wurde angehalten. Wer nicht im Konvoi mitfuhr, stand auf dem Gehsteig und blickte traurig auf den Leichenwagen und die schier endlose Parade von Autos, die ihm folgte. Sämtliche Hilfsdeputys waren im Dienst und sperrten irgendetwas – eine Straße, eine Gasse oder Parkplätze.

Der Tross folgte dem Leichenwagen um das Gerichtsgebäude herum, dessen Fahnen auf halbmast waren. Davor standen mit gesenkten Köpfen die County-Angestellten. Die Händler, die um den Clanton Square herum ihre Ladengeschäfte hatten, kamen heraus und winkten Richter Atlee zum Abschied zu.

Am Familiengrab der Atlees wartete seine letzte Ruhestätte, direkt neben seiner längst vergessenen Frau und den Vorfahren, die er so verehrt hatte. Er würde der letzte Atlee sein, der mit dem Staub von Ford County eins werden würde. Niemand wusste das, es interessierte aber auch niemanden. Ray würde verbrannt und seine Asche über den Blue Ridge Mountains verstreut werden. Forrest war dem Tod sicherlich näher als Ray, hatte aber noch nicht verfügt, was mit seinen sterblichen Überresten geschehen sollte. Fest stand nur, dass er nicht in Clanton begraben werden wollte. Ray war für Verbrennung. Ellie dachte an ein Mausoleum. Forrest zog es vor, überhaupt nicht erst über das Thema zu reden.

Die Trauergemeinde versammelte sich um einen purpurroten Baldachin von Magargel, der viel zu klein war. Das Dach überspannte gerade einmal das Grab und vier Reihen Klappstühle. Tausend hätte man brauchen können.

Ray und Forrest saßen so dicht am Sarg, dass sie fast mit den Knien dagegen stießen, und lauschten Reverend Palmers Grabpredigt. In Anbetracht der Tatsache, dass Ray auf einem Klappstuhl am offenen Grab seines Vaters saß, gingen ihm, wie er fand, ziemlich unpassende Dinge durch den Kopf. Er wollte nach Hause. Er vermisste seine Hörsäle und seine Studenten. Er vermisste das Fliegen und den Blick auf das Shenandoah Valley aus fünfzehnhundert Metern Höhe. Er war müde und reizbar und hatte keine Lust, die nächsten zwei Stunden auf dem Friedhof zu verbringen und Konversation mit Leuten zu betreiben, die sich an seine Geburt erinnern konnten.

Die Frau eines Pfingstkirchenpriesters hatte das letzte Wort. Als sie »Amazing Grace« sang, stand für fünf Minuten die Zeit still. Ihr herrlicher Sopran schwebte über den sanften Hügeln des Friedhofgeländes und spendete den Toten Trost und den Lebenden Hoffnung. Selbst die Vögel hörten auf herumzuflattern.

Ein junger Mann von der Army spielte »Taps« auf der Trompete, und alle vergossen ein paar Tränen. Das Sternenbanner wurde gefaltet und Forrest übergeben, der in seiner verdammten Wildlederjacke schluchzte und schwitzte. Als die letzten Töne zwischen den Bäumen verklangen, fing Harry Rex hinter ihnen laut an zu heulen. Ray beugte sich vor und berührte den Sarg. Er sprach ein stilles Lebewohl und verharrte dann, die Ellbogen auf die Knie gestützt, das Gesicht in den Händen verborgen.

Die Beerdigung ging nun rasch zu Ende, es war Zeit fürs Mittagessen. Ray hoffte, dass ihn die Leute in Ruhe lassen würden, wenn er einfach so sitzen bliebe und auf den Sarg starrte. Forrest legte ihm schwer einen Arm um die Schultern, und sie sahen aus, als würden sie sich mindestens bis Sonnenuntergang nicht von der Stelle rühren. Harry Rex fand seine Fassung wieder und übernahm die Rolle des Familiensprechers. Vor dem Baldachin stehend, dankte er den Honoratioren für ihr Kommen, lobte Palmer für den schönen Gottesdienst und die Frau des Priesters für ihren wunderbaren Gesangsvortrag, sagte Claudia, sie könne nicht bei den Jungs sitzen bleiben, sondern müsse mit den anderen mitgehen, und so weiter und so fort. Unter einem Baum in der Nähe warteten die Totengräber mit der Schaufel in der Hand.

Nachdem alle fort waren, einschließlich Mr. Magargel und seinem Team, ließ sich Harry Rex auf den freien Stuhl neben Forrest fallen. Eine ganze Weile saßen die drei mit leerem Blick da, keiner von ihnen wollte so recht aufbrechen. Die Stille störte allein das Motorengeräusch eines Schaufelbaggers, der in einiger Entfernung wartete. Aber das war ihnen egal. Wie oft trug man schon den eigenen Vater zu Grabe?

Und welche Bedeutung hatte Zeit für einen Baggerfahrer?

»Was für eine schöne Beerdigung«, sagte Harry Rex schließlich. Er war Experte auf diesem Gebiet.

»Er wäre stolz gewesen«, stimmte Forrest zu.

»Er mochte schöne Beerdigungen«, fügte Ray hinzu. »Während er Hochzeiten hasste.«

»Ich liebe Hochzeiten«, meinte Harry Rex.

»Wie viele waren es noch bei dir? Vier oder fünf?«, fragte Forrest.

»Vier, bis jetzt jedenfalls.«

Ein Mann im Overall der Stadtangestellten kam und fragte leise: »Sollen wir ihn jetzt bestatten?«

Weder Ray noch Forrest wussten, was sie sagen sollten. Harry Rex zögerte nicht. »Ja, bitte«, sagte er. Der Mann steckte eine Kurbel in den Katafalk und begann zu drehen. Ganz langsam sank der Sarg in die Grube. Sie sahen zu, bis er auf dem roten Erdboden zum Stehen kam.

Der Mann entfernte Riemen, Katafalk und Kurbel und verschwand.

»Ich schätze, es ist vorbei«, sagte Forrest.

Zu Mittag gab es Tamales und alkoholfreie Getränke in einem Fastfood-Restaurant am Stadtrand, weitab von den überfüllten Lokalen, wo sie ohne Zweifel immer wieder jemand angesprochen und ein paar nette Worte über den Richter gesagt hätte. Sie saßen an einem Holztisch unter einem großen Sonnenschirm und sahen zu, wie die Autos vorbeifuhren.

»Wann fährst du nach Hause?«, wollte Harry Rex wissen.

»Gleich morgen früh«, antwortete Ray.

»Wir haben noch Arbeit vor uns.«

»Ich weiß. Lass uns das heute Nachmittag erledigen.«

»Was für Arbeit?«, fragte Forrest.

»Das Testament betreffend«, erklärte Harry Rex. »Wir werden den Nachlass in ein paar Wochen eröffnen, sobald Ray wieder kommen kann. Jetzt müssen wir die Papiere des Richters durchsehen und schauen, wie viel Arbeit darin steckt.«

»Klingt wie ein Job für den Nachlassverwalter.«

»Du kannst gern mithelfen.«

Beim Essen dachte Ray an seinen Wagen, der in einer belebten Straße unweit der presbyterianischen Kirche parkte. Dort war er bestimmt in Sicherheit. »Ich war gestern Abend im Kasino«, verkündete er mit vollem Mund.

»In welchem?«, fragte Harry Rex.

»Santa Fe irgendwas, es war das Erste, an dem ich vorbeikam. Warst du mal dort?«

»Ich kenne sie alle«, erwiderte Harry Rex in einem Tonfall, als wollte er nie wieder eines besuchen. Mit Ausnahme von Drogen hatte er in seinem Leben jedes Laster einmal ausprobiert.

»Ich auch«, meinte Forrest, der Mann, der keine Ausnahmen machte. An Ray gewandt fügte er hinzu: »Und wie ist es dir ergangen?«

»Ich habe beim Blackjack ein paar Tausender gewonnen. Sogar ein Zimmer haben sie mir umsonst gegeben.«

»Ich musste für das verdammte Bett bezahlen«, sagte Harry Rex. »Wahrscheinlich für die ganze Etage.«

»Ich finde die Gratisdrinks toll«, meinte Forrest. »Zwanzig Mäuse für ein Glas.«

Ray schluckte und beschloss, den Köder auszuwerfen. »Ich habe Streichhölzer aus dem Santa Fe auf Vaters Schreibtisch gefunden. War er mal heimlich dort?«

»Klar«, erwiderte Harry Rex. »Wir sind einmal im Monat zusammen hingegangen. Er liebte die Würfel.«

»Der Alte hat gespielt?«, fragte Forrest.

»Ja.«

»So viel zum Rest meines Erbes. Was er nicht verschenkt hat, hat er verspielt.«

»Nein, er war ein ziemlich guter Spieler.«

Ray tat so, als wäre er genauso schockiert wie Forrest, dabei war er vor allem erleichtert, weil er endlich den ersten, wenn auch mageren Hinweis bekommen hatte. Es schien allerdings nahezu unmöglich, dass der Richter sein Vermögen angehäuft hatte, indem er einmal pro Woche würfelte.

Doch darum würde er sich später mit Harry Rex kümmern.

13

Im Angesicht des nahenden Todes hatte der Richter seine Angelegenheiten gewissenhaft in Ordnung gebracht. Die wichtigen Dokumente befanden sich sortiert und aufgeräumt in seinem Arbeitszimmer.

Zuerst arbeiteten sie sich durch den Mahagonischreibtisch. Eine Schublade enthielt Kontoauszüge der letzten zehn Jahre, die nahezu fehlerlos chronologisch geordnet waren. Die Steuererklärungen lagen in einer anderen. Es gab dicke Bücher, in die der Richter jede einzelne seiner Spenden eingetragen hatte. Die größte Schublade war voller brauner Hefter, es mussten Dutzende sein. Darin befanden sich Akten über Vermögenssteuern, medizinische Unterlagen, alte Urkunden und Besitztitel, offene Rechnungen, Protokolle von juristischen Konferenzen, Arztbriefe, Unterlagen über seine Rente. Ray blätterte die Mappen alle durch, ohne sie zu öffnen, bis auf die mit den unbezahlten Rechnungen. Er fand nur eine, über 13,80 Dollar von Wayne's, einer Rasenmäherwerkstatt, die von letzter Woche datierte.

»Es ist immer seltsam, die Unterlagen von jemandem zu durchwühlen, der gerade gestorben ist«, sagte Harry Rex. »Ich komme mir schäbig vor, wie ein Spanner.«

»Eher wie ein Detektiv auf der Suche nach Indizien«,

widersprach Ray. Mit offenem Hemdkragen und hochge-krempelten Ärmeln saßen sie einander gegenüber, Ray auf der einen Seite des Schreibtischs, Harry Rex auf der ande-ren, zwischen sich stapelweise Beweismaterial. Forrest war so hilfreich, wie man es von ihm gewohnt war. Er hatte sich nach dem Mittagessen statt einem Nachtisch ein hal-bes Sechserpack Bier genehmigt und schlief nun laut schnarchend in der Hollywoodschaukel auf der Veranda.

Immerhin war er hier und nicht auf einer seiner üblichen Sauftouren. In den zurückliegenden Jahren war er oft genug einfach verschwunden. Niemand in Clanton wäre überrascht gewesen, wenn er die Beerdigung seines Vaters verpasst hätte. Es wäre nur ein weiterer Minuspunkt für den verrückten Atlee-Jungen gewesen, eine weitere Anek-dote zum Erzählen.

In der letzten Schublade fanden sie – zusammen mit einer Schachtel, die offenbar Patronen für den Revolver ent-hielt – persönlichen Krimskrams: Füller, Pfeifen, Fotos des Richters, wie er mit Freunden an einem Bartresen saß, ein paar ältere Bilder auch von Ray und Forrest, die Heirats-urkunde, den Totenschein der Mutter. In einem alten, unge-öffneten Umschlag steckte ein Zeitungsausschnitt mit ihrem Nachruf aus dem *Clanton Chronicle*, erschienen am 12. Oktober 1969, komplett mit Bild. Ray las ihn und reichte ihn dann Harry Rex.

»Erinnerst du dich an sie?«

»Ja, ich war bei ihrer Beerdigung«, erwiderte Harry Rex mit einem Blick auf das Foto. »Sie war eine hübsche Lady und hatte wenige Freunde.«

»Warum das?«

»Sie stammte aus dem Mississippi-Delta, und die meis-ten Leute von da haben einen guten Schuss blaues Blut in den Adern. Genau das gefiel dem Richter an einer Frau, aber es hat hier leider nicht so gut hergepasst. Sie dachte, sie heiratet Geld. Doch Richter waren damals noch nicht auf Rosen gebettet, und so musste sie sich ziemlich anstrengen, um besser zu sein als die anderen.«

»Du mochtest sie nicht.«

»Nicht besonders. Sie fand, ich sei ungeschliffen.«

»Wie kam sie nur darauf?«

»Ich mochte deinen Vater, aber bei ihrer Beerdigung habe ich nicht viele Tränen vergossen.«

»Mir reicht eine Beerdigung auf einmal.«

»Tut mir Leid.«

»Was stand in dem Testament, das du mit ihm aufgesetzt hast? Dem letzten?«

Harry Rex legte den Nachruf auf den Schreibtisch und setzte sich. Er sah an Ray vorbei aus dem Fenster und sagte dann leise: »Der Richter wollte eine Stiftung gründen, in die der Erlös aus dem Verkauf dieses Hauses gehen sollte. Ich wäre der Treuhänder gewesen, und als solcher hätte ich dir und ihm« – er nickte Richtung Veranda – »das Geld ausbezahlt. Forrests erste Hunderttausend allerdings wären in die Erbmasse zurückgegangen, denn so viel schuldete er dem Richter nach dessen Berechnung.«

»Nicht zu glauben.«

»Ich habe versucht, es ihm auszureden.«

»Gott sei Dank hat er das Testament vernichtet.«

»Allerdings. Er wusste selbst, dass es keine gute Idee war, aber er wollte Forrest vor sich selbst schützen.«

»Das haben wir zwanzig Jahre lang versucht.«

»Er hat jede Möglichkeit in Erwägung gezogen. Er wollte schon alles dir vermachen und ihn außen vor lassen, aber er wusste, dass das zu Auseinandersetzungen zwischen euch führen würde. Als er sich wieder mal darüber aufregte, dass keiner von euch hier leben wollte, bat er mich, ein Testament aufzusetzen, in dem das Haus der Kirche überschrieben wird. Das hat er allerdings nie unterzeichnet. Als Palmer ihn wegen der Todesstrafe nervte, verwarf er die Idee und verfügte stattdessen, dass der Erlös aus dem Verkauf des Hauses an die Wohlfahrt gehen soll.« Harry Rex streckte seine Arme nach oben aus, bis seine Wirbelsäule knackte. Nach zwei Rückenoperationen fühlte er sich selten richtig schmerzfrei. »Vermutlich«, fuhr er fort, »wollte er, dass ihr beide, du und Forrest, kommt, damit ihr zu dritt entscheidet, was mit dem Nachlass geschieht.«

»Und warum hat er dann in letzter Minute noch einmal ein neues Testament geschrieben?«

»Das werden wir wohl nie erfahren. Vielleicht war er die Schmerzen leid. Ich nehme an, er wurde süchtig nach dem Morphium, so wie es den meisten irgendwann ergeht. Vielleicht wusste er, dass er im Sterben lag.«

Ray blickte in die Augen von General Nathan Bedford Forrest, der fast ein Jahrhundert lang von derselben Stelle aus streng über das Arbeitszimmer des Richters gewacht hatte. Er zweifelte nicht daran, dass sein Vater sich zum Sterben auf das Sofa gelegt hatte, damit ihm der General in seiner schwersten Stunde zur Seite stand. Der General wusste Bescheid. Er wusste, wie und wann der Richter gestorben war. Er wusste, woher das Geld stammte. Er wusste, wer letzte Nacht eingebrochen war und das Büro durchwühlt hatte.

»Hat er Claudia jemals etwas zugedacht?«, fragte Ray.

»Nie. Du weißt, dass er ziemlich nachtragend sein konnte.«

»Sie war heute Morgen hier.«

»Was wollte sie?«

»Ich glaube, sie war auf Geld aus. Sie sagte, der Richter habe ihr immer versprochen, sich um sie zu kümmern, und wollte wissen, was in dem Testament steht.«

»Hast du es ihr gesagt?«

»Mit der größten Freude.«

»Sie kommt schon durch, um diese Frau muss man sich keine Sorgen machen. Erinnerst du dich an den alten Walter Sturgis aus Karraway, der jahrelang Bauunternehmer war, ein Geizkragen, wie er im Buche steht?« Harry kannte jeden in Ford County, sämtliche dreißigtausend Seelen, Schwarze, Weiße und inzwischen auch die Mexikaner.

»Ich glaube nicht.«

»Gerüchten zufolge soll er eine halbe Million Dollar in bar besitzen. Darauf hat sie's jetzt abgesehen. Bringt den alten Knaben dazu, dass er Golfhemden trägt und im Country-Klub isst. Seinen Kumpels erzählt er, dass er jeden Tag Viagra nimmt.«

»Armer Kerl.«

»Sie wird ihm das Genick brechen.«

Forrest bewegte sich offenbar auf der Schaukel, denn das Gestänge quietschte. Sie warteten einen Augenblick, bis draußen wieder alles still war. Harry Rex klappte eine Mappe auf. »Hier ist die Schätzung des Hauses. Wir haben sie letztes Jahr von einem Typ aus Tupelo anfertigen lassen. Er ist wahrscheinlich der beste Schätzer im Norden Mississippis.«

»Und?«

»Vierhunderttausend.«

»Verkauft.«

»Ich denke, er hat ziemlich hoch gegriffen. Der Richter meinte natürlich, das Haus wäre mindestens eine Million wert.«

»Klar.«

»Ich glaube, dreihundert sind realistischer.«

»Wir werden nicht einmal halb so viel bekommen. Worauf basiert die Schätzung?«

»Hier steht's … Wohnfläche, Größe des Grundstücks, Lage, Vergleiche, das Übliche eben.«

»Gib mir einen Vergleich.«

Harry Rex blätterte das Gutachten durch. »Hier ist einer. Eine Immobilie, etwa gleich alt, gleiche Größe, dreißig Morgen Land, am Stadtrand von Holly Springs ... Wurde vor zwei Jahren für insgesamt achthunderttausend verkauft.«

»Clanton ist nicht Holly Springs.«

»Nein, in der Tat nicht.«

»Es ist eine Vorkriegsstadt mit einem Haufen alter Bruchbuden.«

»Soll ich den Schätzer verklagen?«

»Ja, den holen wir uns. Was würdest du für das Haus bezahlen?«

»Gar nichts. Möchtest du ein Bier?«

»Nein.«

Harry Rex ging in die Küche und kam mit einer großen Dose Pabst Blue Ribbon zurück. »Ich weiß nicht, warum er ausgerechnet dieses Gebräu kauft«, murmelte er und nahm einen großen Zug.

»War von jeher seine Lieblingsmarke.«

Harry Rex äugte durch die Schlagläden, sah aber nichts außer Forrests Fuß, der von der Schaukel hing. »Ich glaube nicht, dass er sich viele Gedanken über das Erbe eures Vaters macht.«

»Er ist wie Claudia, ihn interessiert nur ein Scheck.«

»Geld würde ihn umbringen.«

Es war beruhigend, dass Harry Rex diese Meinung teilte. Ray wartete, bis er zum Schreibtisch zurückgekommen war, weil er seine Augen sehen wollte, wenn er ihm die große Eröffnung machte. »Der Richter hat letztes Jahr weniger als viertausend Dollar verdient«, sagte er mit einem Blick auf eine Steuererklärung.

»Er war krank«, erwiderte Harry Rex, während er seinen breiten Rücken streckte und drehte, um sich dann wieder zu setzen. »Bis vor zwei Jahren hat er noch Fälle verhandelt.«

»Welche Art von Fällen?«

»Alles Mögliche. Vor ein paar Jahren hatten wir so einen erzkonservativen Gouverneur …«

»Ich erinnere mich.«

»Betete ständig im Wahlkampf, predigte Familienwerte und war gegen alles außer Waffen. Irgendwann kam heraus, dass er eine Schwäche für Frauen hatte, seine Gattin erwischte ihn mit einer anderen, und es gab einen Mordsstunk. Ziemlich heikle Angelegenheit. Die Richter in Jackson wollten aus offensichtlichen Gründen nichts damit zu tun haben, und so baten sie den Richter zu schlichten.«

»Kam es zum Prozess?«

»O ja, und es wurde die reinste Schlammschlacht. Die Ehefrau hatte die richtigen Anwälte auf den Gouverneur angesetzt, und er glaubte, er könnte den Richter einschüchtern. Am Ende bekam sie die Villa und den größten Teil seines Geldes. Das Letzte, was ich von ihm gehört habe, ist, dass er über der Garage seines Bruders wohnt, natürlich mit Bodyguards.«

»Hast du den Alten jemals eingeschüchtert erlebt?«

»Nie, nicht ein einziges Mal in dreißig Jahren.«

Harry Rex trank einen Schluck Bier, und Ray sah sich eine weitere Steuererklärung an. Alles war ruhig. Als Ray Forrest wieder schnarchen hörte, sagte er: »Ich habe Geld gefunden, Harry Rex.«

Die Augen verrieten nichts. Weder Komplizenschaft noch Überraschung, noch Erleichterung. Er blinzelte nicht und starrte auch nicht. Er wartete und fragte dann achselzuckend: »Wie viel?«

»Einen Karton voll.« Ray hatte versucht, sich auf die Fragen vorzubereiten, die unweigerlich kommen mussten.

Wieder wartete Harry Rex, dann folgte ein weiteres unschuldiges Achselzucken. »Und wo?«

»Da drüben, in dem Schrank hinter dem Sofa. Es lag bar in einem Karton. Über neunzigtausend Dollar.«

Bis jetzt hatte er noch nicht gelogen. Er hatte vielleicht nicht die ganze Wahrheit gesagt, aber auch nicht gelogen. Noch nicht.

»Neunzigtausend Dollar?«, echote Harry Rex ein wenig zu laut, und Ray machte eine Kopfbewegung Richtung Veranda.

»Ja, in Hundert-Dollar-Scheinen«, erwiderte er leise. »Irgendeine Idee, woher das Geld stammt?«

Harry Rex nahm einen Schluck aus der Dose, blickte mit zusammengekniffenen Augen an die Wand und sagte schließlich: »Eigentlich nicht.«

»Glücksspiel vielleicht? Du sagtest, er war gut im Würfeln.«

Noch ein Schluck. »Ja, vielleicht. Die Kasinos haben vor sechs oder sieben Jahren eröffnet, und wir sind zumindest am Anfang einmal die Woche hingegangen.«

»Dann nicht mehr?«

»Schön wär's. Unter uns gesagt, ich ging viel öfter hin. Ich habe ziemlich exzessiv gespielt und wollte nicht, dass der Richter etwas davon erfährt. Wenn wir zusammen dort waren, hielt ich mich immer zurück. Am nächsten Abend fuhr ich dann heimlich hin und ließ es krachen.«

»Wie viel hast du verloren?«

»Reden wir lieber über den Richter.«

»Okay, hat er gewonnen?«

»Im Allgemeinen ja. An einem guten Abend hat er schon mal ein paar Tausender mitgenommen.«

»Und an einem schlechten?«

»Fünfhundert, das war sein Limit. Wenn er am Verlieren war, wusste er genau, wann er aufhören musste. Das ist das Geheimnis beim Spielen. Du musst wissen, wann es Zeit ist aufzuhören, und du musst die Kraft haben zu gehen. Er hatte sie, ich nicht.«

»Ging er auch mal allein?«

»Ja, einmal habe ich ihn gesehen. Einmal war ich heimlich in einem neuen Kasino. Wahnsinn, inzwischen gibt es fünfzehn ... Ich war gerade beim Blackjack, als in der Nähe an einem der Würfeltische ein Tumult ausbrach. Mitten im Gewühl entdeckte ich Richter Atlee mit einer Baseballmütze auf dem Kopf, die ihn unkenntlich machen sollte. Seine Tarnungen wirkten nicht immer, denn ich hörte so einiges in der Stadt. Viele Leute gingen in die Kasinos, und er wurde des Öfteren gesehen.«

»Wie oft ging er hin?«

»Keine Ahnung. Er musste niemandem Rechenschaft ablegen. Ich hatte einen Mandanten, einen von den Higginbothan-Jungs, die Gebrauchtwagen verkaufen. Er hat mir erzählt, dass er ihn um drei Uhr morgens im Treasure Island am Würfeltisch gesehen hat. Ich schätze, er suchte sich so bizarre Tageszeiten aus, um niemandem über den Weg zu laufen.«

Ray überschlug schnell im Kopf: Wenn der Richter fünf Jahre lang dreimal die Woche gespielt und jedes Mal zweitausend Dollar gewonnen hatte, würde sich sein Gesamtgewinn auf rund eineinhalb Millionen belaufen.

»Könnte er auf diese Weise neunzigtausend Dollar zusammenbekommen haben?«, fragte er. Die Summe klang lächerlich niedrig.

»Alles ist möglich. Aber warum hätte er das Geld verstecken sollen?«

»Sag du es mir.«

Sie dachten eine Weile darüber nach. Harry Rex leerte sein Bier und zündete sich eine Zigarre an. Ein Deckenventilator über dem Schreibtisch verteilte den Rauch träge im Raum. Harry Rex blies eine Wolke direkt in die Flügel hinauf und sagte: »Man muss die Gewinne versteuern. Und da er nicht wollte, dass irgendjemand etwas von seiner Spielerei erfuhr, hat er es vielleicht einfach geheim gehalten.«

»Aber hat das Kasino nicht Unterlagen darüber, wenn man über bestimmte Gewinnsummen kommt?«

»Ich habe nie irgendwelche Unterlagen gesehen.«

»Aber wenn du gewonnen hättest?«

»Ja, dann schon. Ich hatte einen Mandanten, der einmal elftausend Dollar am Fünf-Dollar-Spielautomaten gewonnen hat. Er musste als Meldung für die Steuerbehörde ein Formular ausfüllen.«

»Was ist mit Craps?«

»Wenn man mehr als zehntausend in Jetons auf einmal gewinnt, gibt es Schreibkram. Unter zehn passiert nichts. Das Gleiche gilt für Bargeldtransaktionen bei Banken.«

»Ich bezweifle, dass der Richter Wert auf Dokumente legte.«

»Das tat er ganz sicher nicht.«

»Hat er nie Bargeld erwähnt, wenn ihr zusammen Testamente aufgesetzt habt?«

»Nie. Das Geld ist ein Rätsel, Ray. Ich kann es auch nicht erklären. Ich habe keine Ahnung, was in seinem Kopf vorging. Sicher war ihm klar, dass es jemand finden würde.«

»Okay, die Frage ist nur: Was machen wir jetzt damit?«

Harry Rex nickte und steckte sich die Zigarre in den Mund. Ray lehnte sich zurück und beobachtete den Ventilator. Sie überlegten lange, was sie mit dem Geld anfangen sollten. Keiner von beiden wollte vorschlagen, es einfach weiterhin geheim zu halten. Harry Rex beschloss, sich ein zweites Bier zu holen, und diesmal wollte Ray auch eines. Während die Minuten verstrichen, wurde klar, dass das Thema Geld an diesem Tag nicht mehr diskutiert werden würde. In ein paar Wochen, wenn der Nachlass eröffnet und eine Bestandsliste des Vermögens erstellt war, würden sie wieder über die Sache reden. Oder vielleicht auch nicht.

Zwei Tage lang hatte Ray mit sich gerungen, ob er Harry Rex von seinem Fund erzählen sollte, wenigstens von einem Teil davon. Doch nachdem er es getan hatte, gab es mehr Fragen als Antworten.

Die Herkunft des Geldes hatte sich nicht geklärt. Der Richter hatte gern gewürfelt und war ein guter Spieler gewesen. Aber es war ziemlich unwahrscheinlich, dass er auf diese Weise in sieben Jahren 3,1 Millionen Dollar zusammenbekommen hatte. Geradezu unmöglich schien es, das zu bewerkstelligen, ohne Unterlagen oder sonstige Spuren zu hinterlassen.

Ray wandte sich wieder den Steuerpapieren zu, während Harry Rex sich durch die Spendenordner wühlte. »Welchen Wirtschaftsprüfer willst du nehmen?«, fragte Ray nach einer Weile.

»Es gibt einige zur Auswahl.«

»Aber keinen von hier.«

»Nein, ich will mich von den Jungs hier möglichst fern halten. Clanton ist eine Kleinstadt.«

»Ich habe den Eindruck, die Unterlagen sind in einem guten Zustand«, sagte Ray und schloss eine Schublade.

»Wird ziemlich einfach werden, abgesehen vom Haus.«

»Wir sollten es so schnell wie möglich zum Verkauf ausschreiben. Es wird nicht so bald weggehen.«

»Welchen Anfangspreis nennen wir?«

»Fangen wir mir dreihundert an.«

»Sollen wir Geld für die Renovierung ausgeben?«

»Es ist kein Geld da, Harry Rex.«

Kurz vor Einbruch der Dunkelheit verkündete Forrest, er habe alles satt – Clanton, den Tod, das Herumhängen in einem deprimierenden alten Haus, das ihn nie besonders interessiert habe, Harry Rex und Ray. Er fahre jetzt nach Memphis, wo heiße Frauen und wilde Partys auf ihn warteten.

»Wann kommst du wieder?«, fragte er Ray.

»In zwei oder drei Wochen.«

»Für die gerichtliche Bestätigung des Testaments?«

»Ja«, erwiderte Harry Rex. »Wir werden kurz vor dem Richter erscheinen. Du kannst gern auch kommen, es ist aber nicht nötig.«

»Ich betrete keinen Gerichtssaal freiwillig. War schon viel zu oft dort.«

Die Brüder gingen zusammen die Auffahrt hinunter zu Forrests Auto. »Ist mit dir alles okay?«, fragte Ray, aber nur, weil er sich verpflichtet fühlte, Besorgnis zu zeigen.

»Mir geht's gut. Hör mal, Bruderherz«, sagte Forrest schnell, bevor Ray irgendetwas Dummes von sich geben konnte, »ruf mich an, wenn du wieder hier bist.« Damit startete er den Wagen und fuhr davon. Ray wusste, er würde irgendwo zwischen Clanton und Memphis Rast machen, entweder in einem Schuppen mit Theke und Pooltisch oder vielleicht auch nur an einem Kiosk, wo er einen Kasten Bier kaufen würde, um ihn während der Fahrt zu leeren. Forrest hatte die Beerdigung ihres Vaters erstaunlich gut überstanden. Doch der Druck wurde immer stärker, und der Zusammenbruch würde ziemlich hässlich werden.

Harry Rex war wie immer hungrig und fragte Ray, ob er Lust auf frittierten Catfish habe.

»Eigentlich nicht.«

»Gut, es gibt ein neues Restaurant am See.«

»Wie heißt es?«

»Jeter's Catfish Shack.«

»Das ist nicht dein Ernst.«

»Doch, das Essen schmeckt wirklich gut da.«

Sie saßen auf einer leeren Terrasse direkt über dem stillen, sumpfigen Teil des Sees. Harry Rex aß zweimal die Woche Catfish, Ray alle fünf Jahre einmal. Der Koch hatte es gut gemeint mit Teig und Erdnussöl, und Ray war darauf gefasst, dass es aus vielerlei Gründen eine lange Nacht für ihn werden würde.

Mit dem geladenen Revolver neben sich schlief er in seinem alten Zimmer im ersten Stock in Maple Run. Fenster und Türen hatte er abgeschlossen, die drei Müllsäcke mit dem Geld lagen zu seinen Füßen. Entsprechend schwer fiel es ihm, angenehme Kindheitserinnerungen heraufzubeschwören, die im Halbdunkel seines alten Reiches eigentlich fast von selbst hätten aufsteigen müssen. Doch das Haus war auch damals schon düster und kalt gewesen, insbesondere nach dem Tod seiner Mutter.

Statt Erinnerungen wachzurufen, versuchte er sich in den Schlaf zu zählen – mit kleinen, runden schwarzen Jetons zu je hundert Dollar, die er den Richter von den Spieltischen zur Kasse schleppen ließ. Er zählte eifrig mit, kam aber nicht einmal in die Nähe des Vermögens, das in seinem Bett lag.

14

Am Clanton Square gab es drei Cafés, zwei für die Weißen, eins für die Schwarzen. Das Schlips-und-Kragen-
Publikum des Tea Shoppe stammte überwiegend aus Bank-,
Justiz- und Geschäftskreisen. Hier drehten sich die Gespräche um schwer wiegende Themen wie Golf, Politik und die
Börse. Das Claude's, das schwarze Restaurant, existierte
seit vierzig Jahren. Dort bekam man das beste Essen.

Das Coffee Shop wurde vor allem von Farmern, Polizisten und Fabrikarbeitern frequentiert, die über Football und die Vogeljagd redeten. Harry Rex ging ebenfalls
gern dorthin, wie auch einige andere Anwälte, die es vor-
zogen, sich unter den Leuten zu bewegen, die sie vertraten. Das Coffee Shop öffnete jeden Morgen außer sonn-
tags um fünf Uhr, und bis sechs war es meistens schon
ziemlich voll. Ray parkte in der Nähe auf dem Platz und
schloss seinen Wagen ab. Im Osten schob sich langsam die
Sonne hinter den Bergen hoch. Er hatte rund fünfzehn
Stunden Fahrt vor sich und hoffte, gegen Mitternacht zu
Hause zu sein.

Harry Rex hatte einen Tisch am Fenster und eine Zeitung von Jackson, die bereits so umsortiert und gefaltet
war, dass niemand anders sie mehr lesen konnte. »Steht
was Interessantes drin?«, fragte Ray. Er war nicht auf dem

Laufenden, denn in Maple Run gab es keinen Fernseher.

»Nicht ein verdammtes Wort«, brummte Harry Rex, die Augen starr auf die Schlagzeilen gerichtet. »Ich werde dir die Nachrufe schicken.« Er ließ einen Finger über einen zerknitterten Abschnitt gleiten, der etwa so groß war wie ein Taschenbuch. »Willst du das lesen?«

»Nein, ich muss gleich weg.«

»Isst du vorher noch was?«

»Ja.«

»He, Dell!«, brüllte Harry Rex durch das Café. Überall an der Bar und an sämtlichen Tischen saßen ausschließlich Männer beim Essen und Trinken.

»Dell ist immer noch hier?«, fragte Ray.

»Sie wird nicht älter«, erwiderte Harry Rex und schwenkte seinen Arm. »Ihre Mutter ist achtzig und ihre Großmutter hundert. Dell wird noch da sein, wenn wir schon lange unter der Erde liegen.«

Dell mochte es nicht, wenn man ihr so nachschrie. Sie kam mit der Kaffeekanne und einer Grimasse, die sich jedoch sofort in Wohlgefallen auflöste, als sie Ray erkannte. Sie umarmte ihn und sagte: »Ich habe dich bestimmt zwanzig Jahre lang nicht gesehen!« Dann setzte sie sich, hängte sich bei ihm ein und sprach ihm ihr Beileid zum Tod des Richters aus.

»War das nicht eine herrliche Beerdigung?«, fragte Harry Rex.

»Ich kann mich nicht erinnern, jemals bei einer schöneren gewesen zu sein«, stimmte sie zu, als sollte sich Ray dadurch irgendwie getröstet oder beeindruckt fühlen.

»Danke«, entgegnete er. Seine Augen füllten sich mit Tränen, allerdings nicht aus Trauer, sondern wegen der Mixtur aus billigen Parfüms, die sie benutzte.

Dell sprang auf und sagte: »Was wollt ihr essen? Geht aufs Haus.«

Harry Rex entschied für sie beide und bestellte Würstchen und Pfannkuchen, eine große Portion für sich selbst, eine kleinere für Ray. Dell verschwand und hinterließ eine intensive Duftwolke.

»Du hast eine lange Fahrt vor dir. Die Pfannkuchen halten gut vor.«

Nach drei Tagen in Clanton hatte Ray bereits einiges zu sich genommen, das für seinen Geschmack ein wenig zu gut vorhalten würde. Er freute sich auf ausgiebige Joggingrunden durch die Landschaft um Charlottesville und leichtere Kost.

Zu seiner großen Erleichterung erkannte ihn sonst niemand. Zu dieser frühen Stunde waren keine anderen Anwälte im Coffee Shop und auch sonst niemand, der den Richter gut genug gekannt hätte, um bei seiner Beerdigung gewesen zu sein. Die Polizisten und Arbeiter waren viel zu beschäftigt mit dem Erzählen von Witzen und Gerüchten, um ihre Umgebung wahrzunehmen. Erstaunlicherweise plapperte Dell nicht. Nach der ersten Tasse Kaffee entspannte Ray sich und begann, die Gesprächsfetzen und das Gelächter um sich herum zu genießen.

Dell kam mit einer Menge Essen zurück, die für acht Leute ausgereicht hätte: Pfannkuchen, ein komplettes Schwein, zu Würsten verarbeitet, ein Korb voller Brötchen, eine Schale Butter und eine Schüssel mit hausgemachter Marmelade. Wer aß wohl zu Pfannkuchen Brötchen? Sie klopfte Ray auf die Schulter und sagte: »Er war so ein süßer Mann.« Damit ging sie.

»Dein Vater war alles Mögliche«, sagte Harry Rex und überschwemmte seine Pfannkuchen mit einem Riesenschwall Sirup, der ebenfalls selbst gemacht war. »Aber süß war er nicht.«

»Nein, ganz bestimmt nicht«, pflichtete Ray bei. »War er jemals hier?«

»Nicht dass ich wüsste. Er frühstückte nicht, mochte keine Menschenansammlungen, hasste Smalltalk und schlief gern so lang wie möglich. Ich glaube nicht, dass das hier ein Ort für ihn gewesen wäre. In den letzten neun Jahren hat man ihn am Clanton Square nicht oft gesehen.«

»Woher kennt Dell ihn dann?«

»Aus dem Gericht. Eine ihrer Töchter bekam ein Baby von einem Mann, der schon eine Familie hatte. Verdammt schmutzige Geschichte.« Irgendwie schaffte Harry Rex es, sich eine Portion Pfannkuchen in den Mund zu schaufeln, an der selbst ein Pferd erstickt wäre. Es folgte ein Bissen Wurst.

»Und natürlich hast du mitten dringesteckt.«

»Natürlich. Der Richter hat ihr zu ihrem Recht verholfen.« Mampf, mampf.

Ray fühlte sich genötigt, ebenfalls einen großen Bissen von seinem Teller zu nehmen. Er beugte sich vor und hob eine schwer beladene, vor Marmelade triefende Gabel zum Mund.

»Der Richter war eine lebende Legende, das weißt du, Ray. Die Leute hier haben ihn geliebt. Er hat bei den Wahlen in Ford County nie weniger als achtzig Prozent bekommen.«

Ray nickte, während er sich einen der Pfannkuchen vornahm. Sie waren heiß und fettig, schmeckten aber ziemlich neutral.

»Wenn wir fünftausend Dollar in das Haus investieren«, sagte Harry Rex mit vollem Mund, »werden wir das Vielfache davon wieder herausbekommen. Es wäre eine lohnende Investition.«

»Fünftausend wofür?«

Mit einer ausladenden Bewegung wischte Harry Rex sich den Mund ab. »Erst mal für die Reinigung. Das gan-

ze Ding muss komplett abgespritzt, gescheuert und ausge-
räuchert werden. Die Böden müssen gewischt und die
Wände und Möbel gereinigt werden, damit es besser riecht.
Dann müssen die gesamte Außenfassade und das Erdgeschoss gestrichen werden. Das Dach muss repariert werden, damit die Flecken an den Zimmerdecken verschwinden. Das Gras muss gemäht und das Unkraut gejätet
werden, damit der Garten gepflegter aussieht. Ich finde
hier genug Leute, die das machen würden.« Er schaufelte
sich eine weitere Portion zwischen die Zähne und wartete
kauend auf Rays Antwort.

»Es sind nur noch sechstausend auf der Bank«, sagte
Ray.

Dell rauschte vorbei und schaffte es irgendwie, beide
Kaffeetassen nachzufüllen und Ray auf die Schulter zu
klopfen, ohne den Schritt zu verlangsamen.

»In dem Karton, den du gefunden hast, ist auch noch
was«, gab Harry Rex zu bedenken und säbelte ein weiteres Stück Pfannkuchen ab.

»Du meinst also, wir sollen das Geld ausgeben?«

»Ich habe darüber nachgedacht.« Harry Rex nahm einen
Schluck Kaffee. »Genau genommen habe ich die ganze
Nacht deswegen wach gelegen.«

»Und?«

»Die ganze Sache hat zwei Aspekte. Der eine ist wichtig, der andere nicht.« Ein schneller Bissen von diesmal
bescheideneren Ausmaßen, dann fuhr Harry Rex, mit
Messer und Gabel gestikulierend, fort: »Erst mal, woher
kommt die Kohle? Wir würden es gern wissen, aber im
Grunde ist es nicht wichtig. Wenn er eine Bank ausgeraubt
hat, was soll's, er ist tot. Wenn er in Kasinos gespielt und
gewonnen hat und für seine Gewinne keine Steuern bezahlt hat, was soll's, er ist tot. Wenn er einfach den Geruch des Geldes mochte und es über die Jahre gespart hat,

auch gut, deswegen ist er trotzdem tot. Kannst du mir folgen?«

Ray zuckte die Achseln, als würde er auf den komplizierten Teil der Rede warten. Harry Rex nutzte die Pause in seinem Monolog, um von einer Wurst abzubeißen. Dann fuhr er fort, mit seinem Besteck in die Luft zu stochern: »Zweitens, was willst du mit dem Geld anfangen? Das ist der interessante Punkt. Wir nehmen an, dass niemand von dem Geld weiß, oder?«

Ray nickte und sagte: »Stimmt. Es war versteckt.« Er hörte im Geiste, wie an den Fenstern gerüttelt wurde, und sah die zertrampelten Blake & Son-Kartons auf dem Boden verstreut vor sich.

Er konnte nicht anders, als durch das Fenster einen Blick auf seinen TT-Roadster zu werfen, der voll gepackt zur Flucht bereit stand.

»Wenn du das Geld dem Nachlass einverleibst, geht erst einmal die Hälfte davon an die Steuerbehörde.«

»Ich weiß, Harry Rex. Was würdest du tun?«

»Ich bin für so eine Sache nicht der richtige Mann. Ich habe achtzehn Jahre lang mit der Steuerbehörde im Clinch gelegen, und dreimal darfst du raten, wer gewonnen hat. Also bitte nicht ich. Bescheiß sie.«

»Ist das dein Rat als Anwalt?«

»Nein, als Freund. Wenn du einen juristischen Rat willst, kann ich dir nur Folgendes sagen: Du musst alle Vermögenswerte erfassen und ordentlich inventarisieren, gemäß dem Gesetz des Staates Mississippi samt allen Ergänzungen und Novellierungen.«

»Danke vielmals.«

»Ich würde zwanzigtausend oder so nehmen, sie zum Nachlass tun, um die anstehenden Rechnungen zu bezahlen, dann eine Weile warten und schließlich Forrest die Hälfte vom Rest geben.«

»*Das* nenne ich einen juristischen Rat.«

»Ach was, das ist nichts weiter als gesunder Menschenverstand.«

Das Rätsel um die Brötchen wurde gelöst, als Harry Rex über sie herfiel. »Wie wär's mit einem?«, fragte er, obwohl sie ohnehin näher bei Ray standen.

»Nein danke.«

Harry Rex schnitt zwei Brötchen durch, bestrich die Hälften mit Butter, legte eine dicke Lage Schinken darauf und zum Schluss eine Wurst. »Sicher?«

»Ja, sicher. Könnte das Geld irgendwie markiert sein?«

»Nur wenn es Lösegeld oder Drogengeld ist. Aber solche Sachen waren nicht Reuben Atlees Ding, oder was meinst du?«

»Okay, dann nimm fünftausend und steck sie ins Haus.«

»Du wirst es nicht bereuen.«

Ein kleiner Mann in einer leichten Baumwollhose und passendem Hemd trat an den Tisch und sagte mit einem herzlichen Lächeln: »Verzeihen Sie, Ray, ich bin Loyd Darling.« Er streckte ihm die Hand entgegen. »Ich habe eine Farm östlich der Stadt.«

Ray schüttelte die Hand und stand dabei halb auf. Mr. Loyd Darling besaß mehr Land als jeder andere in Ford County. Früher hatte er Ray in der Sonntagsschule unterrichtet. »Freut mich, Sie zu sehen«, sagte Ray.

»Behalten Sie doch Platz.« Loyd drückte Ray an der Schulter sanft auf seinen Sitz zurück. »Ich wollte Ihnen nur mein Beileid aussprechen.«

»Vielen Dank, Mr. Darling.«

»Es gab keinen besseren Mann als Reuben Atlee. Sie haben mein tiefstes Mitgefühl.«

Ray nickte nur. Harry Rex hatte im Essen innegehalten und sah aus, als würde er gleich in Tränen ausbrechen. Dann war Loyd weg, und das Frühstück wurde fortgesetzt.

Harry Rex holte zu einer Geschichte über Steuerbetrug aus. Nach einem oder zwei weiteren Bissen war Ray endgültig satt, und während er so tat, als hörte er zu, dachte er über die vielen braven Leute wie Loyd Darling nach, die seinen Vater bewundert, ja regelrecht verehrt hatten.

Was, wenn das Geld nicht aus den Kasinos stammte? Wenn ein Verbrechen begangen worden war, wenn der Richter heimlich irgendein schreckliches Ding gedreht hatte? Mitten im überfüllten »Coffee Shop« sitzend, den Blick auf Harry Rex gerichtet, dem er nicht zuhörte, traf Ray Atlee für sich eine Entscheidung. Er schwor sich, dass niemals jemand davon erfahren würde, wenn er je herausfinden sollte, dass sein Vater das Geld, das nun im Kofferraum seines Wagens lag, irgendwie auf unlautere Weise zusammengerafft hatte. Er würde den geradezu überirdischen Ruf von Richter Reuben Atlee nicht schänden.

Er schloss einen Pakt mit sich selbst – samt Handschlag, Bluteid und Schwur auf Gott. Niemand würde je davon erfahren.

Auf dem Gehsteig vor einer der vielen Anwaltskanzleien verabschiedeten sie sich. Harry Rex schloss ihn wieder fest in die Arme wie ein riesiger Bär, und Ray versuchte, die Umarmung zu erwidern, konnte sich aber in der Umklammerung keinen Millimeter rühren.

»Ich kann einfach nicht glauben, dass er nicht mehr da ist«, sagte Harry Rex mit feuchten Augen.

»Ich weiß, ich weiß.«

Gegen die Tränen ankämpfend, ging Harry Rex kopfschüttelnd davon. Ray sprang in seinen Audi und verließ den Clanton Square, ohne einen Blick zurückzuwerfen. Minuten später war er am Stadtrand und fuhr an dem alten Autokino vorbei, das die Sexfilme in die Stadt gebracht hatte, und an der Schuhfabrik, wo der Richter einmal bei einem Streik geschlichtet hatte. Irgendwann hatte er alles hinter sich gelassen, war auf dem freien Land, weitab vom Verkehr, weit weg von der Legende. Als er auf den Tacho blickte, stellte er fest, dass er fast hundertfünfzig Stundenkilometer fuhr.

Polizisten und Auffahrunfälle sollte er möglichst vermeiden. Die Fahrt war lang und die Ankunftszeit in Charlottesville von entscheidender Bedeutung. Kam er zu früh, wäre noch zu viel los in der Fußgängerzone in der Innenstadt, kam er zu spät, würde ihn vielleicht eine Nachtstreife anhalten und ausfragen.

Hinter Tennessee hielt Ray, um zu tanken und auf die Toilette zu gehen. Er hatte viel zu viel Kaffee getrunken. Und viel zu viel gegessen. Er versuchte, Forrest über das Handy zu erreichen, bekam aber keine Antwort. Das konnte Gutes oder Schlechtes bedeuten, bei Forrest wusste man das nie so genau.

Beim Weiterfahren hielt er sich an die Höchstgeschwindigkeit von neunzig Stundenkilometern. Die Stunden verstrichen. Ford County driftete wieder in ein anderes, vergangenes Leben hinüber. Jeder Mensch musste irgendwoher stammen, und Clanton war als Heimatort gar nicht so übel. Ray wäre aber auch nicht traurig gewesen, wenn er es nie wieder hätte sehen dürfen.

In einer Woche wären die Semesterexamen vorbei, in der Woche darauf die Abschlussprüfungen, dann begannen die Sommerferien. Da er forschen und schreiben sollte, hatte er die nächsten drei Monate keine Lehrveranstaltungen. Was im Klartext hieß, dass er nicht viel zu tun haben würde.

Er würde nach Clanton zurückkehren, seine Aufgabe als Nachlassverwalter seines Vaters übernehmen und alle Entscheidungen treffen, um die Harry ihn gebeten hatte. Und er würde das Geheimnis um das Geld lüften.

15

Obwohl Ray reichlich Zeit für die Planung gehabt hatte, ging natürlich alles schief. Immerhin kam er noch zu einer passablen Uhrzeit an, um 23.20 Uhr am Mittwoch, dem 10. Mai. Eigentlich hatte er gehofft, direkt vor dem Hauseingang am Straßenrand parken zu können, doch andere waren vor ihm auf diese Idee gekommen. Der Streifen war noch nie so zugeparkt gewesen. Immerhin hatten alle, wie er trotz seiner Besorgnis mit Befriedigung feststellte, einen Strafzettel an der Windschutzscheibe.

Er hätte in zweiter Reihe parken können, um schnell auszuladen, doch das hätte zu viel Aufsehen erregt. Auf dem kleinen Hof hinter dem Haus waren vier Stellplätze, von denen einer zu seiner Wohnung gehörte, doch das Tor wurde jeden Abend um dreiundzwanzig Uhr abgeschlossen.

Am Ende musste er ein nahezu leer stehendes, düsteres Parkhaus drei Häuserblocks entfernt anfahren. Der gruftartige, mehrstöckige Kasten war tagsüber meist bis auf den letzten Platz besetzt, nachts aber geisterhaft verlassen. Mehrere Stunden lang hatte Ray die verschiedenen Alternativen abgewogen, während er nach Norden und nach Osten übers Land fuhr; er hatte sich mehrere Strategien überlegt und war irgendwann zu dem Schluss gekommen, dass das Parkhaus die am wenigsten attraktive Option von allen war. Es war Plan D oder E und stand ganz unten auf der Liste der Möglichkeiten, wie er das Geld in seine Wohnung schaffen konnte. Nun parkte er im ersten Stock, stieg mit seiner Reisetasche aus, schloss den Wagen ab und ließ ihn mit einem mulmigen Gefühl im Magen zurück. Beim Weggehen blickte er sich hektisch um, als würden überall bewaffnete Gangster lauern. Vom Fahren waren seine Beine und sein Rücken ganz steif, dabei hatte er die größte Plackerei noch vor sich.

Die Wohnung sah genauso aus, wie er sie verlassen hatte, was ihn auf seltsame Weise erleichterte. Vierunddreißig Nachrichten warteten auf dem Anrufbeantworter, wahrscheinlich alles Kollegen und Freunde, die ihr Beileid bekunden wollten. Er würde das Band später abhören.

Ganz unten in einem kleinen Schrank im Flur, unter einer Decke, einem Poncho und anderem Kram, den er irgendwann einmal dorthin geworfen hatte, statt ihn auf- oder einzuräumen, fand er eine rote Wimbledon-Tennistasche, die er mindestens zwei Jahre nicht in der Hand gehabt hatte. Sie war außer Koffern, die zu auffällig gewesen wären, das größte Behältnis, das ihm einfiel.

Wenn er eine Waffe besessen hätte, dann hätte er sie eingesteckt. Doch in Charlottesville gab es wenig Kriminalität, und er fand, dass es sich ohne Schießeisen besser lebte. Nach dem Erlebnis, das er am Sonntag in Clanton gehabt hatte, empfand er Revolvern und solchen Dingen gegenüber noch mehr Abscheu. Die Waffe des Richters hatte er, in einem Schrank verschlossen, in Maple Run zurückgelassen.

Ray hängte sich die Tasche über die Schulter, schloss seine Haustür ab und gab sich Mühe, möglichst gelassen durch die Fußgängerzone zu schlendern. Sie war hell erleuchtet, und ein paar Polizisten waren immer unterwegs.

Die einzigen Passanten zu dieser Uhrzeit waren Punks mit grünen Haaren, gelegentlich ein Wermutbruder und ein paar Nachtschwärmer auf dem Heimweg. Nach Mitternacht war Charlottesville ein wirklich verschlafenes Städtchen.

Kurz vor seiner Ankunft war ein Regensturm niedergegangen. Die Straßen waren nass, und der Wind blies. Auf dem Weg zum Parkhaus kam er an einem jungen Pärchen vorbei, das Händchen haltend spazieren ging, ansonsten sah er niemanden.

Für einen Moment hatte er überlegt, ob er nicht einfach die Müllsäcke selbst befördern sollte. Er konnte sie sich wie der Nikolaus über die Schulter werfen und einen nach dem anderen vom Parkhaus zur Wohnung tragen. So wäre das Geld nach drei Gängen weggeschafft, und er müsste sich nicht noch öfter auf der Straße sehen lassen. Zwei Argumente allerdings hielten ihn davon ab. Erstens: Was, wenn ein Sack riss und eine Million Dollar auf die Straße schneite? Sämtliche Rowdys und Penner der Stadt würden aus ihren Löchern kriechen, angelockt vom Geld wie ein Hai von frischem Blut. Zweitens: Jemand, der Müllsäcke *in* eine Wohnung schleppte statt aus ihr *heraus*, wirkte möglicherweise verdächtig, so dass vielleicht die Polizei auf ihn aufmerksam wurde.

»Was ist in der Tüte, Sir?«, könnte ein Cop fragen.

»Nichts. Müll. Eine Million Dollar.« Keine der Antworten schien wirklich passend.

Die beste Strategie war es, Geduld zu haben, sich die nötige Zeit zu nehmen, die Summe in kleinen Mengen zu befördern, und sich keine Gedanken darüber zu machen, wie oft er wohl gehen musste. Müdigkeit sollte jetzt die geringste seiner Sorgen sein, denn ausruhen konnte er sich später noch.

Der nervenaufreibendste Teil der Aktion war das Umladen des Geldes aus den Säcken in die Tasche. Möglichst unschuldig dreinblickend, beugte Ray sich über den Kofferraum. Zum Glück war das Parkhaus menschenleer. Er stopfte so viel Geld in die Tennistasche, dass der Reißverschluss kaum noch zuging, schloss dann den Kofferraumdeckel, sah sich um, als hätte er gerade jemanden um die Ecke gebracht, und ging los.

Über der Schulter trug er rund ein Drittel des Inhalts eines Müllsacks, also dreihunderttausend Dollar – das reichte, um dafür verhaftet oder erstochen zu werden. Mehr als alles andere wünschte er sich in diesem Moment Unbekümmertheit, doch seine Schritte und Bewegungen waren alles andere als locker. Die Augen hatte er starr geradeaus gerichtet, obwohl er sie lieber nach allen Richtungen hätte wandern lassen, um nur ja nichts Auffälliges zu übersehen. Ein Furcht einflößender Teenager mit gepiercter Nase schwankte vorbei, offenbar hatte er sein ohnehin geschrumpftes Hirn auch noch unter Drogen gesetzt. Ray beschleunigte seine Schritte. Er war sich nicht sicher, ob er die Nerven für weitere acht oder neun solcher Touren zum Parkhaus hatte.

Ein Betrunkener auf einer Bank rief ihm etwas Unverständliches zu. Ray stolperte, fing sich wieder und beglückwünschte sich dazu, den Revolver des Richters nicht mitgenommen zu haben. In diesem Moment hätte er auf alles geschossen, was sich bewegte. Das Geld wurde mit jedem Häuserblock schwerer, aber er schaffte es ohne weitere Zwischenfälle bis zu seiner Wohnung. Dort schüttete er die Scheine aufs Bett, dann schloss er alle Türen hinter sich ab und machte sich erneut auf den Weg.

Bei der fünften Tour bekam er Probleme mit einem verwirrten alten Mann, der plötzlich aus dem Dunkel sprang und fragte: »Was zur Hölle tun Sie da eigentlich?« Er hatte etwas Dunkles in der Hand. Ray hielt es für eine Pistole, mit der er, das stand für ihn fest, gleich kaltgemacht werden würde.

»Lassen Sie mich vorbei«, sagte er so grob wie möglich, doch sein Mund war knochentrocken.

»Sie gehen schon die ganze Zeit hin und her«, schrie der alte Mann. Er stank, und seine Augen leuchteten dämonisch.

»Kümmern Sie sich um Ihre Angelegenheiten.« Ray hatte nicht einen Moment innegehalten, und der Alte hüpfte vor ihm her. Er musste so etwas wie der Dorfidiot von Charlottesville sein.

»Gibt's ein Problem?«, ließ sich plötzlich eine klare Stimme hinter ihnen vernehmen. Ray blieb stehen. Ein Polizist kam auf sie zugeschlendert, den Schlagstock in der Hand.

Ray strahlte ihn an. »Guten Abend, Officer.« Sein Atem ging schwer, und sein Gesicht war feucht vor Schweiß.

»Der hat irgendwas vor!«, schrie der Alte. »Geht die ganze Zeit hin und her, hin und her. Auf dem Hinweg ist die Tasche leer. Auf dem Rückweg ist sie voll.«

»Beruhig dich, Gilly«, sagte der Polizist, und Ray atmete tief durch. Es war seine größte Angst gewesen, dass ihn jemand beobachten würde, doch jetzt war er erleichtert, dass es ausgerechnet ein Mann wie Gilly war. Er kannte viele solche Gestalten in der Fußgängerzone; Gilly allerdings hatte er noch nie gesehen.

»Was ist in der Tasche?«, wollte der Polizist wissen.

Es war eine unmögliche Frage, die weit über die Grenzen der Legalität hinausging. Für den Bruchteil einer Sekunde dachte Ray, der Juraprofessor, daran, dem Polizisten spontan eine Vorlesung über das Aufhalten von Passanten auf der Straße, Durchsuchungen, Beschlagnahmen und die Zulässigkeit von polizeilicher Befragung zu halten.

Doch er ließ den Impuls abklingen und spulte dann seinen vorbereiteten Text ab. »Ich habe heute in Boar's Head Tennis gespielt. Dabei habe ich mir die Achillessehne überdehnt, und jetzt versuche ich, mir das wegzulaufen. Ich wohne da drüben.« Er zeigte in Richtung seiner Wohnung zwei Häuserblocks weiter.

Der Polizist wandte sich an Gilly. »Du kannst doch nicht einfach die Leute anbrüllen, Gilly, das habe ich dir schon mal gesagt. Weiß Ted, dass du hier draußen bist?«

»Er hat was in der Tasche da«, sagte Gilly leiser.

Der Polizist führte ihn weg. »Ja, lauter Geldscheine«, witzelte er. »Ich bin sicher, er ist ein Bankräuber, und du hast ihn auf frischer Tat ertappt. Gute Arbeit.«

»Aber erst ist die Tasche leer und dann voll …«

»Gute Nacht, Sir«, sagte der Polizist über die Schulter zu Ray.

»Gute Nacht.« Ganz verletzter Tennisspieler, hinkte Ray einen Häuserblock lang, sehr zum Interesse anderer Nachtgestalten, die im Dunkeln lauerten. Nachdem er die fünfte Ladung Scheine aufs Bett gekippt hatte, holte er eine Flasche Scotch aus seiner kleinen Bar und goss sich einen Schluck ein.

Er wartete zwei Stunden, um Gilly Zeit zu geben, zu Ted zurückzukehren, der ihm hoffentlich seine Medikamente verabreichte und für den Rest der Nacht einsperrte. Außerdem hoffte er, dass inzwischen ein anderer Polizist in diesem Bezirk Dienst tat. Es waren zwei lange Stunden, in denen er sich in den düstersten Farben ausmalte, was seinem Auto im Parkhaus zwischenzeitlich alles zustoßen konnte. Diebstahl, Vandalismus, Feuer, Abschleppen durch einen verirrten Abschleppwagen – er ging jedes Schreckensszenario durch, das ihm nur einfiel.

Um drei Uhr morgens verließ er die Wohnung in Jeans, Wanderschuhen und einem blauen Sweatshirt mit der Aufschrift VIRGINIA auf der Brust. Die rote Tennistasche hatte er durch einen ramponierten Aktenkoffer ersetzt, die zwar nicht so viel Geld aufnahm, aber dafür auch nicht die Aufmerksamkeit der Polizei auf sich lenken würde. Unter seinem Sweatshirt steckte ein Steakmesser im Gürtel, das er blitzschnell ziehen und gegen Typen wie Gilly oder andere Angreifer einsetzen konnte. Der Gedanke war idiotisch, und er wusste das, aber er war nicht mehr ganz er selbst – und auch das war ihm klar. Er war todmüde, nachdem er drei Nächte hintereinander nicht richtig geschlafen hatte, ein wenig angetrunken von drei Gläsern Scotch, wild entschlossen, das Geld in ein sicheres Versteck zu bringen, und voller Angst davor, noch einmal angehalten zu werden.

Selbst die Penner hatten sich um drei Uhr morgens in ihre Schlupfwinkel verzogen. Die Straßen in der Innenstadt waren menschenleer. Doch als er das Parkhaus betrat, entdeckte er etwas, das ihm einen gehörigen Schrecken einjagte. Am anderen Ende der Fußgängerzone war im Licht einer Straßenlaterne eine Gruppe von fünf oder sechs schwarzen Jugendlichen zu sehen. Wild krakeelend, unübersehbar auf der Suche nach Streit, bewegten sie sich langsam in seine Richtung.

Es war unmöglich, weitere sechs Touren zu machen, ohne irgendwann mit ihnen zusammenzustoßen. Spontan kam Ray ein Alternativplan in den Sinn.

Er sprang in den Audi und fuhr aus dem Parkhaus.

Nach ein paar Runden hielt er in seiner Straße direkt neben den falsch geparkten Wagen, nicht weit von seiner Haustür entfernt. Er stellte den Motor ab, öffnete den Kofferraum und griff nach einem der Müllsäcke. Fünf Minuten später war das gesamte Vermögen oben in seiner Wohnung, wo es hingehörte.

Um neun Uhr morgens weckte ihn das Telefon. Harry Rex war dran. »Los, raus aus den Federn, Junge«, brummte er. »Wie war die Fahrt?«

Ray schwang die Beine über den Bettrand und versuchte, die Augen zu öffnen. »Wunderbar«, grunzte er.

»Ich habe gestern mit einem Immobilienmakler gesprochen, Baxter Redd, einer der besseren der Stadt. Wir sind ein paar Mal um den Clanton Square gegangen und haben die ganze Sache beredet und nach allen Seiten abgeklopft. Was für ein Chaos! Jedenfalls schlägt er vor, bei dem Schätzwert zu bleiben, vierhundert Riesen. Er meint, wir können mindestens zweihundertfünfzig kriegen. Er bekommt die üblichen sechs Prozent. Bist du noch dran?«

»Ja.«

»Dann sag gefälligst was, okay?«

»Sprich weiter.«

»Er ist auch der Meinung, dass wir ein bisschen Kohle für die Renovierung springen lassen sollten, ein bisschen Farbe, ein bisschen Bohnerwachs und ein hübsches Feuerchen würden helfen. Er hat mir einen Reinigungsdienst empfohlen. Bist du noch dran?«

»Ja.« Harry Rex war schon seit Stunden auf und wahrscheinlich längst um ein Festmahl aus Pfannkuchen, Brötchen und Würsten schwerer.

»Also, jedenfalls habe ich einen Maler und einen Dachdecker engagiert. Wir brauchen bald eine Kapitalspritze.«

»Ich bin in zwei Wochen wieder da, Harry Rex, kann das bis dahin warten?«

»Klar. Hast du einen Kater?«

»Nein, bin nur müde.«

»Na, dann schwing deinen Hintern hoch, es ist schon nach neun bei dir drüben.«

»Danke für die Information.«

»Apropos Kater«, sagte Harry Rex plötzlich leiser und

in sanfterem Ton. »Forrest hat mich gestern Abend angerufen.«

Ray stand auf und streckte sich. »Das kann nichts Gutes bedeuten.«

»Nein, in der Tat nicht. Er war total stoned, ich weiß nicht, ob von Alkohol oder sonstigen Drogen, wahrscheinlich von beidem. Was auch immer er sich eingeflößt hat, es muss eine Unmenge gewesen sein. Er war so durch den Wind, dass ich erst dachte, er schläft gleich ein, doch dann legte er los und fing an, mich zu beschimpfen.«

»Was wollte er denn?«

»Geld. Nicht gleich, sagt er. Er behauptet, er ist nicht pleite. Aber er macht sich Gedanken über das Haus und das Vermögen und will sichergehen, dass du ihn nicht bescheißt.«

»Dass ich ihn nicht *bescheiße*?«

»Er war zu, Ray, also kann man es ihm nicht vorwerfen. Aber er hat ein paar ziemlich üble Dinge gesagt.«

»Ich höre.«

»Ich erzähle dir das, damit du Bescheid weißt, aber reg dich bitte nicht auf. Ich bezweifle, dass er sich heute Morgen überhaupt daran erinnern kann.«

»Nur weiter, Harry Rex.«

»Er sagte, der Richter hätte dich immer bevorzugt, deshalb hätte er dich auch zum Nachlassverwalter bestimmt. Du hättest immer mehr von eurem Alten bekommen und es wäre mein Job, dich zu beobachten und seine Interessen zu schützen, weil du versuchen würdest, ihn um das Geld zu betrügen und so weiter.«

»Das hat ja nicht lang gedauert, was? Wir haben ihn gerade erst unter die Erde gebracht.«

»Tja.«

»Überrascht mich nicht.«

»Er ist auf Sauftour, mach dich also darauf gefasst, dass

er dich vielleicht selbst anruft, um dich mit dem Kram voll zu quatschen.«

»Ich kenne das alles schon, Harry Rex. Er ist nie selbst schuld an seinen Problemen, irgendjemand hat es immer auf ihn abgesehen und will ihm was Böses. Typisches Suchtverhalten.«

»Er meint, das Haus ist eine Million wert, und sagt, es sei mein Job, das auch herauszuholen. Andernfalls würde er sich einen eigenen Anwalt nehmen und so weiter und so fort, bla bla bla … Na, mich hat's nicht gekümmert. Er war wirklich schwer angeschlagen.«

»Er ist ein armes Schwein.«

»Das stimmt, aber in einer Woche ist er wieder nüchtern und klar im Kopf, und dann bekommt er von mir die Retourkutsche. Uns kann nichts passieren, wir sind auf der sicheren Seite.«

»Tut mir Leid, Harry Rex.«

»Das sind eben die Freuden der Juristerei, gehört auch zu meinem Job.«

Ray kochte sich eine Kanne starken italienischen Kaffee, so wie er ihn besonders mochte und wie er ihn in Clanton schmerzlich vermisst hatte. Nach der ersten Tasse kam sein Gehirn langsam auf Touren.

Der Ärger mit Forrest würde seinen Lauf nehmen. Doch im Grunde genommen war Forrest harmlos, trotz seiner zahlreichen persönlichen Probleme. Harry Rex würde die Teilung des Vermögens vornehmen, und jeder würde gleich viel bekommen. In einem Jahr würde Forrest einen Scheck über so viel Geld erhalten, wie er noch nie in seinem Leben gesehen hatte.

Die Vorstellung, dass ein Reinigungsdienst in Maple Run Tabula rasa machte, beunruhigte Ray eine Weile. Er sah vor seinem geistigen Auge ein Dutzend Frauen, die wie Ameisen herumschwirrten, glückselig über so viel Dreck.

Was, wenn der Richter noch einen mysteriösen Schatz hinterlassen hatte und sie ihn fanden? Matratzen voller Bargeld? Schränke voller Scheine?

Nein, das war unmöglich. Ray hatte jeden Quadratzentimeter des Hauses abgesucht. Wenn man in einem Versteck drei Millionen Dollar findet, fängt man an, alles auf den Kopf zu stellen, schließlich könnte da oder dort ja noch mehr sein. Er hatte sich sogar durch die Spinnweben im Keller gekämpft. In diese Gruft würde sich keine Putzfrau jemals wagen.

Er goss sich eine weitere Tasse Kaffee ein, ging wieder ins Schlafzimmer, setzte sich auf einen Stuhl und starrte auf die Stapel Scheine. Was nun?

Im Trubel der letzten Tage hatte er ausschließlich darüber nachgedacht, wie er das Geld an den Ort bekam, wo es jetzt lag. Nun musste er den nächsten Schritt planen, und er hatte noch keine rechte Vorstellung, wie der aussehen sollte.

Fest stand nur eines: Das Geld musste versteckt und geschützt werden.

16

Mitten auf dem Schreibtisch prangte ein großer Blumenstrauß mit einer Beileidskarte, die von allen vierzehn Studenten aus Rays Kartellrechtsseminar unterzeichnet worden war. Jeder hatte einen kurzen Satz dazu geschrieben, und Ray las alle. Neben den Blumen lag ein Stoß Karten von den Kollegen der Fakultät.

Es sprach sich schnell herum, dass er wieder da war, und den ganzen Vormittag über schauten immer wieder Kollegen bei ihm herein, um hallo zu sagen, ihn willkommen zu heißen und ihm ihr Beileid auszusprechen. Die Fakultät war im Großen und Ganzen eine ziemlich verschworene Gemeinschaft. Man konnte zwar untereinander heftig diskutieren, wenn es um die Hochschulpolitik ging, aber nach außen hielt man zusammen wie Pech und Schwefel, wenn es nötig war. Ray freute sich sehr, alle wiederzusehen. Alex Duffmans Frau schickte einen Teller ihrer berüchtigten Schokobrownies, die pro Stück ein halbes Kilo wogen und nachgewiesenermaßen eineinhalb Kilo auf den Hüften hinterließen. Naomi Kraig brachte einen Strauß Rosen aus ihrem Garten vorbei.

Am späten Vormittag kam Carl Mirk herein und schloss die Tür hinter sich. Er war Rays engster Freund an der Fakultät, und ihre Wege zum Jurastudium waren erstaunlich ähnlich verlaufen. Sie waren gleich alt und hatten beide Kleinstadtrichter als Väter, die in ihren kleinen Countys jahrzehntelang als Patriarchen geherrscht hatten. Carls Vater stand im Gegensatz zu Rays noch immer hinter dem Richtertisch und pflegte den Ärger auf seinen Sohn, der sich geweigert hatte, heimzukommen und in die väterliche Kanzlei einzusteigen. Allerdings schien sein Unmut mit den Jahren immer mehr zu schwinden, während Richter Atlee den seinen mit ins Grab genommen hatte.

»Erzähl mir, wie es war«, sagte Carl. Es würde nicht mehr lange dauern, bis er die gleiche Reise in seine Heimatstadt im Norden Ohios antreten musste.

Ray begann mit dem stillen Haus, das viel zu still gewesen war, wie ihm jetzt in der Erinnerung schien. Er beschrieb, wie er den Richter gefunden hatte.

»Er war tot, als du ihn gefunden hast?«, fragte Carl. Ray nickte und fuhr in seiner Erzählung fort. »Meinst du, er hat den Dingen ein wenig nachgeholfen?«, erkundigte sich Carl schließlich.

»Ich hoffe es. Er hatte große Schmerzen.«

»Oh, Mann.«

Ray erzählte weiter, wobei ihm Einzelheiten ins Gedächtnis kamen, an die er bis letzten Sonntag nicht gedacht hatte. Die Wörter sprudelten nur so aus ihm heraus, und das Reden hatte unversehens regelrecht eine therapeutische Wirkung. Carl war ein ausgezeichneter Zuhörer.

Forrest und Harry Rex schilderte Ray in den buntesten Farben. »Solche Typen gibt es bei uns in Ohio nicht«, bemerkte Carl. Wenn sie sonst Kleinstadtgeschichten zum Besten gaben – meist vor Kollegen aus einer Großstadt –, bliesen sie die Fakten gern etwas auf, so dass die Charaktere plastischer wurden. Bei Forrest und Harry Rex war das nicht nötig. Sie waren auffallend genug.

Totenwache, Leichenzug, Bestattung. Als Ray beim Zap-

fenstreich und dem Versenken des Sargs im Grab angelangt war, hatten beide Tränen in den Augen. Carl sprang
auf die Füße und sagte: »Was für ein wunderbarer Abgang.
Entschuldige …«

»Ich bin nur froh, dass es vorbei ist.«

»Willkommen daheim. Lass uns doch morgen zusammen Mittagessen gehen.«

»Was für ein Tag ist morgen?«

»Freitag.«

»Okay, gehen wir Mittagessen.«

Um zwölf bestellte Ray für das mittägliche Kartellrechtsseminar Pizza bei einem Home-Service, und sie aßen
draußen im Hof gemeinsam. Dreizehn von vierzehn seiner
Studenten waren da. Acht davon würden in zwei Wochen
Examen machen. Die Studenten machten sich mehr Gedanken über Ray und den Tod seines Vaters als über ihre
Abschlussprüfungen, aber er wusste, dass sich das schnell
ändern würde.

Als die Pizza aufgegessen war, entließ er sie; alle bis auf
Kaley gingen. Seit ein paar Monaten war sie immer die
Letzte. Es gab eine streng überwachte Flugverbotszone
zwischen Fakultät und Studenten, und Ray Atlee hatte
nicht die Absicht, sie zu verletzen. Er war viel zu glücklich
mit seinem Job, um ihn durch ein Techtelmechtel mit einer
Studentin aufs Spiel zu setzen. In zwei Wochen, wenn sie
das Abschlussexamen bestanden hatte, würde Kaley ohnehin keine Studentin mehr sein, und für diese Situation gab
es in den Unistatuten keine Regeln. Der Flirt zwischen
ihnen war nach und nach immer intensiver geworden.
Begonnen hatte alles ganz harmlos, mit einer ernsthaften
Frage zum Seminar, einem Besuch in seinem Büro, um
einen Termin für eine Nachprüfung abzusprechen, immer
mit einem Lächeln in ihren Augen, das eine Sekunde zu
lange dauerte.

Kaley war eine durchschnittliche Studentin mit einem wunderschönen Gesicht und einer Figur, die Verkehrsunfälle provozieren konnte. Da sie an der Brown-Universität Hockey und Lacrosse gespielt hatte, war sie schlank und sportlich. Sie war achtundzwanzig Jahre alt, verwitwet und hatte keine Kinder, dafür eine Menge Geld. Ihr Mann war mit einem Segelflugzeug ein paar Kilometer vor der Küste von Cape Cod abgestürzt, und die Herstellerfirma hatte Schadenersatz bezahlt. Er war dreißig Meter tief im Wasser gefunden worden, in den Sicherheitsgurten hängend. Beide Flügel des Flugzeugs waren entzweigebrochen. Ray hatte den Unfallbericht im Internet recherchiert. Bei dieser Gelegenheit war er auch auf die Akten des Gerichts in Rhode Island gestoßen, wo sie geklagt hatte. Bei einem Vergleich waren vier Millionen Dollar sofort und fünfhunderttausend jährlich für die nächsten zwanzig Jahre für sie herausgesprungen. Ray hatte diese Informationen für sich behalten.

Nachdem sie in den ersten beiden Jahren an der juristischen Fakultät Jagd auf Jungs gemacht hatte, war sie inzwischen hinter den Männern her. Ray wusste von mindestens zwei anderen Juraprofessoren, denen sie dieselbe Aufmerksamkeit zuteil werden ließ wie ihm. Nur einer von ihnen war verheiratet, doch offenbar waren beide ebenso vorsichtig wie Ray.

Sie schlenderten auf den Haupteingang der Fakultät zu und sprachen beiläufig über die Abschlussprüfung. Bei jedem persönlicheren Gespräch machte sie sich ein wenig mehr an ihn heran.

»Ich hätte mal Lust zu fliegen«, verkündete sie.

Alles, nur nicht fliegen. Ray dachte an ihren jungen Ehemann und dessen schrecklichen Tod und hatte einen Augenblick lang keine Ahnung, was er sagen sollte. Schließlich schlug er mit einem Lächeln vor: »Dann kaufen Sie sich doch ein Flugticket.«

»Nein, nein, mit Ihnen, in einem kleinen Flugzeug. Ach kommen Sie, fliegen wir irgendwohin!«

»Zu einem bestimmten Ziel?«

»Nein, nur ein bisschen herumschwirren. Ich denke darüber nach, Flugstunden zu nehmen.«

»Ich dachte eher an etwas Traditionelleres, vielleicht ein gemeinsames Mittag- oder Abendessen, sobald Sie Ihr Examen in der Tasche haben.« Sie war dicht an ihn herangetreten, so dass jeder, der in diesem Moment vorbeikäme, denken musste, dass Professor und Studentin ein ernstes Gespräch unter vier Augen führten.

»Die Prüfungen sind in siebzehn Tagen«, sagte sie, als könnte sie es nicht mehr erwarten, endlich mit ihm in die Kiste zu springen.

»Dann werde ich Sie in achtzehn Tagen zum Essen einladen.«

»Nein, verletzen wir die Regeln jetzt, solange ich noch Studentin bin. Gehen wir zusammen abendessen, *bevor* ich die Prüfung gemacht habe.«

Fast hätte er ja gesagt. »Tut mir Leid, aber Gesetz ist Gesetz. Wir sind hier, weil wir es respektieren.«

»Oh, ja, richtig. Fast hätte ich's vergessen. Wir sind also verabredet?«

»Nein. Wir *werden* uns verabreden.«

Sie schenkte Ray noch ein Lächeln und ging. Er gab sich redlich Mühe, ihr nicht auf den Hintern zu starren, aber es war vergeblich.

Der gemietete Lieferwagen stammte von einer Speditionsfirma im Norden der Stadt und kostete sechzig Dollar pro Tag. Ray versuchte es mit dem Halbtagstarif, weil er ihn nur ein paar Stunden brauchen würde, aber um die sechzig Dollar kam er nicht herum. Er fuhr damit exakt 0,6 Kilometer zu Chaney's Self-Storage, um ein Lagerabteil zu mieten. Auf dem von Maschendraht und blitzblankem Stacheldraht umzäunten Gelände standen zahlreiche neue, containerartige Klötze aus Stahlbeton. Videokameras auf Laternenpfählen verfolgten jede seiner Bewegungen, als er den Wagen parkte und das Büro betrat.

Es stand jede Menge Platz zur Verfügung. Ein Lagerabteil von drei mal drei Meter Größe kostete achtundvierzig Dollar im Monat, ohne Heizung oder Belüftung, dafür mit einem verschließbaren Rolltor und jeder Menge Licht.

»Ist es brandsicher?«, erkundigte sich Ray.

»Absolut«, versicherte Mrs. Chaney höchstpersönlich. Beim Ausfüllen der Formulare fächelte sie sich den Rauch vor dem Gesicht weg, der von der Zigarette in ihrem Mundwinkel aufstieg. »Die Dinger bestehen aus reinem Beton.« Bei Chaney's war alles sicher. Sie hätten ein elektronisches Überwachungssystem, führte sie aus und zeigte auf vier Monitore, die links von ihr auf einem Regal standen. Rechts von ihr bemerkte Ray einen kleinen Fernseher. Dort lief eine Sendung, in der sich Leute anbrüllten – eine jener Talkshows, die mehr einer Schlägerei als einer Diskussion glichen. Ray hatte keinen Zweifel, welchem Bildschirm hier die meiste Aufmerksamkeit zuteil wurde.

»Vierundzwanzig-Stunden-Überwachung«, fügte sie hinzu, ohne den Blick von ihrem Blatt Papier zu heben. »Die Tore sind immer abgeschlossen. Hat noch nie einen Einbruch gegeben, und wenn's doch mal einen gibt, haben wir alle möglichen Versicherungen ... Hier unterschreiben, bitte, und 14 B ist Ihrer.«

Eine Versicherung für drei Millionen Dollar, dachte Ray und setzte seine Unterschrift unter das Formular. Er zahlte für sechs Monate im Voraus und nahm die Schlüssel für 14 B entgegen.

Zwei Stunden später kehrte er mit sechs neuen Lagerungskartons, einem Haufen alter Kleider und ein paar alten Möbelstücken zurück, die er auf dem Flohmarkt in der Stadt erstanden hatte, damit niemand Verdacht schöpfte. Er parkte auf dem Weg vor 14 B, entlud die Sachen zügig und brachte sie in den Container.

Das Geld packte er in insgesamt dreiundfünfzig 1,2-Liter-Gefriertüten, die er luft- und wasserdicht verschloss. Die Tüten legte er zuunterst in die sechs Lagerungskartons. Darauf verteilte er sorgfältig Unterlagen, Akten und Recherchenotizen, die ihm bis vor kurzem noch sehr nützlich erschienen waren. Jetzt dienten seine pedantischen Aufzeichnungen einem viel höheren Zweck. Sicherheitshalber verstreute er noch ein paar alte Taschenbücher darüber.

Wenn zufällig ein Dieb in 14 B einbrechen würde, dann würde er sich wahrscheinlich nach einem oberflächlichen Blick in die Kartons alsbald wieder verziehen. Das Geld war bestens versteckt und so gut gesichert, wie es eben ging. Abgesehen von einem Bankschließfach konnte sich Ray keinen sichereren Ort dafür vorstellen.

Was am Ende mit dem Geld passieren würde, stand nach wie vor in den Sternen. Die Tatsache, dass es nun in Virginia sicher verstaut war, spendete ihm weniger Trost, als er sich erhofft hatte.

Da er es nicht eilig hatte, betrachtete er die Kartons und den anderen Kram eine Weile. Er schwor sich, dass er nicht jeden Tag vorbeikommen würde, um nach dem Rechten zu sehen, doch in dem Moment, als er den Schwur getan hatte, begann er bereits daran zu zweifeln, dass er ihn halten konnte.

Er sicherte das Rolltor mit einem neuen Vorhängeschloss. Beim Wegfahren vergewisserte er sich, dass der Wachmann nicht schlief, die Videokameras liefen und die Tore verschlossen waren.

Fog Newton machte sich Sorgen wegen des Wetters. Einer seiner Flugschüler war gerade im Alleinflug über Land nach Lynchburg und zurück unterwegs, und dem Radar zufolge näherte sich mit rascher Geschwindigkeit ein Gewittersturm. Die Wolken waren unerwartet aufgezogen, und während der Flugbesprechung hatte es keine neue Wetterprognose gegeben.

»Wie viele Flugstunden hat er absolviert?«, fragte Ray.

»Einunddreißig«, erwiderte Fog ernst. Damit hatte der Schüler sicherlich nicht genügend Erfahrung, um mit einem Gewittersturm umgehen zu können. Zwischen Charlottesville und Lynchburg gab es keine Flugplätze, nur Berge.

»Sie fliegen heute nicht, oder?«, fragte Fog.

»Ich möchte schon.«

»Vergessen Sie's. Der Sturm ist viel zu schnell bei uns. Kommen Sie, wir sehen's uns an.«

Nichts machte einem Fluglehrer mehr Angst, als wenn ein Flugschüler bei Sturm in der Luft war. Bei jedem Überlandflug musste alles sorgfältig geplant werden: Route, Bedarf an Zeit und Treibstoff, Wetter, zusätzliche Flugplätze auf der Route und Vorgehen im Notfall. Zudem musste jeder Flug vom Lehrer schriftlich genehmigt werden. Fog hatte Ray einmal nicht starten lassen, weil an einem ansonsten perfekt klaren Tag in fünfzehnhundert Metern Höhe leichte Vereisungsgefahr bestand.

Sie gingen durch den Hangar zu einer Gangway, an der ein Learjet mit absterbendem Motor stand. Im Westen hinter den Gebirgsausläufern zeigten sich die ersten Wolken. Der Wind hatte merklich zugenommen. »Zehn bis fünfzehn Knoten, böig«, sagte Fog, »direkter Seitenwind.« Ray würde bei solchen Bedingungen keine Landung versuchen.

Hinter dem Learjet rollte eine Bonanza auf die Gangway zu. Als sie näher kam, erkannte Ray, dass es dieselbe war, die er in den letzten beiden Monaten immer bestaunt hatte. »Da kommt Ihr Flieger«, sagte Fog.

»Schön wär's«, erwiderte Ray.

Die Bonanza hielt ganz in ihrer Nähe, und als der Motorenlärm an der Gangway verklungen war, sagte Fog: »Ich habe gehört, er ist mit dem Preis runtergegangen.«

»Wie viel?«

»Kostet jetzt so um die vierhundertfünfundzwanzig. Vierhundertfünfzig war doch ein bisschen hoch gegriffen.«

Der Besitzer, der allein unterwegs gewesen war, kletterte heraus und holte seine Taschen aus dem Rumpf. Fog blickte immer noch abwechselnd in den Himmel und auf seine Uhr. Ray wandte den Blick nicht von der Bonanza ab. Der Besitzer war gerade dabei, die Tür abzuschließen.

»Machen wir doch eine Spritztour damit«, schlug Ray vor.

»Mit der Bonanza?«

»Klar. Was wird das kosten?«

»Verhandlungssache. Ich kenne den Typ ganz gut.«

»Ich miete sie für einen Tag, dann können wir nach Atlantic City und zurück fliegen.«

Sofort vergaß Fog die heraufziehenden Wolken und seinen Anfängerschüler. Er sah Ray an. »Meinen Sie das im Ernst?«

»Warum nicht? Klingt doch nach einer Menge Spaß.«

Fog interessierte kaum etwas im Leben – außer Fliegen und Pokerspielen. »Wann?«

»Am Samstag, übermorgen. In aller Frühe losfliegen, spät zurückkommen.«

Plötzlich schien Fog wieder tief in Gedanken versunken. Er sah auf die Uhr, dann wieder Richtung Westen, schließlich nach Süden. Aus einem Fenster brüllte Dick Docker: »Yankee Tango ist fünfzehn Kilometer entfernt!«

»Gott sei Dank«, murmelte Fog und sah plötzlich viel

entspannter aus. Zusammen mit Ray ging er zur Bonanza, um einen genaueren Blick darauf zu werfen. »Also Samstag?«, meinte er zu Ray.

»Ja, den ganzen Tag.«

»Ich spreche mit dem Besitzer. Bestimmt kann ich einen guten Preis aushandeln.«

Für einen Augenblick ließ der Wind nach, so dass Yankee Tango relativ mühelos landen konnte. Fog entspannte sich noch mehr und brachte sogar ein Lächeln zustande. »Wusste gar nicht, dass Sie aufs Nachtleben stehen«, sagte er auf dem Weg zu der fahrbaren Treppe.

»Ach, nur ein bisschen Blackjack, ganz harmlos«, entgegnete Ray.

17

Die friedliche Einsamkeit des späten Freitagvormittags wurde von der Türklingel unterbrochen. Ray hatte lange geschlafen, ihm steckten immer noch die Anstrengungen der Reise nach Clanton in den Knochen. Nach drei Zeitungen und vier Tassen Kaffee war er einigermaßen wach.

Es war ein FedEx-Bote mit einem Päckchen von Harry Rex.

Es enthielt Briefe von Bewunderern des Richters und Zeitungsausschnitte. Ray breitete sie auf dem Esstisch aus und fing mit den Artikeln an. Der *Clanton Chronicle* hatte am Mittwoch auf der Titelseite einen Beitrag über Reuben Atlee gebracht, samt einem würdevollen Foto des Richters mit schwarzer Robe und Richterhammer. Das Bild war mindestens zwanzig Jahre alt. Das Haar des Richters war darauf viel dichter und dunkler, als es zuletzt der Wirklichkeit entsprochen hatte, außerdem füllte er seine Robe noch vollständig aus. Die Überschrift lautete: RICHTER REUBEN ATLEE MIT 79 JAHREN VERSTORBEN. Auf der ersten Seite galten ihm allein drei Artikel. Einer davon war ein überschwänglicher Nachruf, ein anderer setzte sich aus Zitaten seiner Freunde zusammen, der dritte war ein Tribut an die unglaubliche Spendenbereitschaft des Richters.

The Ford County Times hatte ein Bild gebracht, das erst vor ein paar Jahren entstanden war: Richter Atlee mit der Pfeife auf seiner Veranda sitzend, viel älter aussehend, aber mit einem seltenen Lächeln auf den Lippen. Er trug eine Strickjacke und sah aus wie ein netter Großvater. Der Journalist hatte sich ein Gespräch erschlichen, indem er ihn in eine Unterhaltung über den Amerikanischen Bürgerkrieg und Nathan Bedford Forrest verwickelt und damit milde gestimmt hatte. In dem Geschreibsel fand sich sogar ein Hinweis auf ein Buch über den General und die Männer aus Ford County, die mit ihm gekämpft hatten.

Die Atlee-Söhne wurden in den Geschichten über ihren Vater kaum erwähnt. Man konnte nicht über den einen schreiben, ohne auch den anderen zu erwähnen, und die meisten Leute in Clanton versuchten nach Kräften, das Thema Forrest zu umgehen. Es war auf schmerzliche Weise offensichtlich, dass die Söhne im Leben ihres Vaters kaum eine Rolle gespielt hatten.

Dabei hätte das auch anders sein können, dachte Ray. Der Richter hatte den Kontakt zu ihnen schon früh auf das Nötigste reduziert, nicht etwa umgekehrt. Dieser wunderbare alte Mann, der so vielen Menschen so viel gegeben hatte, hatte für seine eigene Familie fast keine Zeit gehabt.

Die Artikel und Fotos machten ihn traurig, und das war frustrierend, denn er hatte keine Lust, an diesem Freitag traurig zu sein. Er hatte sich ganz gut im Griff gehabt, seit er die Leiche seines Vaters vor fünf Tagen gefunden hatte. In Momenten der Trauer und des Kummers hatte er tief in seinem Inneren die Stärke gefunden, die Zähne zusammenzubeißen und durchzuhalten, statt zusammenzubrechen. Die Zeit und die Rückkehr aus Clanton hatten enorm geholfen, doch jetzt stiegen plötzlich scheinbar aus dem Nichts die schmerzlichsten Erinnerungen auf.

Die Briefe hatte Harry Rex aus dem Postfach des Richters in Clanton, vom Gericht und aus dem Briefkasten in Maple Run zusammengetragen. Manche waren direkt an Ray und Forrest adressiert, andere an die Familie von Richter Atlee. Es waren lange Briefe von Anwälten darunter, die mit dem großen Mann im Gerichtssaal gestanden hatten und sich von seiner Leidenschaft für Recht und Gesetz hatten inspirieren lassen. Außerdem Beileidskarten von Menschen, die in den unterschiedlichsten Angelegenheiten – Scheidung, Adoption, Jugendkriminalität – vor Richter Atlee hatten erscheinen müssen und deren Leben sich durch sein faires Urteil verändert hatte. Und nicht zuletzt Schreiben von Freunden aus dem ganzen Staat – niedergelassenen Richtern, alten Kommilitonen von der Universität, Politikern, denen der Richter in all den Jahren immer wieder unter die Arme gegriffen hatte, und sonstigen Bekannten, die ihr Beileid und liebevolles Andenken bekunden wollten.

Der dickste Stapel stammte von den vielen Menschen, die in den Genuss der Wohltätigkeit des Richters gekommen waren. Ihre Briefe waren lang und herzlich. Richter Atlee hatte stillschweigend überall dorthin Geld geschickt, wo es dringend gebraucht wurde, und in vielen Fällen das Leben der Betroffenen dramatisch verändert.

Wie war es nur möglich, dass ein so großzügiger Mann starb und über drei Millionen Dollar hinterließ, die hinter dem Sofa unter dem Bücherregal versteckt waren? Hatte vielleicht Alzheimer seinen Verstand getrübt oder irgendeine andere Krankheit, die nie diagnostiziert worden war? War er geisteskrank gewesen? Das wäre die einfachste Antwort: Der Richter war verrückt geworden. Aber wie viele Verrückte konnten so viel Geld horten?

Nachdem Ray rund zwanzig Karten und Briefe gelesen hatte, legte er eine Pause ein. Er betrat den kleinen Balkon, der auf die Fußgängerzone ging, und blickte auf den Strom der Passanten hinunter. Sein Vater hatte Charlottesville nie gesehen. Obwohl Ray ihn sicher einmal gebeten hatte vorbeizukommen, konnte er sich nicht erinnern, ihn jemals konkret eingeladen zu haben. Sie waren niemals zusammen irgendwohin gefahren. Es gab so viele Dinge, die sie miteinander hätten tun können.

Der Richter hatte immer davon gesprochen, dass er einmal Gettysburg, Antietarn, Bull Run, Chancellorsville und Appotomax besuchen wollte, und er hätte es auch getan, wenn Ray nur das geringste Interesse bekundet hätte. Doch Ray hatte keine Lust, einen vergangenen Krieg noch einmal zu führen; er hatte immer das Thema gewechselt, wenn die Rede darauf gekommen war.

Die Schuldgefühle lasteten schwer auf ihm, und er konnte sie nicht abschütteln. Was war er doch für ein selbstsüchtiges Arschloch gewesen.

Claudia hatte eine reizende Karte geschickt. Sie dankte Ray dafür, dass er mit ihr geredet und ihr verziehen hatte. Sie habe seinen Vater viele Jahre lang geliebt und werde ihren Schmerz mit ins Grab nehmen. Bitte ruf mich an, schrieb sie, viele liebe Grüße und Küsse, Unterschrift. Harry Rex zufolge hatte sie ihren aktuellen Freund auf Viagra gesetzt.

Rays nostalgische Reise fand ein jähes Ende, als er eine schlichte Karte ohne Absender las, die ihm das Blut in den Adern gefrieren ließ und ihm am ganzen Körper eine Gänsehaut verursachte.

Es war der einzige rosafarbene Umschlag in dem ganzen Stapel. Darin befand sich eine Faltkarte mit dem Aufdruck »Herzliches Beileid«. Im Innern lag ein kleines, quadratisches Blatt Papier mit folgender Botschaft: »Es wäre ein Fehler, das Geld auszugeben. Die Steuerbehörde ist schnell informiert.« Der Brief war am Mittwoch in Clanton abgestempelt worden, also am Tag nach der Beerdigung, und an die Familie Richter Atlee in Maple Run adressiert.

Ray legte die Karte zur Seite und sah die übrigen Briefe und Karten durch. Da immer wieder dasselbe darin stand, überflog er sie nur. Die rosafarbene Karte lag da wie eine geladene Waffe und wartete darauf, dass er sich ihr wieder zuwandte.

Er ging auf den Balkon und wiederholte die Drohung mit leiser Stimme. Auf das Geländer gestützt, versuchte er, sich einen Reim darauf zu machen. In der Küche kochte er sich einen weiteren Kaffee. Auch hier murmelte er die Wörter vor sich hin. Die Karte ließ er auf dem Tisch liegen, so dass er sie bei seinem rastlosen Hin- und Herwandern jederzeit sehen konnte.

Zurück auf dem Balkon, blickte er wieder auf den Strom der Passanten hinunter, der zunahm, weil es gegen Mittag ging. Jeder, der zu ihm heraufsah, konnte von dem Geld wissen. Du versteckst ein Vermögen, und erst anschließend wird dir klar, dass du es *vor jemandem* versteckst. Dann fängt die Fantasie an, verrückt zu spielen.

Das Geld gehörte ihm nicht, und die Summe war hoch genug, dass sich Reporter, Polizisten oder Kopfjäger an seine Fersen heften konnten.

Dann lachte er über seine Paranoia. So will ich nicht leben, sagte er sich und ging ins Bad, um zu duschen.

Wer immer der Absender war, er wusste genau, dass Richter Atlee das Geld versteckt hatte. Mach eine Liste, nahm Ray sich vor, als er sich nackt und tropfend auf die Bettkante setzte. Der Typ, der einmal die Woche den Rasen gemäht hatte. Vielleicht hatte er sich beim Richter eingeschleimt und war im Haus ein- und ausgegangen. Hineinzukommen war ohnehin einfach. Wenn der Richter heimlich ins Kasino fuhr, konnte er leicht ins Haus eingedrungen sein und sich in aller Ruhe bedient haben.

Claudia stand ebenfalls ganz oben auf der Liste. Ray konnte sich gut vorstellen, dass sie beim geringsten Wink des Richters sofort nach Maple Run gekommen wäre. Man schläft nicht zwanzig Jahre lang mit einer Frau und schmeißt sie dann einfach so hinaus. Ihre Leben waren so eng miteinander verzahnt, dass die Affäre durchaus heimlich hätte fortgeführt werden können. Niemand war Reuben Atlee näher gewesen als Claudia. Wenn irgendjemand wusste, woher das Geld stammte, dann sie.

Wenn sie einen Schlüssel zum Haus gewollt hätte, hätte sie mit Sicherheit einen bekommen, doch im Grunde war das gar nicht nötig gewesen. Als sie am Morgen der Beerdigung vorbeigekommen war, hatte sie vielleicht weniger ihr Beileid bekunden als sich vielmehr umsehen wollen; wenn das allerdings der Fall war, hatte sie exzellent geschauspielert. Sie war hart, klug, ausgebufft, abgebrüht. Zwar alt, aber nicht zu alt. Eine Viertelstunde lang konzentrierte er sich auf Claudia und versuchte, sich einzureden, dass sie hinter dem Geld her war.

Zwei andere Namen kamen ihm in den Sinn, aber die konnte er nicht auf seine Liste setzen. Der erste war Harry Rex, doch schon in dem Augenblick, in dem er ihn leise ausgesprochen hatte, schämte er sich. Der andere war Forrest, und auch diese Vorstellung erschien ihm lächerlich. Forrest war seit neun Jahren nicht in dem Haus gewesen. Und mal angenommen – rein hypothetisch –, er hätte von dem Geld gewusst, dann hätte er es nie zurückgelassen. Wenn Forrest drei Millionen in bar in die Finger bekäme, würde er sich selbst und seiner Umwelt sofort ernsthaften Schaden zufügen.

Die Liste kostete ihn viel Anstrengung, auch wenn sie ihn nicht wirklich weiterbrachte. Er wollte eine Runde joggen gehen, stopfte dann stattdessen ein paar alte Kleidungsstücke in zwei Kopfkissenbezüge und fuhr zu Chaney's, wo er vor 14 B auslud. Nichts war angerührt worden, die Kartons standen exakt so da, wie er sie tags zuvor zurückgelassen hatte. Das Geld war immer noch sicher versteckt. Trotzdem wollte er so lange in dem Container bleiben, wie es möglich war, ohne aufzufallen. Plötzlich kam ihm der Gedanke, dass er vielleicht Spuren hinterlassen hatte. Offensichtlich wusste jemand, dass er das Geld aus dem Arbeitszimmer des Richters mitgenommen hatte. Es wäre durchaus möglich, dass dieser Jemand einen Privatdetektiv engagiert hatte, der ihm nachschnüffelte.

Jeder hätte ihm leicht von Clanton nach Charlottesville folgen können und von seiner Wohnung zu Chaney's Self-Storage.

Er verfluchte sich selbst dafür, so nachlässig gewesen zu sein. Denk doch nach, Mann! Das Geld gehört dir nicht!

Er verschloss 14 B sorgfältig. Auf dem Weg in die Stadt, wo er mit Carl zum Mittagessen verabredet war, sah er immer wieder in den Rückspiegel und beobachtete die anderen Autofahrer. Nach fünf Minuten lachte er über sich selbst und schwor, sich nicht länger wie ein waidwundes Wild zu verhalten.

Sollten sie das verdammte Geld doch haben! Sollten sie in 14 B einbrechen und es mitnehmen. Dann hätte er eine Sorge weniger. Es würde sein Leben nicht im Geringsten verändern. Kein bisschen.

18

Die Flugzeit nach Atlantic City betrug mit der Bonanza schätzungsweise fünfundachtzig Minuten, das waren genau fünfunddreißig Minuten weniger als mit der Cessna, die Ray sonst immer mietete. Am frühen Samstagmorgen unterzogen Fog und er die Maschine der vor dem Flug üblichen umfassenden Überprüfung. Sie standen unter der aufdringlichen und unangenehmen Beobachtung von Dick Docker und Charlie Yates, die mit großen Styroporbechern voll schlechtem Kaffee in der Hand um die Bonanza herumstolzierten, als würden sie selbst fliegen, statt nur zuzusehen. Sie hatten an diesem Vormittag keine Schüler, aber es ging auf dem Flugplatz bereits das Gerücht um, dass Ray die Bonanza kaufen wolle, und das mussten sie schon persönlich überprüfen. Hangargerede war ebenso zuverlässig wie Kaffeekränzchentratsch.

»Wie viel verlangt er jetzt noch?«, fragte Docker in Richtung Fog Newton, der, unter einem Flügel kauernd, einen Treibstofftank abließ, um ihn auf Wasser und Schmutz zu überprüfen.

»Er ist auf vierhundertzehn runtergegangen«, sagte Fog wichtigtuerisch, weil er diesen Flug betreute und nicht sie.

»Immer noch zu viel«, meinte Yates.

»Machen Sie ihm ein Angebot?«, fragte Docker Ray.

»Kümmern Sie sich um Ihre Angelegenheiten«, entgegnete Ray ohne aufzusehen. Er überprüfte das Motoröl.

»Das *ist* unsere Angelegenheit«, gab Yates zurück, und alle lachten.

Trotz der ungebetenen Unterstützung beendeten sie die Kontrolle ohne weitere Probleme. Fog kletterte zuerst in die Maschine und nahm auf dem linken Sitz Platz. Ray setzte sich auf den rechten. Als er die Tür fest zuzog und verriegelte und das Headset aufsetzte, wusste er, dass er das richtige Fluggerät für sich gefunden hatte. Mit sanftem Surren startete das Zweihundert-PS-Triebwerk. Fog ging sorgfältig alle Anzeigen und Instrumente sowie den Funk durch. Als sie mit der technischen Überprüfung fertig waren, nahmen sie Kontakt zum Tower auf. Fog würde den Vogel in die Luft bringen und dann an Ray übergeben.

Ein leichter Wind ging, und über den Himmel waren nur wenige Wolken verstreut – ein fast perfekter Tag zum Fliegen. Mit hundertzehn Stundenkilometern hoben sie ab, zogen dann das Fahrwerk ein und kletterten auf die festgesetzte Flughöhe von achtzehnhundert Metern. Inzwischen hatte Ray die Kontrolle übernommen. Fog erklärte ihm die Funktionsweise von Autopilot, Wetterradar und dem elektronischen Kollisionswarngerät TCAS. »Sie ist perfekt ausgestattet«, sagte er mehr als einmal.

Fog war Marinepilot gewesen, doch in den letzten zehn Jahren hatte er nur noch die kleinen Cessnas fliegen dürfen, in denen er Ray und tausend anderen das Fliegen beibrachte. Die Bonanza war der Porsche unter den einmotorigen Maschinen, und Fog freute sich über alle Maßen darüber, einmal eine steuern zu dürfen. Die vom Tower vorgegebene Flugroute führte sie südöstlich an Washington vorbei, weit entfernt von dem überfüllten Luftraum um Dulles und den Ronald Reagan National Airport. Aus knapp fünfzig Kilometer Entfernung sahen sie die Kuppel des Kapitols, dann waren sie über dem Chesapeake. In der Ferne zeichnete sich die Skyline von Baltimore ab. Unter ihnen breitete sich die herrliche Chesapeake Bay aus. Doch das Innere der Maschine war noch wesentlich interessanter. Ray flog ohne Autopilot. Er hielt den Kurs, die vorgeschriebene Flughöhe, stand in Verbindung mit der Flugkontrolle in Washington und hörte Fog zu, der wie ein Wasserfall über die technischen Daten und Merkmale der Bonanza redete.

Beide wären am liebsten stundenlang weitergeflogen, doch schon bald kam Atlantic City in Sicht. Ray ging auf zwölfhundert, dann auf neunhundert Meter herunter und aktivierte schließlich das automatische Landeführungssystem. Als die Landebahn in Sichtweite kam, übernahm Fog wieder und brachte den Vogel sanft auf die Erde. Auf dem Weg zur fahrbaren Treppe rollten sie an einer Reihe kleiner Cessnas vorbei. Ray konnte sich des Gedankens nicht erwehren, dass diese Zeiten für ihn nun vorbei waren. Piloten waren immerzu auf der Suche nach dem nächsten Flugzeug. Er hatte seines gefunden.

Fogs Lieblingskasino war das Rio, eines von vielen an der Uferpromenade. Sie kamen überein, sich in einer Cafeteria im zweiten Stock zum Mittagessen zu treffen, und verloren sich dann schnell aus den Augen. Beide zogen es vor, beim Spielen allein zu sein. Ray wanderte zwischen den Spielautomaten hindurch und sah sich die Tische an. Es war Samstag und das Rio gut besucht. Nachdem er eine Weile herumgeschlendert war, blieb er bei den Pokertischen stehen. Vollkommen konzentriert auf seine Karten, saß Fog in der Menschenmenge um einen der Tische, einen Stapel Jetons vor sich.

Ray hatte fünftausend Dollar bei sich. Sie stammten aus

fünfzig Päckchen Hundert-Dollar-Scheine, per Zufalls-
prinzip aus dem Geldhaufen gezogen, den er aus Clanton
mitgebracht hatte. Sein einziges Ziel an diesem Tag war
es, das Geld in den Kasinos in Umlauf zu bringen, um zu
gewährleisten, dass es weder gefälscht noch gekennzeichnet, noch sonst irgendwie mit besonderen Merkmalen versehen war. Seit seinem Besuch in Tunica am vergangenen
Montag war er ohnehin schon ziemlich sicher, dass es echt
war.

Inzwischen wünschte er sich fast, das Geld wäre markiert. Dann würde ihn vielleicht das FBI aufspüren und
ihm endlich sagen, woher es stammte. Er hatte nichts
Unrechtes getan. Der Schuldige war tot. Das FBI konnte
ruhig kommen.

An einem Blackjack-Tisch entdeckte er einen freien
Stuhl. Er setzte sich und legte fünf Scheine hin, um Jetons
zu bekommen. »Grüne«, sagte er wie ein erfahrener Spieler.

»Fünfhundert zum Wechseln«, leierte die Geberin herunter, ohne richtig aufzusehen.

»Wechseln Sie«, sagte der Pit Boss. An den Tischen
befanden sich zahlreiche Menschen. Im Hintergrund hörte man das Klingeln der Spielautomaten. Beim Craps in
der Nähe ging es hoch her, Männer brüllten auf die Würfel ein.

Als die Geberin Rays Scheine entgegennahm, erstarrte
er für eine Sekunde, denn sämtliche anderen Spieler glotzten ungeniert darauf. Sie selbst spielten ausschließlich mit
Fünf- oder Zehn-Dollar-Jetons. Amateure. Die große Summe löste unverhohlene Bewunderung aus.

Die Geberin legte die Scheine des Richters – die offenbar alle hundertprozentig echt waren – in die Geldkasset-
te vor sich und zählte Ray zwanzig grüne Fünfundzwan-
zig-Dollar-Jetons hin. In der ersten Viertelstunde verlor er

fast die Hälfte davon, dann ging er los, um sich ein Eis zu kaufen. Zweihundertfünfzig Mäuse aus dem Fenster geworfen und nicht der Anflug eines schlechten Gewissens.

Er schlenderte an den Craps-Tischen vorbei und beobachtete das Chaos. Es war ihm unmöglich, sich vorzustellen, dass sein Vater ein so kompliziertes Spiel beherrschte. Wo in Ford County, Mississippi, lernte man zu würfeln?

Einem dünnen Glücksspiel-Ratgeber zufolge, den er sich in einer Buchhandlung besorgt hatte, war der grundlegende Einsatz beim Craps eine Come-Wette. Allen Mut zusammennehmend, drängelte Ray sich durch die Menge und legte seine verbliebenen zehn Jetons auf die Pass-Line des Spielfeldes. Die Würfel zeigten zwölf Augen, der Dealer strich die Jetons ein, und Ray verließ das Rio, um nebenan ins Princess zu gehen.

Innen sahen die Kasinos alle gleich aus. Alte Leute starrten resigniert auf die Spielautomaten. Es klingelten immer gerade so viele Münzen in der Ausgabe, dass sie bei der Stange blieben. Die Blackjack-Tische waren umringt von Spielern, die sich leise unterhielten und dazu auf Kosten des Hauses Bier und Whiskey tranken. Um die Craps-Tische scharten sich ernst dreinblickende Spieler, die den Blick nicht von den Würfeln nahmen. Ein paar Asiaten spielten Roulette. Bedienungen in lächerlichen Kostümen, die viel Haut zeigten, trugen Drinks durch die Gegend.

Ray suchte sich einen Blackjack-Tisch aus und wiederholte die Prozedur. Auch diesmal bestanden die fünf Scheine die Überprüfung der Geberin. Er setzte hundert Dollar auf das erste Blatt, doch statt rasch zu verlieren, begann er zu gewinnen.

Er hatte viel zu viel ungeprüftes Geld in der Tasche, um sich mit dem Sammeln von Jetons aufzuhalten. Beim nächsten Wechseln zog er deshalb zehn Scheine heraus und bat um Hundert-Dollar-Jetons. Die Geberin informierte den

Pit Boss, der ein zahnlückiges Lächeln zeigte und ihm viel Glück wünschte. Eine Stunde später verließ Ray den Tisch mit zweiundzwanzig Jetons.

Nächste Station auf seiner Route war das Forum, ein betagt aussehendes Etablissement, in dem es nach abgestandenem Zigarettenrauch stank, der nur dürftig mit billigem Desinfektionsmittel übertüncht war. Auch das Publikum war älter, weil, wie Ray rasch in Erfahrung brachte, das Forum vor allem Vierteldollar-Spielautomaten besaß und alle Gäste über fünfundsechzig je nach Wahl kostenlos frühstücken, mittagessen oder abendessen konnten. Die Bedienungen waren jenseits der vierzig und hatten längst nicht mehr den Ehrgeiz, viel Fleisch zu zeigen. Sie liefen in einer Art Trainingsanzug mit dazu passenden Turnschuhen herum.

Höchsteinsatz beim Blackjack waren zehn Dollar pro Spiel. Der Geber zögerte, als er Rays Geld auf dem Tisch liegen sah, und hielt einen Schein gegen das Licht, als erwartete er eine Fälschung. Auch der Pit Boss inspizierte ihn, und Ray probte insgeheim schon einmal seine Ausrede, dass er den Schein drüben im Rio bekommen hätte. »Wechseln«, sagte der Pit Boss, und der Moment ging vorbei. In einer Stunde verlor er dreihundert Dollar.

Fog behauptete, er sei dabei, die Bank zu sprengen, als sie sich auf ein schnelles Sandwich trafen. Ray war mit hundert Dollar in den Miesen, log aber wie alle Spieler und behauptete, knapp auf der Gewinnerseite zu sein. Sie verabredeten, um siebzehn Uhr nach Charlottesville zurückzufliegen.

Im Canyon Casino, dem neuesten Haus am Platz, verwandelte sich Rays letztes Bargeld an einem Fünfzig-Dollar-Tisch in Jetons. Er spielte eine Weile, langweilte sich aber bald mit den Karten und ging in die Sportsbar, wo er

Mineralwasser trank und sich eine Boxkampf-Übertragung aus Vegas ansah. Die fünftausend, die er nach Atlantic City mitgebracht hatte, waren vollständig in Umlauf gebracht. Er würde mit viertausendsiebenhundert wieder fahren, eine breite Spur hinter sich lassend. In sieben Kasinos war er auf Video aufgenommen und fotografiert worden. In zweien hatte er Formulare ausfüllen müssen, als er an der Kasse seine Jetons zurücktauschte. In zwei anderen hatte er mit seiner Kreditkarte Geld vom Konto abgehoben, um zusätzliche Spuren zu legen.

Wenn das Geld des Richters tatsächlich an irgendetwas zu erkennen war, würde man sofort wissen, wer er war und wo man ihn finden konnte.

Fog schwieg auf dem Weg zurück zum Flugplatz. Für ihn hatte sich das Blatt im Laufe des Nachmittags gewendet. »Ich hab' ein paar Hunderter verloren«, gab er schließlich zu, doch seine Haltung verriet, dass es wesentlich mehr gewesen war. »Und Sie?«

»Ich hatte einen prima Nachmittag«, sagte Ray. »Ich habe so viel gewonnen, dass ich die Chartergebühr davon bezahlen kann.«

»Nicht schlecht.«

»Was meinen Sie, kann ich in bar zahlen?«

»Bargeld ist immer noch legal«, erwiderte Fog ein wenig besser gelaunt.

»Dann mache ich das.«

Während der Kontrolle vor dem Flug fragte Fog Ray, ob er auf dem linken Sitz fliegen wolle. »Bezeichnen wir es als Flugstunde«, sagte er. Die Aussicht auf eine Transaktion mit Bargeld hatte seine Laune gehoben.

Hinter zwei Pendelfliegern ließ Ray die Bonanza in Position rollen und wartete auf Starterlaubnis. Unter Fogs aufmerksamem Blick drehte er die Maschine in Startposition, beschleunigte auf hundertzehn Stundenkilometer und hob dann sanft ab. Das Turbotriebwerk schien doppelt so stark zu sein wie das der Cessna. Mühelos stiegen sie auf eine Höhe von zweitausenddreihundert Meter, das Reich der Glückseligkeit.

Dick Docker schlief im »Cockpit«, als Ray und Fog hereinkamen, um den Flug ins Bordbuch einzutragen und ihre Headsets abzugeben. Er wachte auf und kam zum Schalter. »Hab' euch nicht so früh zurück erwartet«, murmelte er schläfrig und zog Formulare aus einer Schublade.

»Wir haben die Kasinobank gesprengt«, sagte Ray.

Fog war in einem Raum hinter dem Büro verschwunden.

»He, das hab' ich ja noch nie gehört.«

Rasch ging Ray das Logbuch durch.

»Zahlen Sie gleich?«, fragte Dick, während er schrieb.

»Ja, und ich möchte den Rabatt für Barzahler.«

»Wusste nicht, dass wir so was haben.«

»Jetzt gibt's einen. Zehn Prozent.«

»Okay, geht in Ordnung. Stimmt schon, der alte Barzahlerrabatt.« Dick rechnete kurz und sagte dann: »Macht insgesamt tausenddreihundertzwanzig Dollar.«

Ray zählte die Scheine aus seinem Bündel ab. »Ich habe keine Zwanziger dabei. Hier sind dreizehnhundert.« Als Dick das Geld nachgezählt hatte, sagte er: »Da kam heute so ein Typ vorbei, der Stunden nehmen wollte. Irgendwie war plötzlich von Ihnen die Rede.«

»Wer war das?«

»Hab' ihn noch nie gesehen.«

»Und wie kamen Sie auf mich?«

»Es war irgendwie komisch. Ich habe die übliche Leier über die Preise und so abgespult, da fragt er mich plötzlich völlig zusammenhanglos, ob Sie ein Flugzeug besitzen. Er sagte, er kennt Sie von irgendwoher.«

Ray legte beide Hände auf den Schaltertisch. »Wissen Sie seinen Namen?«

»Ich habe ihn gefragt. Dolph oder so ähnlich, es kam nicht so klar heraus. Dann fing er an, sich irgendwie verdächtig zu benehmen, und schließlich verschwand er. Aber ich habe ihn beobachtet. Er blieb bei Ihrem Auto auf dem Parkplatz stehen, schlich herum, als ob er es aufbrechen wollte oder so. Dann ging er. Kennen Sie einen Dolph?«

»Ich bin noch nie einem begegnet.«

»Ich auch nicht. Nie von einem Dolph gehört. Wie gesagt, es war irgendwie komisch.«

»Wie sah er aus?«

»So um die fünfzig, schmal, dünn, den Kopf voller grauer Haare, die zurückgegelt waren, dunkle Augen wie ein Grieche oder so, Typ Gebrauchtwagenhändler, spitze Stiefel.«

Ray schüttelte den Kopf. Er hatte keine Ahnung, wer das sein sollte.

»Warum haben Sie ihn nicht einfach erschossen?«, fragte er.

»Weil ich ihn für einen Kunden gehalten habe.«

»Seit wann sind Sie nett zu Kunden?«

»Kaufen Sie die Bonanza?«

»Nein. Ich träume nur davon.«

Fog kam zurück, sie beglückwünschten sich zu ihrem grandiosen Flugerlebnis und vereinbarten, den Ausflug bald zu wiederholen. Das Übliche. Auf dem Heimweg beobachtete Ray jeden Wagen und jedes Abbiegemanöver.

Sie waren ihm auf den Fersen.

19

Eine Woche verging. Eine Woche, in der keine Beamten des FBI oder des Finanzministeriums an Rays Tür klopften, ihm Ausweise unter die Nase hielten und Fragen nach markiertem Geld stellten, das in Atlantic City aufgetaucht sei. Eine Woche, in der sich weder Dolph noch ein anderer Verfolger sehen ließ. Eine völlig normale Woche, in der Ray jeden Morgen joggen ging und anschließend Jura lehrte.

Er flog dreimal mit der Bonanza, jedes Mal eine Flugstunde mit Fog neben sich, und bezahlte sofort in bar. »Beim Spielen gewonnen«, sagte er mit einem Grinsen auf den Lippen, und das war nicht einmal gelogen. Fog brannte darauf, erneut nach Atlantic City zu fliegen, um seine Verluste wieder hereinzuholen. Eigentlich hatte Ray keine Lust, aber die Idee war nicht schlecht. Auf diese Weise konnte er dann behaupten, er habe wieder eine Glückssträhne gehabt, und seine Flugstunden weiterhin in bar bezahlen.

Das Geld war jetzt in 37 F. 14 B war immer noch an Ray Atlee vermietet und enthielt immer noch die alten Kleidungsstücke und billigen Möbel, 37 F dagegen lief auf den Namen »NDY Ventures« – Ray hatte die »Firma« nach seinen drei Fluglehrern genannt. Auf keinem der Formulare für 37 F stand sein Name. Er hatte das Lagerabteil für drei Monate gemietet und bar bezahlt.

»Ich möchte, dass Sie das vertraulich behandeln«, hatte er zu Mrs. Chaney gesagt.

»Bei uns wird alles vertraulich behandelt. Wir haben hier alle möglichen Kunden.« Sie warf ihm einen verschwörerischen Blick zu, als wollte sie sagen: »Mir ist egal, was Sie zu verbergen haben. Hauptsache, Sie zahlen.«

Er hatte die Kartons mit dem Geld zu Fuß und einen nach dem anderen in 37 F geschleppt, nachts, im Schutz der Dunkelheit und unter den Augen eines Sicherheitsbeamten, der ihm aus einiger Entfernung dabei zusah. Das Lagerabteil 37 F war genauso groß wie 14 B, und als die sechs Kartons sicher verstaut waren, hatte Ray sich wieder einmal geschworen, das Geld einfach liegen zu lassen und nicht jeden Tag danach zu sehen. Er hätte nie gedacht, dass es so mühsam sein würde, drei Millionen Dollar durch die Gegend zu schleppen.

Harry Rex hatte nicht angerufen, nur per Kurier ein weiteres Päckchen mit Beileidsbriefen und Ähnlichem geschickt. Ray sah sich gezwungen, sämtliche Briefe zu lesen oder zumindest zu überfliegen, nur für den Fall, dass eine weitere rätselhafte Mitteilung gekommen war. Er fand jedoch keine.

Die Semesterprüfungen kamen und gingen, und nach den Abschlussexamen, als die Sommerferien begannen, wurde es still an der juristischen Fakultät. Ray verabschiedete sich von all seinen Studenten, außer Kaley, die ihm nach ihrer letzten Prüfung mitteilte, sie bleibe den Sommer über in Charlottesville. Sie wollte noch immer, dass sie miteinander ausgingen, bevor sie ihr Abschlusszeugnis bekam. Nur, weil es verboten war.

»Wir warten, bis Sie keine Studentin mehr sind«, sagte Ray, der sich nicht erweichen ließ, aber am liebsten nachgegeben hätte. Sie standen bei geöffneter Tür in seinem Büro.

»Das ist aber erst in sechs Tagen«, wandte sie ein.

»Stimmt.«

»Dann sollten wir wenigstens einen Tag festlegen.«

»Nein. Sie holen Ihr Abschlusszeugnis ab, und *dann* machen wir was aus.«

Als sie das Büro verließ, hatte sie immer noch den sehnsüchtigen Blick in den Augen, den er schon beim Hereinkommen bemerkt hatte, und Ray ahnte, dass er wegen ihr noch Ärger bekommen würde. Carl Mirk erwischte ihn dabei, wie er ihr nachsah, während sie in ihrer engen Jeans den Korridor hinunterging. »Nicht schlecht«, sagte er.

Ray war es etwas peinlich, aber er wandte den Blick nicht von ihr ab. »Sie ist hinter mir her«, sagte er dann.

»Da bist du nicht der Einzige. Sei vorsichtig.«

Sie standen im Flur neben der Tür zu Rays Büro. Carl gab ihm einen sonderbar aussehenden Umschlag. »Ich dachte, das hier würde dich interessieren.«

»Was ist das?«

»Eine Einladung zum Bussardball.«

»Zum *was*?« Ray zog die Einladung aus dem Umschlag.

»Der erste und vermutlich auch letzte Bussardball. Eine Wohltätigkeitsgala mit Smokingzwang, deren Erlös dem Schutz der Vogelwelt im Piedmont zugute kommt. Wirf mal einen Blick auf die Gastgeber.«

»Vicki und Lew Rodowski laden Sie herzlich ein …«, las Ray langsam vor.

»Der Liquidator rettet unsere Vögel. Rührend, nicht wahr?«

»Fünftausend Dollar pro Paar!«

»Ich glaube, das ist ein Rekord für Charlottesville. Die Einladung wurde an den Dekan geschickt. Er steht auf der Gästeliste, wir nicht. Selbst seine Frau war schockiert, als sie den Eintrittspreis gesehen hat.«

»Suzie lässt sich durch nichts schockieren.«

»Das dachte ich auch. Das Ziel sind zweihundert Paare. Sie werden etwa eine Million an Spenden einsammeln und allen zeigen, wie man so was macht. Das ist jedenfalls ihr Plan. Suzie sagt, wenn sie Glück haben, kommen dreißig Paare.«

»Sie geht nicht hin?«

»Nein, und der Dekan ist sehr erleichtert darüber. Er meinte, es sei die erste Einladung zu einer Abendveranstaltung seit zehn Jahren, der sie nicht nachkommen.«

»Die Drifters als Band?«, wunderte sich Ray, während er den Rest der Einladung überflog.

»Das kostet ihn fünfzigtausend.«

»Was für ein Idiot.«

»So ist Charlottesville nun mal. Da kommt irgend so ein Clown von der Wall Street, sucht sich eine neue Frau, kauft eine große Pferdefarm, fängt an, mit Geld um sich zu werfen und glaubt dann, er wäre der größte Mann in der kleinen Stadt.«

»Ich werde jedenfalls nicht hingehen.«

»Du bist auch nicht eingeladen. Die Karte kannst du aber trotzdem behalten.«

Als Carl weg war, trat Ray mit der Einladung in der Hand an seinen Schreibtisch. Er legte die Füße auf den Tisch, schloss die Augen und begann zu träumen. Er stellte sich Kaley in einem eng anliegenden, rückenfreien schwarzen Kleid vor, das Schlitze bis zu den Oberschenkeln und einen sehr tiefen V-Ausschnitt hatte. Sie sah atemberaubend aus, war dreizehn Jahre jünger als Vicki und erheblich besser in Form. Zusammen mit Ray, der ebenfalls kein schlechter Tänzer war, bewegte sie sich zum Motown-Sound der Drifters über die Tanzfläche, während alle zusahen und flüsterten: »Wer ist *das* denn?«

Vicki wäre dann gezwungen, den armen, alten Lew auf die Tanzfläche zu zerren – Lew in seinem Designersmoking, der den Bauchansatz nicht verstecken konnte, Lew mit den Büscheln hellgrauer Haare über den Ohren, Lew, den alten Ziegenbock, der sich Respekt erkaufen wollte, indem er Vögel rettete, Lew mit dem von Arthritis gekrümmten Rücken, den tapsigen Füßen und Bewegungen so steif wie ein Kipplaster der Müllabfuhr, Lew, der so stolz war auf seine Trophäenfrau in ihrem Designerabendkleid, das viel zu viel von ihrer hinreißend unterernährten Figur offenbarte …

Ray und Kaley würden viel besser aussehen und viel besser tanzen. Aber was würde das schon beweisen?

Eine hübsche Szene, die er sich da vorstellte, aber es war besser, wenn er nicht mehr daran dachte. Jetzt, da er das Geld hatte, konnte er seine Zeit nicht mit so etwas Unwichtigem verschwenden.

Die Fahrt nach Washington dauerte in der Regel nur zwei Stunden, und mehr als die Hälfte davon führte durch eine abwechslungsreiche, idyllische Landschaft. Aber Rays Reisegewohnheiten hatten sich inzwischen geändert. Er und Fog flogen stattdessen mit der Bonanza in achtunddreißig Minuten zum Ronald Reagan National Airport, wo man sie nur widerwillig landen ließ, obwohl sie einen Slot reserviert hatten. Ray sprang in ein Taxi, und fünfzehn Minuten später stand er vor dem Finanzministerium in der Pennsylvania Avenue.

Ein Kollege von der juristischen Fakultät hatte einen Schwager, der ein hohes Tier im Finanzministerium war. Einige Telefonate waren geführt worden, und nun begrüßte Mr. Oliver Talbert Professor Atlee in seinem recht bequemen Büro im BEP, dem Bureau of Engraving and Printing, der für den Druck von Banknoten zuständigen Abteilung des Ministeriums. Der Professor arbeitete gerade an einem nur vage umrissenen Forschungsprojekt und würde Talbert nicht einmal eine Stunde in Anspruch nehmen. Talbert war nicht der Schwager, aber man hatte ihn gebeten einzuspringen.

Sie sprachen zuerst über das Thema Falschgeld, und Talbert beschrieb in groben Zügen die Probleme, die ihnen zurzeit am meisten zu schaffen machten und die fast alle auf die neueste Technik zurückzuführen waren – vor allem Tintenstrahldrucker und computergeneriertes Falschgeld. Er zeigte Ray einige der besten Fälschungen und wies mit einer Lupe auf die Fehler hin – mangelnde Detailgenauigkeit auf der Stirn von Benjamin Franklin, die fehlenden dünnen Sicherheitsfäden im Hintergrund, die verlaufene Tinte bei den Seriennummern. »Die Scheine hier sind sehr gut«, sagte er. »Und die Geldfälscher werden immer besser.«

»Wo haben Sie die her?«, wollte Ray wissen, obwohl die Frage völlig irrelevant war. Talbert sah sich den Aufkleber auf der Rückseite des Kartons an, auf dem die Scheine befestigt waren. »Mexiko«, sagte er dann. Das war alles.

Um den Geldfälschern immer einen Schritt voraus zu sein, investierte das Finanzministerium riesige Summen in die Entwicklung eigener Technologien. Druckmaschinen, die den Scheinen ein fast holografisches Aussehen verliehen, Wasserzeichen, farblich variable Tinten, Feinliniendruck, größere Porträts, die nicht mehr auf die Mitte des Scheins gedruckt wurden, Scanner, die eine Fälschung in weniger als einer Sekunde erkennen konnten. Das effektivste Verfahren sei allerdings noch nie angewandt worden. Man brauche einfach nur die Farbe des Geldes zu ändern, von Grün zu Blau, dann Gelb und schließlich Rosa. Die alten Banknoten würden eingesammelt werden, die Banken mit neuen Scheinen versorgt, und die Geldfälscher kämen nicht mehr hinterher. Das war jedenfalls Talberts Meinung. »Aber der Kongress hat es nicht genehmigt«, sagte er kopfschüttelnd.

Ray interessierte sich in erster Linie dafür, wie man Geld zurückverfolgen konnte, und schließlich kam das Gespräch auch auf dieses Thema. Wie Talbert erklärte, waren die Scheine selbst aus nahe liegenden Gründen nicht markiert: Falls ein Gauner eine Markierung auf den Scheinen bemerkte, würde diese ihren Zweck verfehlen. Markieren bedeutete lediglich, die Seriennummern der Scheine zu erfassen, was früher sehr mühsam gewesen war, da es von Hand gemacht werden musste. Talbert erzählte Ray von einer Entführung, bei der das Lösegeld erst wenige Minuten vor der geplanten Übergabe eintraf. Zwei Dutzend FBI-Beamten arbeiteten wie besessen, um die Seriennummern der Hundert-Dollar-Scheine zu notieren. »Das Lösegeld betrug eine Million Dollar«, sagte Talbert. »Sie hatten einfach nicht ausreichend Zeit und konnten nur achthundert Seriennummern notieren, aber das genügte. Die Entführer wurden einen Monat später mit einigen der markierten Scheine erwischt, und damit war der Fall gelöst.«

Inzwischen gab es einen Scanner, der das Ganze erheblich vereinfachte. Er fotografierte zehn Scheine gleichzeitig, einhundert in vierzig Sekunden.

»Wenn die Seriennummern erfasst sind, wie finden Sie dann das Geld?«, fragte Ray, der sich eifrig Notizen machte, denn vermutlich erwartete Talbert das von ihm.

Es gab zwei Möglichkeiten. Wenn man den Verbrecher mit dem registrierten Geld erwischte, zählte man einfach zwei und zwei zusammen und nagelte ihn fest. Auf diese Weise ließen DEA und FBI Drogenhändler auffliegen. Sie nahmen einen Straßendealer fest, billigten ihm Strafminderung zu, drückten ihm zwanzigtausend Dollar in markierten Scheinen in die Hand, damit er damit Kokain von seinem Lieferanten kaufte, und schnappten sich dann den großen Fisch, der das registrierte Geld hatte.

»Und wenn Sie den Gesetzesbrecher nicht erwischen?«,

fragte Ray, der nicht umhin konnte, dabei an seinen verstorbenen Vater zu denken.

»Das ist die zweite Möglichkeit, die allerdings viel mehr Probleme aufwirft. Wenn die Zentralbank Geld aus dem Verkehr zieht, wird ein Teil davon routinemäßig geprüft. Wird dabei ein markierter Schein gefunden, kann er bis zu der Bank, von der er eingereicht wurde, zurückverfolgt werden. Aber dann ist es zu spät. Gelegentlich gibt jemand, der markiertes Geld besitzt, die Scheine über längere Zeit in der gleichen Region aus. Auch auf diese Weise haben wir schon ein paar Gauner erwischt.«

»Hört sich nicht sehr Erfolg versprechend an.«

»Da haben Sie Recht«, gab Talbert zu.

»Ich habe vor ein paar Jahren einmal gelesen, dass Entenjäger ein abgestürztes Kleinflugzeug gefunden haben«, sagte Ray beiläufig. Er hatte sich die Geschichte auf dem Weg hierher ausgedacht. »An Bord der Maschine befand sich eine Menge Bargeld, wohl annähernd eine Million Dollar. Die Jäger dachten, es wäre Drogengeld, und behielten es daher. Schließlich stellte sich heraus, dass sie Recht hatten – das Geld war markiert. Nach kurzer Zeit tauchte es überall in ihrer kleinen Stadt auf.«

»Ich glaube, daran kann ich mich erinnern«, sagte Talbert.

Ich muss gut sein, dachte Ray. »Mich würde nun Folgendes interessieren: Könnten diese Jäger oder jemand, der Geld findet, zum FBI, der DEA oder dem Finanzministerium gehen und die Scheine untersuchen lassen, um festzustellen, ob sie markiert sind, und falls ja, wo das Geld herkommt?«

Talbert kratzte sich die Wange und überlegte kurz, dann zuckte er mit den Achseln und sagte: »Meiner Meinung nach spricht nichts dagegen. Allerdings würde der Finder dann Gefahr laufen, das Geld zu verlieren.«

»Dann bin ich ziemlich sicher, dass so etwas nicht gerade häufig vorkommt«, erwiderte Ray, und beide lachten.

Talbert erzählte eine Anekdote von einem Richter in Chicago, der Bestechungsgelder von Rechtsanwälten nahm – kleine Summen, fünfhundert Dollar hier, tausend Dollar da – und dafür Fälle auf der Prozessliste vorzog oder ein wohlwollendes Urteil fällte. Das ging jahrelang so, bis das FBI einen Tipp bekam. Einige der Rechtsanwälte wurden festgenommen und zur Mitarbeit überredet. Das FBI notierte sich die Seriennummern der Scheine. Während der zwei Jahre dauernden Operation wurden insgesamt dreihundertfünfzigtausend Dollar über den Richtertisch geschoben. Als das FBI zuschlagen wollte, war das Geld plötzlich verschwunden. Jemand hatte den Richter gewarnt. Das Geld wurde schließlich in einer Garage gefunden, die dem Bruder des Richters gehörte. Alle Beteiligten wanderten ins Gefängnis.

Ray zuckte zusammen. War es nur Zufall, oder wollte ihm Talbert damit etwas sagen? Aber als der Beamte weitererzählte, entspannte er sich wieder, obwohl die Geschichte verdächtige Ähnlichkeiten aufwies. Talbert wusste jedoch nichts über Rays Vater.

Während Ray in einem Taxi zum Flughafen fuhr, nahm er seinen Schreibblock und fing an zu rechnen. Ein Richter wie der in Chicago würde etwas mehr als siebzehn Jahre brauchen, um drei Millionen Dollar anzuhäufen, wenn man davon ausging, dass er pro Jahr hundertfünfundsiebzigtausend Dollar an Bestechungsgeldern entgegennahm. Das war jedoch nur in Chicago möglich, mit seinen Hunderten von Gerichten und Tausenden von wohlhabenden Anwälten, die Fälle vertraten, bei denen es um sehr viel mehr Geld ging als bei jenen im nördlichen Mississippi. In Chicago war das Justizsystem eine florierende Industrie, in der man vieles durchgehen ließ und bei der das Räderwerk geschmiert werden konnte. Doch in der Welt von Richter Atlee wurde alles von einer Hand voll Leute erledigt, und wenn Geld angeboten oder genommen wurde, wussten alle davon. Die drei Millionen konnten schon deshalb nicht aus dem 25. Chancery District stammen, weil dort gar nicht so viel Geld im Umlauf war.

Ray kam zu dem Schluss, dass er noch einmal nach Atlantic City musste. Dieses Mal würde er noch mehr Bargeld mitnehmen und es durch das System schleusen. Ein letzter Test. Er musste unbedingt wissen, ob das Geld des Richters markiert war.

Fog würde begeistert sein.

20

Nachdem Vicki Ray verlassen hatte und zum Liquidator gezogen war, hatte ein befreundeter Professor Axel Sullivan als Anwalt für die Scheidung empfohlen. Axel war ein guter Anwalt, aber er hatte nicht viel für Ray tun können. Vicki war weg, sie würde nicht wiederkommen, und sie wollte nichts von Ray haben. Axel sorgte dafür, dass der Papierkram erledigt wurde, empfahl Ray einen guten Therapeuten und stand ihm während der Scheidung nach besten Kräften zur Seite. Ihm zufolge war der zuverlässigste Privatdetektiv in der Stadt Corey Crawford, ein schwarzer Expolizist, der im Gefängnis gesessen hatte, weil er einen Verdächtigen verprügelt hatte.

Crawfords Büro lag über der Kneipe, die sein Bruder in der Nähe des Campus eröffnet hatte. Es war eine nette Kneipe mit einer Speisekarte und Fenstern, die das Tageslicht hereinließen, Live-Musik am Wochenende und ordentlichen Gästen, bis auf einen Buchmacher, der unter den Studenten nach Kunden suchte. Trotzdem parkte Ray seinen Wagen drei Häuserblocks von der Kneipe entfernt. Er wollte nicht gesehen werden, wenn er das Gebäude betrat. Ein Schild, auf dem GRAWFORD INVESTIGATIONS stand, wies ihm den Weg zu einer Treppe, die seitlich vom Gebäude nach oben führte.

Es gab keine Sekretärin, zumindest war gerade keine da. Ray war zehn Minuten zu früh, aber Crawford wartete schon auf ihn. Er war Ende dreißig, groß, hager, mit einem kahl geschorenen Kopf und einem gut geschnittenen Gesicht, in dem nicht die Spur eines Lächelns zu entdecken war. Sein teurer Anzug saß wie angegossen, und in dem schwarzen Lederholster an seinem Gürtel steckte eine große Pistole.

»Ich glaube, ich werde verfolgt«, begann Ray.

»Geht es um eine Scheidung?« Sie saßen sich in einem winzigen Büro, das auf die Straße hinausging, an einem kleinen Tisch gegenüber.

»Nein.«

»Wer könnte Ihrer Meinung nach einen Grund haben, Sie zu verfolgen?«

Ray hatte sich etwas ausgedacht und erzählte von Ärger mit seiner Familie in Mississippi, einem verstorbenen Vater, ein paar zu vererbenden Gegenständen, eifersüchtigen Geschwistern – eine ziemlich vage Geschichte, von der Crawford kein Wort zu glauben schien. Bevor er Fragen stellen konnte, informierte Ray ihn über Dolph, der am Flugplatz nach ihm gefragt hatte, und gab ihm dessen Beschreibung.

»Klingt wie Rusty Wattle«, sagte Crawford.

»Wer ist das?«

»Ein Privatdetektiv aus Richmond, aber kein sehr guter. Er hat hier in der Gegend ein paar Auftraggeber. Nach dem, was Sie mir erzählt haben, glaube ich nicht, dass Ihre Familie jemanden aus Charlottesville anheuern würde. Die Stadt ist klein.«

Wattles Name wurde in Rays Gedächtnis gespeichert.

»Wäre es möglich, dass die bösen Jungs in Mississippi es darauf angelegt haben, dass Sie Ihren Verfolger bemerken?«, fragte Crawford.

Ray sah so verblüfft aus, dass Crawford erklärte, was er meinte. »Manchmal wird ein Privatdetektiv damit beauftragt, jemanden einzuschüchtern und ihm Angst zu machen. Für mich hört sich das so an, als hätte Wattle – oder wer immer es auch war – dafür gesorgt, dass Ihre Freunde am Flugplatz eine gute Beschreibung von ihm geben können. Vielleicht hat er noch andere Spuren hinterlassen.«

»Das wäre möglich.«

»Was soll ich tun?«

»Stellen Sie fest, ob mich jemand verfolgt. Falls ja, möchte ich wissen, wer es ist und wer ihn bezahlt.«

»Nummer eins und zwei sind vermutlich recht einfach. Nummer drei könnte unmöglich sein.«

»Versuchen Sie es.«

Crawford schlug eine dünne Akte auf. »Mein Honorar beträgt einhundert Dollar pro Stunde«, sagte er. Sein Blick bohrte sich in Rays Augen und suchte nach einem Zögern. »Plus Spesen und zweitausend Vorschuss.«

»Ich ziehe es vor, in bar zu bezahlen«, erwiderte Ray, der Crawfords Blick standhielt. »Wenn das kein Problem für Sie ist.«

Auf Crawfords Gesicht erschien der erste Anflug eines Lächelns. »In meiner Branche ist Bargeld immer gern gesehen.«

Crawford füllte ein paar Leerstellen in einem Vertrag aus.

»Könnte es sein, dass diese Leute mein Telefon abhören oder so etwas Ähnliches unternehmen?«

»Das werden wir alles überprüfen. Besorgen Sie sich noch ein Handy, ein digitales, und lassen Sie es nicht auf Ihren Namen registrieren. Die Kommunikation mit mir wird fast völlig über Handy laufen.«

»Warum überrascht mich das nicht?«, murmelte Ray,

dann nahm er den Vertrag, überflog ihn kurz und unterschrieb.

Crawford steckte den Vertrag wieder in die Akte und warf einen Blick auf seine Notizen. »In der ersten Woche koordinieren wir Ihren Alltag. Alles wird geplant. Machen Sie das, was Sie sonst auch tun, aber informieren Sie uns rechtzeitig, damit wir genügend Leute in Stellung bringen können.«

Ich werde einen Verkehrsstau hinter mir herschleppen, dachte Ray. »Mein Leben ist ziemlich langweilig. Ich jogge, gehe zur Arbeit, manchmal fliege ich ein Flugzeug. Ich bin allein, habe keine Familie.«

»Sonst noch was?«

»Manchmal gehe ich mittagessen oder abendessen. Ein Frühstückstyp bin ich nicht.«

»Ich schlafe gleich ein.« Crawford lächelte beinahe. »Frauen?«

»Schön wär's. Vielleicht eine oder zwei, die interessiert wären, aber nichts Ernstes. Wenn Sie eine finden, können Sie ihr gern meine Telefonnummer geben.«

»Die bösen Jungs in Mississippi – die suchen doch nach etwas. Wonach?«

»Unsere Familie ist sehr alt und besitzt viele Erbstücke. Schmuck, seltene Bücher, Kristall und Silber.« Es klang völlig normal, und dieses Mal nahm Crawford ihm die Geschichte ab.

»Jetzt kommen wir der Sache schon näher. Diese Erbstücke befinden sich in Ihrem Besitz?«

»Das ist richtig.«

»Haben Sie die Sachen hier?«

»In einem Container in Chaney's Self-Storage in der Berkshire Road.«

»Wie viel sind sie wert?«

»Nicht so viel, wie meine Verwandten denken.«

»In welcher Größenordnung bewegen wir uns?«

»Eine halbe Million, höchstens.«

»Und Sie sind der rechtmäßige Besitzer?«

»Sagen wir der Einfachheit halber ja. Sonst müsste ich Ihnen die Familiengeschichte erzählen, und das könnte durchaus die nächsten acht Stunden dauern und mit einer Migräne für uns beide enden.«

»Na gut.«

Crawford notierte alles, dann war er so weit, die Sache abzuschließen. »Wann können Sie sich ein neues Handy besorgen?«

»Das werde ich sofort erledigen.«

»Großartig. Und wann können wir Ihre Wohnung überprüfen?«

»Jederzeit.«

Drei Stunden später hatten Crawford und ein Helfer, den er Booty nannte, die Wohnung durchsucht. Rays Telefone waren jungfräulich, sie wurden weder abgehört, noch enthielten sie Wanzen. In den Lüftungsschlitzen waren keine Kameras versteckt. Und auf dem engen Dachboden fanden sie weder Empfänger noch Monitore hinter den Kartons.

»Sie sind sauber«, sagte Crawford, als er ging.

Ray fühlte sich allerdings nicht sehr sauber, als er sich auf den Balkon setzte. Wenn man sein Leben vor Fremden ausbreitete – auch wenn sie von einem selbst beauftragt und bezahlt wurden –, fühlte man sich beschmutzt und bloßgestellt.

In diesem Augenblick klingelte das Telefon.

Forrest klang nüchtern – kräftige Stimme, verständliche Aussprache. Kaum hatte er »Hallo, Bruderherz« gesagt, versuchte Ray auch schon herauszufinden, wie es um ihn stand. Das tat er inzwischen ganz automatisch, nach Jahren mit Telefongesprächen zu jeder Tages- und Nachtzeit, an die Forrest sich zum Teil gar nicht mehr erinnerte. Forrest sagte, es gehe ihm gut, was bedeutete, dass er nüchtern und clean war, kein Alkohol, keine Drogen, aber er sagte nicht, seit wann. Und Ray würde auch nicht danach fragen.

Bevor einer der beiden den Richter, den Nachlass, Maple Run oder Harry Rex erwähnen konnte, sprudelte es aus Forrest heraus: »Ich habe einen neuen Job.«

»Erzähl.« Ray machte es sich in seinem Sessel bequem. Die Stimme am anderen Ende klang aufgeregt. Er hatte viel Zeit zum Zuhören.

»Hast du schon mal was von Benalatofix gehört?«

»Nein.«

»Ich auch nicht. Man nennt es auch ›Skinny Ben‹. Klingelt's bei dir?«

»Nie gehört, tut mir Leid.«

»Das ist eine Diätpille, die von einer Firma namens Luray Products von Kalifornien aus vertrieben wird, ein Großunternehmen in Privatbesitz, das völlig unbekannt ist. Ärzte verschreiben Skinny Ben seit fünf Jahren wie die Wahnsinnigen, weil das Medikament wirkt. Es ist nicht für Frauen gedacht, die schnell mal zehn überschüssige Kilo loswerden wollen, aber bei den richtig Fetten, den wandelnden Fleischklöpsen, kann man damit wahre Wunder bewirken. Bist du noch dran?«

»Ich höre zu.«

»Die Dinger haben allerdings einen Nachteil: Nach einem oder zwei Jahren hat man bei diesen bedauernswerten Frauen undichte Herzklappen festgestellt. Zehntausende von ihnen werden deshalb behandelt, und Luray wird in Kalifornien und Florida am laufenden Band verklagt. Die Zulassungsbehörde hat vor acht Monaten eingegriffen, und letzten Monat hat Luray Skinny Ben vom Markt genommen.«

»Und was hat diese Sache mit dir zu tun, Forrest?«

»Ich bin jetzt medizinischer Berater.«

»Und was macht ein medizinischer Berater?«

»Danke, dass du fragst. Heute war ich zum Beispiel in einer Hotelsuite in Dyersburg, Tennessee, und habe einigen dieser schwergewichtigen Damen auf ein Laufband geholfen. Ein Arzt, der von den Rechtsanwälten bezahlt wird, auf deren Gehaltsliste ich stehe, überprüft ihre Herzkapazität, und dreimal darfst du raten, was passiert, wenn unsere kleinen Lieblinge nicht in Form sind.«

»Du hast eine neue Mandantin.«

»Genau. Heute haben vierzig Frauen unterschrieben.«

»Was ist ein Fall durchschnittlich wert?«

»Etwa zehntausend Dollar. Die Anwälte, mit denen ich zusammenarbeite, haben inzwischen achthundert Fälle. Das sind acht Millionen Dollar, von denen die Anwälte die Hälfte bekommen – die Frauen werden also schon wieder reingelegt. Willkommen in der Welt der Sammelklagen.«

»Und was springt dabei für dich raus?«

»Ein Grundgehalt, ein Bonus für jede neue Mandantin und ein Stück vom großen Kuchen. Es könnten eine halbe Million Fälle werden, und wenn wir sie alle haben wollen, müssen wir uns beeilen.«

»Das wären Forderungen in Höhe von fünf Milliarden Dollar.«

»Luray hat acht Milliarden in Barreserven. Jeder auf Schadenersatzklagen spezialisierte Anwalt in diesem Land spricht über Skinny Ben.«

»Gibt es da nicht ein paar moralische Probleme?«

»Bruderherz, es gibt keine Moral mehr. Wir sind schließlich in Amerika. Moral ist nur was für Leute wie dich, die ihren Studenten davon erzählen, obwohl diese sich nie daran halten werden. Tut mir Leid, dass ich es bin, aber schließlich muss es dir ja mal jemand sagen.«

»Du bist nicht der Erste.«

»Jedenfalls bin ich auf eine Goldgrube gestoßen. Dachte nur, es würde dich interessieren.«

»Das freut mich für dich.«

»Gibt es bei dir in der Gegend Anwälte, die Skinny-Ben-Fälle bearbeiten?«

»Nicht dass ich wüsste.«

»Halt die Augen offen. Die Anwälte, für die ich arbeite, schließen sich in ganz Amerika mit anderen Anwälten zusammen. Ich habe gerade gelernt, dass Sammelklagen immer so funktionieren. Je mehr Fälle man zusammen hat, desto mehr springt bei einem Vergleich heraus.«

»Ich werde es weitererzählen.«

»Bis dann, Bruderherz.«

»Pass auf dich auf, Forrest.«

Der nächste Anruf kam kurz nach 2.30 Uhr morgens. Wie bei jedem Anruf zu einer solchen Zeit schien das Telefon eine Ewigkeit zu läuten, sowohl in den Schlaf hinein als auch nach dem Aufwachen. Ray gelang es schließlich, den Hörer abzunehmen und das Licht einzuschalten.

»Ray, hier ist Harry Rex. Tut mir Leid, dass ich um diese Zeit anrufe.«

»Was ist los?« Ray war klar, dass es nichts Gutes sein konnte.

»Es geht um Forrest. Ich habe gerade eine halbe Stunde mit ihm und einer Krankenschwester im Baptist Hospital in Memphis gesprochen. Er wurde dort eingeliefert, ich glaube, mit gebrochener Nase.«

»Was war los?«

»Er ist in eine Kneipe gegangen, hat sich betrunken und einen Streit angezettelt, das Übliche. Sieht so aus, als hätte er sich dieses Mal den Falschen ausgesucht, sie flicken ihm nämlich gerade das Gesicht zusammen. Das Krankenhaus will ihn die Nacht über dabehalten. Ich musste mit den Angestellten reden und die Übernahme der Behandlungskosten garantieren. Außerdem habe ich sie gebeten, ihm keine Schmerzmittel oder sonstige Medikamente zu geben. Sie haben keine Ahnung, mit wem sie es zu tun haben.«

»Tut mir Leid, dass du da reingezogen wurdest, Harry Rex.«

»Es ist nicht das erste Mal, und es macht mir nichts aus. Aber er ist verrückt, Ray. Er hat wieder mit dem Nachlass angefangen und sich darüber ausgelassen, dass man ihn um seinen rechtmäßigen Anteil betrügt, dieser ganze Mist eben. Ich weiß, dass er betrunken ist, aber er will einfach nicht mit diesem Gerede aufhören.«

»Ich habe vor fünf Stunden mit ihm gesprochen, und er war völlig in Ordnung.«

»Da wird er gerade auf dem Weg in die Kneipe gewesen sein. Sie mussten ihm ein Beruhigungsmittel verpassen, als sie ihm die Nase gerichtet haben, sonst wäre es unmöglich gewesen. Ich mache mir Sorgen wegen der Medikamente und dem anderen Zeug.«

»Es tut mir Leid, Harry Rex«, sagte Ray noch einmal, weil ihm nichts anderes einfiel. Es gab eine kleine Pause, in der er versuchte, seine Gedanken zu sammeln. »Er war völlig in Ordnung, als wir vor ein paar Stunden telefoniert haben. Clean und nüchtern. Jedenfalls kam es mir so vor.«

»Hat er dich angerufen?«, fragte Harry Rex.

»Ja. Er war ganz aufgeregt wegen seines neuen Jobs.«

»Dieser Mist mit Skinny Ben?«

»Ja. Ist das ein richtiger Job?«

»Ich glaube schon. Hier unten gibt es ein paar Anwälte, die hinter diesen Fällen her sind wie der Teufel hinter der armen Seele. Die Menge macht's. Sie heuern Leute wie Forrest an, damit sie ihnen Mandanten besorgen.«

»Solchen Anwälten sollte man die Zulassung entziehen.«

»Das sollte man mit der Hälfte aller Anwälte tun. Ich glaube, du musst bald herkommen. Je eher wir den Nachlass eröffnen, desto eher wird Forrest sich wieder beruhigen. Seine Unterstellungen setzen mir ziemlich zu.«

»Hast du schon einen Termin bei Gericht?«

»Wir könnten einen für Mittwoch nächster Woche bekommen. Du solltest zumindest ein paar Tage bleiben.«

»Das hatte ich auch vor. Leg den Termin fest, ich werde da sein.«

»Ich werde Forrest in ein oder zwei Tagen informieren. Hoffentlich ist er dann nüchtern.«

»Tut mir wirklich Leid, Harry Rex.«

Ray konnte nicht mehr einschlafen, was ihn nicht sonderlich überraschte. Er las in einer Biografie, als sein neues Handy klingelte. Jemand musste sich verwählt haben. »Hallo?«, sagte er argwöhnisch.

»Warum schlafen Sie nicht?«, fragte die tiefe Stimme von Corey Crawford.

»Weil mein Telefon ständig klingelt. Wo sind Sie?«

»Wir beobachten Sie. Sind Sie in Ordnung?«

»Mir geht es gut. Es ist fast vier Uhr morgens. Schlafen Sie eigentlich nie?«

»Ich mache öfter mal ein Nickerchen. Wenn ich Sie wäre, würde ich das Licht ausschalten.«

»Danke. Beobachtet mich sonst noch jemand?«

»Im Moment nicht.«

»Gut.«

»Ich wollte nur wissen, was los ist.«

Ray schaltete das Licht im vorderen Teil der Wohnung aus und ging wieder ins Schlafzimmer, wo er im Schein einer kleinen Lampe weiterlas. An Schlaf war jetzt erst recht nicht zu denken, weil er wusste, dass Crawford ihm hundert Dollar pro Stunde berechnete.

Das Geld ist gut angelegt, sagte er sich immer wieder.

Um fünf Uhr morgens schlich er sich in den Flur wie jemand, der es vermeiden wollte, von der Straße aus gesehen zu werden, und setzte im Dunkeln Kaffee auf. Während er auf die erste Tasse wartete, rief er Crawford an, der sich wie erwartet ziemlich müde anhörte.

»Ich koche gerade Kaffee. Wollen Sie auch einen?«, fragte Ray.

»Das ist keine gute Idee, aber trotzdem danke.«

»Ich fliege heute Nachmittag nach Atlantic City. Haben Sie was zum Schreiben?«

»Ja. Schießen Sie los.«

»Ich starte um fünfzehn Uhr vom Terminal für Privatflugzeuge mit einer weißen Beech Bonanza, Hecknummer acht-eins-fünf-Romeo, mit einem Fluglehrer namens Fog Newton. Wir übernachten im Canyon Casino und sind morgen gegen Mittag wieder zurück. Meinen Wagen werde ich wie immer abgeschlossen am Flugplatz lassen. Müssen Sie sonst noch etwas wissen?«

»Sollen wir Sie nach Atlantic City begleiten?«

»Nein, das ist nicht nötig. Ich werde ständig in Bewegung sein und darauf achten, ob mir jemand folgt.«

21

Das Konsortium wurde von einem Freund von Dick Docker zusammengestellt, der ebenfalls Pilot war. Die ersten Mitglieder waren zwei Augenärzte, die Privatkliniken in Westvirginia leiteten. Beide hatten das Fliegen gerade erst gelernt und suchten nach einer Möglichkeit, um schneller hin und her pendeln zu können. Dockers Freund war Rentenberater und brauchte die Bonanza etwa zwölf Stunden im Monat. Mit einem vierten Partner wäre die Finanzierung gesichert. Jeder sollte fünfzigtausend Dollar für einen Anteil von fünfundzwanzig Prozent an der Maschine aufbringen und darüber hinaus einen Bankkredit aufnehmen, um die Differenz zum Kaufpreis aufzubringen, der zurzeit bei dreihundertneunzigtausend Dollar lag und vermutlich nicht noch einmal reduziert werden würde. Der Kredit lief über sechs Jahre und würde jedes Mitglied des Konsortiums achthundertneunzig Dollar im Monat kosten.

Mit diesem Betrag hätte Ray etwa zehn Flugstunden in der Cessna bezahlen können.

Ein Konsortium für die Bonanza hatte den Vorteil, dass man von der Abschreibung profitieren und das Flugzeug vermieten konnte, wenn keiner der Eigentümer es brauchte. Nachteilig war, dass man für Hangarkosten, Kerosin, Wartung und eine lange Liste mit weiteren Posten aufkommen musste. Und die Tatsache, dass Ray mit drei Männern, die er nicht kannte und von denen zwei überdies Ärzte waren, in eine Geschäftsbeziehung treten würde, war ebenfalls ein gravierender Nachteil, der von Dockers Freund allerdings gar nicht erst angesprochen wurde.

Aber Ray hatte die fünfzigtausend Dollar und konnte auch die achthundertneunzig pro Monat aufbringen. Er wollte dieses Flugzeug, das er bereits neun Stunden geflogen hatte und insgeheim schon als seines betrachtete, unbedingt haben.

Dem Vertrag war ein überzeugender Bericht beigefügt, aus dem hervorging, dass der Wiederverkaufswert einer Bonanza recht hoch war. Auf dem Markt für Gebrauchtflugzeuge bestand kontinuierlich eine große Nachfrage nach diesem Modell. Was die Sicherheit anging, besaß das Flugzeug einen hervorragenden Ruf; nur die Cessna galt als noch zuverlässiger. Ray trug die Unterlagen für das Konsortium zwei Tage mit sich herum und las sie in seinem Büro, in seiner Wohnung, an der Theke in dem Restaurant, in dem er zu Mittag aß. Die drei anderen hatten schon unterschrieben. Er brauchte nur noch seinen Namen in vier dafür vorgesehene Lücken zu setzen, und schon würde die Bonanza ihm gehören.

An dem Tag, bevor er nach Mississippi fuhr, las er den Vertrag ein letztes Mal durch, schickte sämtliche Bedenken zum Teufel und unterschrieb.

Wenn die bösen Jungs ihn beobachteten, machten sie es so gut, dass sie keine Spuren hinterließen. Nachdem Corey Crawford sechs Tage lang versuchte hatte, die Verfolger seines Auftraggebers aufzuspüren, war er der Meinung, dass niemand Interesse an Ray hatte. Ray drückte ihm dreitausendachthundert Dollar in bar in die Hand und versprach anzurufen, wenn er wieder einen Verdacht hatte.

Unter dem Vorwand, noch mehr alte Sachen verstauen zu müssen, fuhr Ray jeden Tag zu Chaney's Self-Storage, um nach dem Geld zu sehen. Er schleppte Kartons mit, die er mit allem voll stopfte, was er in seiner Wohnung entbehren konnte. Sowohl 14 B als auch 37 F sahen zunehmend wie ein alter Dachboden aus.

Einen Tag, bevor er die Stadt verließ, ging er in das Büro des Lagerhauses und fragte Mrs. Chaney, ob 18 R frei geworden sei. Ja, vor zwei Tagen.

»Ich würde es gern mieten«, sagte er.

»Das wären dann schon drei«, erwiderte sie.

»Ich brauche den Platz.«

»Warum mieten Sie nicht einfach eines unserer größeren Abteile?«

»Vielleicht später. Jetzt reichen erst einmal die drei kleinen.«

Mrs. Chaney war es egal. Ray mietete 18 R auf den Namen Newton Aviation und bezahlte die Miete für sechs Monate im Voraus und bar. Als er sicher war, dass ihn niemand beobachtete, holte er das Geld aus 37 F und brachte es in 18 R, wo er bereits neue Kartons hingestellt hatte. Sie waren aus aluminiumbeschichtetem Kunststoff und feuersicher bis zu hundertfünfzig Grad Celsius. Außerdem waren sie wasserdicht und ließen sich abschließen. Das Geld passte in fünf Kartons. Sicherheitshalber warf er noch ein paar Federbetten, Decken und Kleidungsstücke über die Kartons, damit alles etwas natürlicher aussah. Er wusste nicht genau, wen er mit der sorgfältig arrangierten Unordnung in seinem kleinen Lagerabteil beeindrucken wollte, fand es aber trotzdem besser, wenn alles etwas verwahrlost aussah.

Vieles von dem, was er zurzeit tat, galt einem anderen. Ein neuer Weg von seiner Wohnung zur juristischen Fakultät. Eine neue Joggingstrecke. Ein anderes Café. Eine andere Buchhandlung im Stadtzentrum, in der er sich längere Zeit aufhielt. Und immer achtete er darauf, ob er etwas Ungewöhnliches sah, ständig hatte er den Blick im Rückspiegel, urplötzlich schlug er eine andere Richtung ein, wenn er spazieren ging oder joggte, oder sah sich verstohlen um, nachdem er ein Geschäft betreten hatte. Er spürte, dass er von jemandem beobachtet wurde.

Ray hatte beschlossen, mit Kaley essen zu gehen, bevor er für einige Tage in den Süden flog – und bevor aus ihr eine ehemalige Studentin wurde. Die Prüfungen waren gelaufen, daher war eigentlich nichts dabei. Sie würde den Sommer über hier bleiben, und er war fest entschlossen, sich mit ihr einzulassen – allerdings nicht, ohne sehr vorsichtig dabei zu sein. Zum einen, weil er sich jeder Frau gegenüber so verhielt. Zum anderen, weil er glaubte, dass es mit dieser Frau etwas werden könnte.

Aber gleich der erste Anruf bei ihr war eine Katastrophe. Eine männliche Stimme antwortete, eine jüngere Stimme, wie Ray dachte. Wer immer es auch war, er war nicht sehr erfreut über den Anruf. Als Kaley ans Telefon kam, war sie kurz angebunden. Ray fragte, ob er später noch einmal anrufen solle. Sie verneinte und sagte, sie werde sich bei ihm melden.

Er wartete drei Tage, dann schrieb er sie ab, was für ihn so einfach war, wie den nächsten Monat im Kalender aufzuschlagen.

Und so ließ er nichts Unerledigtes zurück, als er abreiste. In vier Stunden flog er mit Fog neben sich in der Bonanza nach Memphis, wo er ein Auto mietete und sich auf den Weg zu Forrest machte.

Sein erster und bislang einziger Besuch im Haus von Ellie Crum hatte aus einem ähnlichen Grund stattgefunden wie der jetzige. Damals war Forrest durchgedreht und einfach verschwunden, und seine Familie fragte sich, ob er tot war oder irgendwo im Gefängnis saß. Der Richter war noch nicht im Ruhestand, und die Jagd nach Forrest gehörte zu ihrem Alltag. Natürlich war der Richter viel zu beschäftigt gewesen, um nach seinem jüngsten Sohn zu suchen, und warum sollte er auch? Schließlich konnte Ray das ja übernehmen.

Ellie wohnte in einem Haus im viktorianischen Stil, das am Rand der Innenstadt von Memphis lag. Sie hatte es von ihrem Vater geerbt, der einmal sehr wohlhabend gewesen war. Außer dem Haus hatte es dann allerdings nicht viel zum Vererben gegeben. Forrest hatte auf Treuhandfonds und Familienvermögen spekuliert, aber die Hoffnung nach fünfzehn Jahren aufgegeben. In der ersten Zeit ihrer Beziehung hatte er in Ellies Schlafzimmer gewohnt. Jetzt hauste er im Keller. In dem Gebäude lebten noch einige andere Mieter, alle angeblich mittellose Künstler, die ein Dach über dem Kopf brauchten.

Ray parkte am Bordstein auf der Straße. Die Büsche mussten dringend geschnitten werden, und das Dach sah schon ziemlich alt aus, aber ansonsten war das Haus recht gut in Schuss. Forrest strich es jedes Jahr im Oktober, immer in einer gewagten Farbkombination, über die er sich ein Jahr lang mit Ellie stritt. Zurzeit war es blassblau mit roten und orangefarbenen Verzierungen. Forrest hatte Ray erzählt, dass er es einmal sogar petrolgrün gestrichen hatte.

An der Tür begrüßte ihn eine junge Frau mit schneeweißer Haut und schwarzem Haar mit einem unfreundlichen »Ja?«

Ray sah sie durch die mit Fliegengitter bespannte Tür an. Das Haus hinter ihr war dunkel und unheimlich, genau wie beim letzten Mal. »Ist Forrest da? Oder Ellie?«, fragte er so unfreundlich wie möglich.

»Sie hat zu tun. Wer sind Sie?«

»Ray Atlee. Ich bin der Bruder von Forrest.«

»Von wem?«

»Von Forrest. Er wohnt im Keller.«

Ah, dieser Forrest. Sie verschwand, und gleich darauf hörte Ray Stimmen aus dem rückwärtigen Teil des Hauses.

Ellie trug ein weißes Bettlaken mit Schlitzen für Kopf und Arme, auf dem Spritzer und Flecken von Ton und Wasser zu sehen waren. Sie trocknete sich die Hände an einem schmutzigen Geschirrtuch ab und sah verärgert aus, weil man sie bei der Arbeit unterbrochen hatte. »Tag, Ray«, sagte sie wie zu einem alten Freund und öffnete die Tür.

»Hallo, Ellie.« Er folgte ihr durch den Flur ins Wohnzimmer.

»Trudy, bringst du uns bitte Tee?«, rief Ellie. Wo auch immer Trudy steckte, sie gab keine Antwort. An den Wänden des Zimmers standen die verrücktesten Töpfe und Vasen, die Ray je gesehen hatte. Forrest hatte ihm einmal erzählt, Ellie arbeite jeden Tag zehn Stunden und bringe es nicht fertig, auch nur ein Stück wegzugeben.

»Mein Beileid wegen Ihres Vaters«, sagte sie. Sie setzten sich einander gegenüber, zwischen sich einen schiefen Glastisch, der auf drei phallisch anmutenden Zylindern in unterschiedlichen Blautönen ruhte. Ray achtete darauf, ihn nicht zu berühren.

»Danke«, erwiderte er steif. Kein Anruf, keine Karte, kein Brief, keine Blumen, kein Wort des Mitgefühls, erst jetzt, bei dieser zufälligen Begegnung. Im Hintergrund hörte er leise Opernmusik.

»Sie wollen zu Forrest?«, sagte sie.

»Ja.«

»Ich habe ihn in letzter Zeit nicht gesehen. Er wohnt im Keller und kommt und geht wie ein alter Kater. Heute Morgen habe ich eines der Mädchen nach unten geschickt, damit sie einen Blick in sein Zimmer wirft – sie glaubt, dass er etwa seit einer Woche weg ist. Das Bett ist seit fünf Jahren nicht mehr gemacht worden.«

»Das ist mehr, als ich wissen wollte.«

»Angerufen hat er auch nicht.«

Trudy kam mit einem Teeservice herein, das ebenfalls eine von Ellies grauenhaften Schöpfungen war. Die Tassen waren nicht zusammen passende kleine Töpfe mit großen Henkeln. »Milch und Zucker?«, fragte sie.

»Nur Zucker.«

Trudy reichte ihm seine Tasse, die er mit beiden Händen ergriff. Wenn er sie fallen ließe, dachte er, würde sie ihm den Fuß zerschmettern.

»Wie geht es ihm?«, fragte Ray, nachdem Trudy gegangen war.

»Er ist betrunken, er ist nüchtern, er ist eben Forrest.«

»Was ist mit Drogen?«

»Fragen Sie nicht. Es ist besser, wenn Sie's nicht wissen.«

»Sie haben Recht.« Ray versuchte, an seinem Tee zu nippen. Er bestand aus einer pfirsichfarbenen Flüssigkeit, und ein Tropfen genügte vollkommen. »Haben Sie gewusst, dass er vor ein paar Tagen in eine Schlägerei verwickelt war? Ich glaube, er hat sich die Nase gebrochen.«

»Wäre nicht das erste Mal. Warum betrinken sich Männer und gehen dann aufeinander los?« Das war eine ausgezeichnete Frage, auf die Ray keine Antwort wusste. Ellie trank in hastigen Schlucken ihren Tee und schloss dabei die Augen. Vor vielen Jahren war sie eine schöne Frau gewesen. Aber jetzt, mit Ende vierzig, hatte sie aufgehört, sich um ihr Äußeres zu kümmern.

»Ihnen liegt nichts an ihm, stimmt's?«, wollte Ray wissen.

»Doch, natürlich.«

»Seien Sie ehrlich.«

»Ist das so wichtig für Sie?«

»Er ist mein Bruder. Sonst kümmert sich niemand um ihn.«

»Am Anfang hatten wir großartigen Sex, aber dann haben wir einfach das Interesse aneinander verloren. Ich bin fett geworden, und jetzt ist mir meine Arbeit wichtiger.«

Ray sah sich im Zimmer um.

»Und Sex bekomme ich auch woanders«, sagte sie mit einem Blick auf die Tür, durch die Trudy verschwunden war.

»Für mich ist Forrest ein Freund. Ich glaube, ich liebe ihn, auf meine Art. Aber er ist auch ein Süchtiger, der fest entschlossen scheint, für den Rest seines Lebens süchtig zu bleiben. Nach einer Weile ist das ziemlich frustrierend.«

»Das Gefühl kenne ich. Ich kann Sie gut verstehen.«

»Ich glaube, er gehört zu den wenigen Menschen, die stark genug sind, um sich im letzten Moment zusammenzureißen.«

»Aber nicht stark genug, um ganz von ihrer Sucht loszukommen.«

»Genau. Ich habe vor fünfzehn Jahren aufgehört. Süchtige haben kein Mitleid mit anderen Süchtigen. Deshalb wohnt er jetzt im Keller.«

Vermutlich ist er dort auch glücklicher, dachte Ray. Er bedankte sich bei Ellie für den Tee und das Gespräch. Sie begleitete ihn zur Tür. Als er wegfuhr, stand sie immer noch hinter dem Fliegengitter.

22

Der Nachlass von Reuben Vincent Atlee wurde in dem Gerichtssaal eröffnet, in dem er zweiunddreißig Jahre lang gearbeitet hatte. Von der eichengetäfelten Wand hinter dem Richtertisch blickte ein grimmig aussehender Richter Atlee zwischen den Flaggen der USA und des Bundesstaates Mississippi auf die Testamentsbeglaubigung herab. Es war dasselbe Porträt, das vor drei Wochen neben dem im Gerichtsgebäude aufgebahrten Sarg aufgestellt worden war. Jetzt war es wieder da, wo es hingehörte, an dem Platz, an dem es ohne jeden Zweifel bis in alle Ewigkeit hängen würde.

Der Mann, der die Karriere des Richters beendet und ihn ins Exil nach Maple Run geschickt hatte, war Mike Farr aus Holly Springs. Er war inzwischen wiedergewählt worden und machte seine Arbeit Harry Rex zufolge recht gut. Chancellor Farr überprüfte den Antrag auf Ernennung zum Nachlassverwalter und las das aus einer Seite bestehende Testament durch, das dem Antrag beigefügt war.

Im Gerichtssaal wimmelte es nur so von Anwälten und Angestellten, die Anträge einreichten und sich mit ihren Mandanten unterhielten. An diesem Tag wurden nur unproblematische Fälle, bei denen die Rechtslage klar war, und einfache Anträge bearbeitet. Ray saß in der ersten Reihe des Zuschauerraums, während Harry Rex vor dem Richtertisch stand und sich leise mit Chancellor Farr unterhielt. Neben Ray saß Forrest, der bis auf die langsam verblassenden Blutergüsse unter den Augen so normal aussah, wie das bei ihm möglich war. Er hatte sich zuerst geweigert, an der gerichtlichen Testamentseröffnung teilzunehmen, nach einer Standpauke von Harry Rex jedoch nachgegeben.

Er wohnte wieder bei Ellie, nachdem er wie üblich zurückgekehrt war, ohne ein Wort darüber zu verlieren, wo er gewesen war oder was er getan hatte. Es wollte sowieso niemand wissen. Sein Job wurde nicht mehr erwähnt, deshalb ging Ray davon aus, dass Forrests kurze Karriere als medizinischer Berater für die Anwälte der Skinny-Ben-Opfer zu Ende war.

Alle fünf Minuten beugte sich ein Anwalt vom Mittelgang aus zu Ray, streckte ihm die Hand hin und erzählte ihm, was für ein feiner Mensch sein Vater gewesen sei. Man erwartete natürlich von ihm, dass er alle Anwälte kannte, weil sie ihn ja auch kannten. Mit Forrest sprach keiner.

Harry Rex bedeutete Ray, zu ihm an den Richtertisch zu treten. Chancellor Farr begrüßte ihn herzlich. »Ihr Vater war ein feiner Mann und ein großartiger Richter«, sagte er, während er sich zu Ray hinunterbeugte.

»Danke«, antwortete Ray. Und warum hast du bei deinem Wahlkampf dann gesagt, dass er zu alt und nicht mehr auf dem Laufenden sei?, hätte Ray am liebsten gefragt. Das war vor neun Jahren gewesen, doch sie kamen ihm wie fünfzig vor. Nach dem Tod seines Vaters war alles in Ford County um Jahrzehnte gealtert.

»Sie sind Dozent für Jura?«, erkundigte sich Chancellor Farr.

»Ja, an der Universität von Virginia.«

Der Richter nickte anerkennend. »Sind alle Erben anwesend?«, fragte er dann.

»Ja, Sir«, erwiderte Ray. »Das sind mein Bruder Forrest und ich.«

»Und Sie haben beide dieses aus einer Seite bestehende Dokument gelesen, das allem Anschein nach der letzte Wille von Reuben Atlee ist?«

»Ja, Sir.«

»Hat jemand Einspruch gegen die Testamentseröffnung erhoben?«

»Nein, Sir.«

»Gut. Gemäß den Bestimmungen dieses Testaments ernenne ich Sie hiermit zum Nachlassverwalter Ihres verstorbenen Vaters. Die Benachrichtigung eventueller Gläubiger wird heute beantragt und in einer Lokalzeitung veröffentlicht. Auf eine Kaution wird verzichtet. Eine Liste der Vermögensgegenstände und die Abrechnung sind innerhalb der gesetzlich vorgeschriebenen Fristen einzureichen.«

Genau dieselben Worte hatte Ray schon hundertmal von seinem Vater gehört. Er sah zu Richter Farr hoch.

»Sonst noch etwas, Mr. Vonner?«

»Nein, Euer Ehren«, antwortete Harry Rex.

»Nochmals mein Beileid, Mr. Atlee.«

»Danke, Euer Ehren.«

Sie gingen zum Mittagessen zu Claude's und bestellten frittierten Catfish. Ray war seit zwei Tagen wieder in Clanton und spürte bereits, wie sich das Fett in seinen Arterien ablagerte. Forrest hatte nicht viel zu sagen. Er litt noch unter den Nachwirkungen von Drogen und Alkohol.

Rays Pläne waren ziemlich vage. Er sagte, dass er einige Freunde besuchen wolle und keine Eile habe, nach Virginia zurückzukehren. Forrest brach kurz nach dem Mittagessen auf und sagte, er müsse wieder nach Memphis.

»Zu Ellie?«, fragte Ray.

»Vielleicht«, sagte Forrest nur.

Ray wartete auf der Veranda auf Claudia, die pünktlich um siebzehn Uhr kam. Er ging zu ihr, als sie ausstieg und vor dem Schild »Zu verkaufen« stehen blieb, das im Vorgarten zur Straße hin aufgestellt worden war.

»Musst du das Haus wirklich verkaufen?«, fragte sie.

»Entweder das, oder wir verschenken es. Wie geht es dir?«

»Mir geht es gut, Ray.« Sie brachten es fertig, sich mit einem Minimum an Körperkontakt zu umarmen. Claudia trug eine Hose, flache Schuhe, eine karierte Bluse und einen Strohhut und sah aus, als käme sie gerade von der Gartenarbeit. Auf ihren Lippen leuchtete knallroter Lippenstift, die Wimpern waren perfekt getuscht. Ray hatte sie noch nie ungeschminkt oder nachlässig gekleidet gesehen.

»Ich bin froh, dass du angerufen hast«, sagte sie, während sie langsam die Auffahrt entlang zum Haus gingen.

»Wir waren heute vor Gericht und haben den Nachlass eröffnet.«

»Das war sicher sehr schwer für dich.«

»Nein, es war nicht so schlimm. Ich habe Richter Farr kennen gelernt.«

»Wie findest du ihn?«

»Ganz nett, trotz allem, was geschehen ist.«

Er nahm ihren Arm und führte sie die Treppe hinauf, obwohl Claudia trotz der zwei Schachteln Zigaretten, die sie am Tag rauchte, noch sehr gut zu Fuß war. »Ich kann mich noch daran erinnern, wie er angefangen hat«, sagte sie. »Er hatte gerade das Studium abgeschlossen und konnte den Kläger nicht vom Beklagten unterscheiden. Wenn ich noch da gewesen wäre, hätte Reuben die Wahl gewinnen können.«

»Setzen wir uns hierher.« Ray deutete auf die zwei Schaukelstühle.

»Du hast das Haus in Ordnung gebracht«, sagte sie, während sie den Blick über die Veranda gleiten ließ.

»Das hat alles Harry Rex veranlasst. Er hat Maler, Dachdecker und ein paar Putzfrauen organisiert. Sie mussten den Staub von den Möbeln sandstrahlen, aber jetzt kann man hier wenigstens wieder atmen.«

»Stört es dich, wenn ich rauche?«, fragte sie.

»Nein.« Es spielte keine Rolle, was er sagte. Sie würde in jedem Fall rauchen.

»Ich bin so froh, dass du angerufen hast«, wiederholte sie und zündete sich eine Zigarette an.

»Ich kann dir Tee und Kaffee anbieten.«

»Eistee bitte, mit Zitrone und Zucker«, erwiderte sie und schlug die Beine übereinander. Sie saß in ihrem Schaukelstuhl wie eine Königin, die auf den Tee wartete. Ray konnte sich noch gut an ihre engen Kleider und die langen Beine erinnern, damals, vor vielen Jahren, als sie direkt unterhalb des Richtertisches saß und mit stenografierte, während sie von sämtlichen Anwälten im Gerichtssaal angestarrt wurde.

Sie redeten über das Wetter, wie alle Menschen im Süden, wenn eine Unterhaltung ins Stocken gerät oder es sonst nichts gibt, worüber man plaudern könnte. Sie rauchte und lächelte viel, weil sie sich wirklich freute, dass Ray an sie gedacht hatte.

Sie wollte sich von ihm trösten lassen. Er versuchte, ein Rätsel zu lösen.

Sie sprachen über Forrest und Harry Rex, zwei nicht ganz einfache Themen, und nach einer halben Stunde kam Ray schließlich zur Sache. »Wir haben Geld gefunden«, sagte er und ließ die Worte in der Luft hängen. Claudia nahm sie in sich auf, bedachte sie und fragte dann erst einmal: »Wo?«

Es war eine ausgezeichnete Frage. Wo hatten sie das Geld gefunden? Auf einem Bankkonto zusammen mit den entsprechenden Dokumenten? Oder einfach so unter der Matratze?

»In seinem Arbeitszimmer. In bar. Es muss einen Grund dafür geben, dass er es dort aufbewahrt hat.«

»Wie viel?«, fragte sie nach kurzem Zögern.

»Einhunderttausend.« Ray beobachtete ihr Gesicht und ihre Augen. Überraschung, aber kein Schock. Er hatte sich einen Plan zurechtgelegt, daher sprach er schnell weiter. »Seine Unterlagen sind lückenlos. Es gibt für alles Belege – ausgestellte Schecks, Einzahlungen, Ausgaben. Nur für dieses Geld scheint es keine Quelle zu geben.«

»Er hatte nie viel Bargeld im Haus«, sagte sie langsam.

»Daran kann ich mich auch erinnern. Ich habe keine Ahnung, wo das Geld herkommt. Du vielleicht?«

»Nein«, antwortete sie ohne Zögern. »Der Richter wollte nie etwas mit Bargeld zu tun haben. Es lief alles über die First National Bank. Er hat lange Jahre im Aufsichtsrat der Bank gesessen, weißt du noch?«

»Ja, natürlich. Hatte er sonst noch Einnahmen?«

»Was für Einnahmen sollten das gewesen sein?«

»Das frage ich dich, Claudia. Du hast ihn besser gekannt als jeder andere. Und du hast seine Arbeit gekannt.«

»Er ist völlig in seinem Beruf aufgegangen. Für ihn war es eine große Ehre, Chancellor zu sein, und er hat immer sehr hart gearbeitet. Er hatte gar keine Zeit für etwas anderes.«

»Einschließlich seiner Familie«, sagte Ray. Er hätte es am liebsten gleich wieder zurückgenommen.

»Ray, er hat seine Söhne geliebt, aber er war aus einer anderen Generation.«

»Lassen wir das Thema.«

»Ja, lassen wir es.«

Ihr Gespräch geriet ins Stocken. Keiner von beiden wollte über die Familie sprechen. Jetzt ging es um das Geld. Ein Auto fuhr langsam die Straße entlang und schien gerade lange genug anzuhalten, damit die Insassen sich das Verkaufsschild ansehen und einen Blick auf das Haus werfen konnten. *Ein* Blick genügte offenbar, denn gleich darauf trat der Fahrer aufs Gas, und das Auto fuhr davon.

»Hast du gewusst, dass er gespielt hat?«, fragte Ray.

»Der Richter? Nein.«

»Schwer zu glauben, nicht wahr? Harry Rex hat ihn eine Zeit lang einmal in der Woche in die Kasinos mitgenommen. Sieht so aus, als hätte der Richter Glück im Spiel gehabt, Harry Rex dagegen nicht.«

»Man hört immer wieder Gerüchte, vor allem über die Anwälte. Einige von ihnen sind dadurch ganz schön in Schwierigkeiten geraten.«

»Aber du hast nichts über den Richter gehört?«

»Nein. Ich glaube es auch nicht.«

»Claudia, das Geld muss schließlich irgendwo herkommen. Außerdem muss es schmutziges Geld sein, denn sonst gäbe es doch Belege dafür.«

»Wenn er beim Spielen gewonnen hätte, hätte er das Geld als schmutzig angesehen – meinst du das?« Sie hatte den Richter wirklich besser gekannt als jeder andere.

»Ja. Und du?«

»Es hätte zu Reuben Atlee gepasst.«

Sie beendeten das Thema und schwiegen, während sie im kühlen Schatten der Veranda hin und her schaukelten, als wäre die Zeit stehen geblieben. Keinem von beiden war die Stille unangenehm. Auf einer Veranda zu sitzen erlaubte einem, ein Gespräch für längere Zeit zu unterbrechen, um seine Gedanken zu sammeln oder an gar nichts zu denken.

Schließlich hatte Ray, der immer noch nach einem ungeschriebenen Drehbuch vorging, genügend Mut gefasst, um die schwierigste Frage von allen zu stellen. »Claudia, ich muss etwas wissen, und bitte sei ehrlich.«

»Ich bin immer ehrlich. Das ist eine meiner Schwächen.«

»Ich habe die Integrität meines Vaters nie in Zweifel gezogen.«

»Das solltest du auch jetzt nicht tun.«

»Ich muss es wissen, Claudia.«

»Sprich weiter.«

»Hat er nebenbei noch etwas verdient – eine kleine Zulage von einem Anwalt, ein Stück vom großen Kuchen einer Prozesspartei? Hat er Bestechungsgelder genommen?«

»Definitiv nicht.«

»Claudia, ich stochere im Dunkeln und hoffe, dass da etwas ist. Man findet nicht einfach so einhunderttausend Dollar in ungebrauchten, neuen Scheinen in einem Regal. Als er starb, hatte er sechstausend Dollar auf dem Konto. Warum hat er einhunderttausend versteckt?«

»Er war der ehrlichste Mann der Welt.«

»Das glaube ich dir.«

»Dann hör auf, von Bestechung zu reden.«

»Nichts lieber als das.«

Sie zündete sich noch eine Zigarette an, und Ray ging in die Küche, um die Teegläser aufzufüllen. Als er auf die Veranda zurückkam, war Claudia tief in Gedanken versunken und starrte über die Straße hinweg ins Leere. Sie schaukelten eine Weile hin und her.

»Ich glaube, der Richter hätte gewollt, dass du etwas von dem Geld bekommst«, sagte Ray schließlich.

»Wirklich?«

»Ja. Wir werden Geld brauchen, um das Haus für den Verkauf herzurichten, vermutlich um die fünfundzwanzigtausend. Was hältst du davon, wenn du, ich und Forrest den Rest miteinander teilen?«

»Fünfundzwanzigtausend für jeden?«

»Genau. Was meinst du?«

»Du nimmst das Geld nicht in den Nachlass auf?«, fragte sie. Mit den Gesetzen kannte sie sich besser aus als Harry Rex.

»Warum sollte ich? Es ist Bargeld, niemand weiß etwas davon, und wenn wir es melden, geht die Hälfte für die Steuer drauf.«

»Wie würdest du es erklären?« Sie war ihm wie immer einen Schritt voraus. Früher hatten alle gesagt, dass Claudia einen Fall schon entschieden habe, bevor die Anwälte mit ihrem Eröffnungsplädoyer begannen.

Und sie liebte Geld. Modische Kleidung, Parfüm, immer ein neues Auto, und all das vom bescheidenen Gehalt einer Gerichtsstenotypistin. Wenn sie eine Rente bekam, war sie mit Sicherheit nicht sehr hoch.

»Ich kann es nicht erklären«, erwiderte Ray.

»Wenn es Spielgewinne sind, müsstest du seine Steuererklärungen für die letzten Jahre korrigieren.« Sie hatte sofort erfasst, was das bedeuten würde. »Was für ein Aufwand.«

»Ein Riesenaufwand.«

Der Aufwand wurde mit keinem Wort mehr erwähnt. Von ihrem Deal würde nie jemand erfahren.

»Wir hatten einmal einen Fall«, sagte Claudia, während sie über den Rasen hinwegstarrte. »Vor dreißig Jahren, in Tippah County. Ein Mann namens Childers. Er hatte einen Schrottplatz und starb, ohne ein Testament gemacht zu haben.« Eine Pause, ein langer Zug an der Zigarette. »Er hatte mehrere Kinder, die nach seinem Tod überall Geld fanden, in seinem Büro, auf dem Dachboden, in einem Geräteschuppen hinter dem Haus, im Kamin. Es war wie beim Ostereiersuchen. Nachdem sie jeden Zentimeter im Haus und auf dem Grundstück durchsucht hatten, zählten sie das Geld. Es waren etwa zweihunderttausend Dollar. Und das von einem Mann, der seine Telefonrechnung nicht bezahlt und zehn Jahre lang immer denselben Overall getragen hatte.« Wieder eine Pause, wieder ein langer Zug. Sie konnte Hunderte solcher Geschichten erzählen. »Die Hälfte der Kinder wollte das Geld teilen und sich aus dem Staub machen, die andere Hälfte wollte es dem Anwalt sagen und das Geld bei der Nachlasseröffnung angeben. Die Geschichte sickerte durch, die Familie bekam es mit der Angst zu tun, und das Geld wurde in den Nachlass des Vaters aufgenommen. Die Kinder zerstritten sich. Fünf Jahre später war das ganze Geld weg – die Hälfte war an den Staat gegangen, die andere Hälfte an die Anwälte.«

Sie brach ab, und Ray wartete auf den Schluss der Geschichte. »Was willst du mir damit sagen?«, fragte er.

»Der Richter sagte, es sei eine Schande. Die Kinder hätten das Geld behalten und unter sich aufteilen sollen. Schließlich habe es ihrem Vater gehört.«

»Für mich klingt das sehr vernünftig.«

»Er hasste Erbschaftssteuern. Warum soll man dem Staat einen großen Teil seines Vermögens überlassen, nur weil man stirbt? Ich habe ihn jahrelang darüber schimpfen hören.«

Ray nahm einen Umschlag, der hinter seinem Schaukelstuhl lag, und gab ihn Claudia. »Das sind fünfundzwanzigtausend in bar.«

Sie starrte den Umschlag an. Dann sah sie ihm ungläubig ins Gesicht.

»Nimm es«, drängte er sie. »Niemand wird je etwas davon erfahren.«

Sie ergriff den Umschlag und war für einen Moment sprachlos. In ihren Augen standen Tränen, was bei ihr Seltenheitswert hatte. »Danke«, flüsterte sie und umklammerte das Geld noch etwas fester.

Ray saß noch lange, nachdem Claudia gegangen war, in seinem Schaukelstuhl. Er wippte in der Dunkelheit hin und her, zufrieden mit sich selbst, weil er Claudia als Verdächtige streichen konnte. Die Tatsache, dass sie so bereitwillig fünfundzwanzigtausend Dollar angenommen hatte, war der Beweis dafür, dass sie nichts von der erheblich größeren Summe wusste.

Aber es gab keinen Verdächtigen, der ihren Platz auf der Liste einnehmen konnte.

23

Der Kontakt war über einen von Rays ehemaligen Studenten der Universität von Virginia hergestellt worden. Er war inzwischen Partner in einer großen New Yorker Kanzlei, die wiederum für jene Betriebsgesellschaft tätig war, der sämtliche Canyon Casinos im Land gehörten. Anrufe gingen hin und her, man erbat Gefälligkeiten und übte sehr behutsam und diplomatisch Druck aus. Fragen der Sicherheit waren betroffen, und bei diesem heiklen Thema gab man sich in der Regel sehr bedeckt. Aber Professor Atlee wollte nur Grundsätzliches wissen.

Das Canyon Casino in Tunica County lag am Mississippi, war während der zweiten Bauwelle Mitte der Neunzigerjahre entstanden und hatte die erste Pleitewelle in der Glücksspielbranche überlebt. Es bestand aus neun Stockwerken, vierhundert Zimmern, siebentausend Quadratmetern mit Spieltischen und Automaten und war mit Künstlern aus der Motown-Ära erfolgreich gewesen. Ray wurde von Jason Piccolo begrüßt, einem Vizepräsidenten aus der Zentrale in Las Vegas, der von Alvin Barker, dem Sicherheitschef des Kasinos, begleitet wurde. Piccolo war Anfang dreißig und wie ein Fotomodell von Armani gekleidet. Barker war in den Fünfzigern und sah aus wie ein erfahrener Ex-Cop in einem schlecht sitzenden Anzug.

Die beiden boten ihm zuerst eine Tour durch das Kasino an, was Ray jedoch ablehnte. Er hatte im letzten Monat so viele Kasinos gesehen, dass es ihm für die nächsten Jahre reichte. »Ist die ganze obere Etage für Besucher gesperrt?«, fragte er stattdessen.

»Schauen wir's uns an«, antwortete Piccolo höflich. Die beiden führten ihn an den Spielautomaten und Kartentischen vorbei zu einem Korridor, der hinter den Schaltern der Kassierer lag. Nachdem sie die Treppe hinaufgestiegen waren und einen weiteren Korridor durchquert hatten, kamen sie in einen schmalen Raum, in dem eine Wand aus Einwegspiegeln bestand. Durch die Spiegel konnte man in einen großen Raum mit niedriger Decke sehen, in dem runde Tische mit Monitoren standen. Dutzende Männer und Frauen hingen wie gebannt an den Bildschirmen. Offenbar befürchteten sie, etwas zu verpassen.

»Das hier ist unser internes Überwachungssystem«, erklärte Piccolo. »Die Mitarbeiter auf der linken Seite beobachten die Tische, an denen Blackjack gespielt wird. In der Mitte Craps und Roulette, rechts Spielautomaten und Poker.«

»Und was genau beobachten sie?«

»Alles. Absolut alles.«

»Würden Sie mir das bitte erläutern?«

»Alle Spieler. Wir beobachten die Gewinner, die Profis, die Kartenzähler, die Falschspieler. Blackjack zum Beispiel. Unsere Leute dort drüben können zehn Spieler auf einmal im Auge behalten und feststellen, ob jemand Karten zählt. Der Mann im grauen Jackett sieht sich die Gesichter an und sucht nach Zockern, die immer mit hohen Einsätzen spielen. Sie wechseln ständig das Kasino, sind heute hier, morgen in Vegas, dann machen sie eine Woche Pause und tauchen in Atlantic City oder auf den Bahamas wieder auf. Falschspieler oder Kartenzähler erkennt unser Mann in dem Moment, in dem sie sich hinsetzen.« Piccolo übernahm das Reden. Barker beobachtete Ray, als wäre dieser ein potenzieller Falschspieler.

»Wie nah können die Kameras herangehen?«, fragte Ray.

»So nah, dass man die Seriennummer auf einem Geldschein lesen kann. Im vergangenen Monat haben wir einen Falschspieler erwischt, weil wir einen Diamantring erkannt haben, den er vorher schon einmal getragen hatte.«

»Kann ich reingehen?«

»Nein, tut mir Leid.«

»Was ist mit den Tischen, an denen Craps gespielt wird?«

»Genau die gleiche Überwachung, die allerdings etwas schwieriger ist, weil das Spiel schneller und komplizierter ist.«

»Gibt es bei Craps professionelle Falschspieler?«

»Selten. Genau wie bei Poker und Roulette. Falschspieler sind für uns kein großes Problem. Wir machen uns mehr Sorgen um Diebstähle durch Angestellte und Fehler am Tisch.«

»Was für Fehler?«

»Gestern Abend hat ein Spieler vierzig Dollar beim Blackjack gewonnen, aber unser Geber hat einen Fehler gemacht und die Jetons eingezogen. Der Spieler hat protestiert und den Pit Boss hinzugezogen. Unsere Leute hier oben hatten das Ganze beobachtet, daher konnten wir die Sache in Ordnung bringen.«

»Wie?«

»Wir haben einen Mitarbeiter vom Sicherheitsdienst nach unten geschickt, damit er dem Gast die vierzig Dollar auszahlt, sich bei ihm entschuldigt und ihm ein Abendessen spendiert.«

»Was ist mit dem Geber passiert?«

»Bisher hat es noch nie ein Problem mit ihm gegeben, aber noch ein Fehler, und er wird gefeuert.«

»Es wird also alles aufgezeichnet?«

»Alles. Jedes Blatt, jeder Wurf, jeder Spielautomat. Zurzeit laufen zweihundert Kameras.«

Ray ging an der Spiegelwand entlang und versuchte, sich über das Ausmaß der Überwachung klarzuwerden. Hier oben schienen mehr Leute in die Monitore zu starren, als unten Gäste spielten.

»Wie kann ein Geber trotz all dem hier betrügen?« Er deutete mit der Hand auf die Monitore.

»Es gibt Mittel und Wege«, sagte Piccolo und warf Barker einen wissenden Blick zu. »Pro Monat erwischen wir einen.«

»Warum lassen Sie die Spielautomaten beobachten?« Ray wechselte das Thema, um Zeit zu gewinnen, da man ihm nur einen Besuch hier oben zugestanden hatte.

»Weil wir alles beobachten lassen«, erwiderte Piccolo. »Außerdem hat es Fälle gegeben, bei denen Minderjährige den Jackpot gewonnen haben. Die Kasinos wollten nicht zahlen, und sie haben vor Gericht nur gewonnen, weil sie mithilfe von Videos beweisen konnten, dass die Minderjährigen abgetaucht waren und Erwachsene an ihrer Stelle den Gewinn beansprucht hatten. Darf ich Ihnen etwas zu trinken anbieten?«

»Gern.«

»Wir haben hier oben einen kleinen Raum, von dem aus man einen besseren Überblick hat.«

Ray folgte den beiden über eine zweite Treppe zu einer kleinen geschlossenen Galerie, von der man den Spielsaal und den Überwachungsraum sehen konnte. Eine Kellnerin erschien wie aus dem Nichts und fragte nach ihren Wünschen. Ray bestellte einen Cappuccino. Seine Gastgeber wollten Wasser.

»Was halten Sie für das größte Sicherheitsrisiko?«, fragte Ray. Er sah dabei auf eine Liste mit Fragen, die er aus der Jacketttasche gezogen hatte.

»Kartenzähler und Geber mit allzu flinken Fingern«, antwortete Piccolo. »Die kleinen Jetons kann man problemlos in Manschetten und Seitentaschen verschwinden lassen. Fünfzig Dollar am Tag sind tausend Dollar im Monat, steuerfrei natürlich.«

»Wie viele Kartenzähler kommen ins Kasino?«

»Es werden immer mehr. Kasinos gibt es inzwischen in vierzig Bundesstaaten, daher fangen auch immer mehr Leute mit dem Glücksspiel an. Wir legen für alle potenziellen Kartenzähler ausführliche Akten an, und wenn wir glauben, dass einer von ihnen hier ist, bitten wir ihn einfach, das Kasino zu verlassen. Dazu sind wir berechtigt.«

»Was war der bisher höchste Gewinn?«, wollte Ray wissen.

Piccolo sah zu Barker hinüber. »Ohne die Spielautomaten?«, erkundigte sich dieser.

»Ja.«

»Einmal hat jemand an einem Abend hundertachtzig beim Craps gewonnen.«

»Hundertachtzigtausend?«

»Genau.«

»Und die größte Summe, die jemand verloren hat?«

Barker nahm sein Wasserglas von der Kellnerin entgegen und kratzte sich kurz im Gesicht. »Drei Tage später hat derselbe Spieler zweihunderttausend verloren.«

»Gibt es Spieler, die kontinuierlich gewinnen?« Ray warf einen Blick auf seine Notizen, als würde er eine seriöse akademische Untersuchung durchführen.

»Ich verstehe nicht genau, was Sie damit meinen«, sagte Piccolo.

»Nehmen wir an, ein Spieler kommt jede Woche zwei-

oder dreimal ins Kasino, spielt Karten oder Würfel, gewinnt mehr, als er verliert, und auf diese Weise sammelt sich im Laufe der Zeit ein hübsches Sümmchen an. Wie häufig kommt so etwas vor?«

»Das ist sehr selten«, erwiderte Piccolo. »Sonst könnten wir das Kasino zumachen.«

»Extrem selten«, warf Barker ein. »Es kommt schon einmal vor, dass jemand zwei oder drei Wochen lang eine Glückssträhne hat. Dann sehen wir uns den Spieler etwas genauer an und überwachen ihn, denn schließlich gewinnt er ja unser Geld. Früher oder später wird er zu viel riskieren und eine Dummheit machen, und dann bekommen wir unser Geld zurück.«

»Langfristig gesehen verlieren achtzig Prozent der Spieler«, fügte Piccolo hinzu.

Ray rührte seinen Cappuccino um und sah sich seine Notizen an. »Jemand kommt ins Casino, ein völliger Unbekannter, legt tausend Dollar auf einen Blackjack-Tisch und will dafür Hundert-Dollar-Jetons haben. Was passiert daraufhin hier oben?«

Barker lächelte und ließ seine dicken Knöchel krachen. »Wir werden hellhörig. Wir beobachten ihn für ein paar Minuten, um festzustellen, ob er weiß, was er tut. Der Pit Boss wird ihn fragen, ob er ein Konto eröffnen will, und falls ja, haben wir seinen Namen. Wenn er es ablehnt, bieten wir ihm ein kostenloses Abendessen an. Eine der Kellnerinnen wird ihm ständig Drinks hinstellen. Wenn er nicht trinkt, ist das ein weiteres Indiz dafür, dass wir es mit einem ernsthaften Spieler zu tun haben.«

»Profis trinken nie, wenn sie spielen«, fügte Piccolo hinzu. »Sie bestellen sich vielleicht einen Drink, um nicht aufzufallen, aber sie nippen nur kurz daran.«

»Was meinten Sie mit ›ein Konto eröffnen‹?«

»Die meisten Spieler wollen ein paar Extras«, erklärte

Piccolo. »Ein Abendessen, Eintrittskarten für eine Show, einen besseren Preis für das Zimmer, alle möglichen Vergünstigungen, die wir anbieten. Sie haben Mitgliedskarten, anhand derer wir feststellen können, mit welchen Beträgen sie spielen. Der Spieler aus Ihrem Beispiel hat keine Karte, daher fragen wir ihn, ob er ein Konto eröffnen möchte.«

»Was passiert, wenn er nein sagt?«

»Kein Problem. Fremde kommen und gehen die ganze Zeit.«

»Aber wir versuchen natürlich, sie im Auge zu behalten«, gestand Barker ein.

Ray kritzelte etwas Bedeutungsloses auf sein gefaltetes Stück Papier. »Tauschen die Kasinos untereinander Informationen aus?«, fragte er. Zum ersten Mal schienen sowohl Piccolo als auch Barker nicht antworten zu wollen.

»Was meinen Sie mit ›Informationen austauschen‹?«, fragte Piccolo schließlich mit einem Lächeln, das Ray prompt erwiderte. Barker beeilte sich, ebenfalls zu lächeln.

Noch während alle drei lächelten, sagte Ray: »Nehmen wir wieder unseren kontinuierlich gewinnenden Spieler als Beispiel. Angenommen, der Mann spielt an einem Abend im 'Monte Carlo', am nächsten im 'Treasure Cove', am dritten im 'Alladin' und so weiter. Er spielt in allen Kasinos, die es hier gibt, und gewinnt erheblich mehr, als er verliert. Das geht etwa ein Jahr so. Wie viel wissen Sie in der Regel über einen solchen Spieler?«

Piccolo nickte in Barkers Richtung, der mit Daumen und Zeigefinger an seiner Lippe zupfte. »Wir wissen eine Menge«, gab er widerwillig zu.

»Wie viel?«, drängte Ray.

»Nur zu«, sagte Piccolo zu Barker, der zögernd zu reden begann.

»Wir kennen seinen Namen, seine Adresse, seinen Beruf,

Telefonnummer, Autokennzeichen, Bankverbindung. Wir wissen, wo er abends ist, wann er ankommt, wann er geht, wie viel er gewinnt oder verliert, wie viel er trinkt, ob er zu Abend gegessen hat, der Kellnerin ein Trinkgeld gegeben hat, und falls ja, wie viel, und wie viel der Geber bekommen hat.«

»Legen Sie für solche Spieler eine Akte an?«

Barker sah Piccolo an, der ihm langsam zunickte, aber schwieg. Die beiden wollten nichts mehr sagen, weil Ray ihnen zu dicht auf die Pelle rückte. Er sagte, dass er jetzt doch gern eine Tour durchs Kasino machen würde. Sie gingen in den Spielsaal hinunter, wo er sich nicht die Spieltische, sondern die Kameras an der Decke ansah. Piccolo deutete auf einige Sicherheitsleute. Sie standen neben einem Blackjack-Tisch, an dem ein Jugendlicher, der wie ein Teenager aussah, mit Stapeln von Hundert-Dollar-Jetons spielte.

»Er ist aus Reno«, flüsterte Piccolo. »Letzte Woche nach Tunica gekommen. Seitdem hat er uns dreißig Riesen abgenommen. Sehr, sehr gut.«

»Und er zählt keine Karten«, flüsterte Barker.

»Manche haben einfach Talent fürs Spiel, wie andere für Golf oder Herzchirurgie«, sagte Piccolo.

»Spielt er in allen Kasinos?«, wollte Ray wissen.

»Noch nicht, aber die anderen warten schon auf ihn.« Der Junge aus Reno machte sowohl Barker als auch Piccolo sehr nervös.

Rays Besuch endete im Foyer des Kasinos, wo sie etwas Alkoholfreies tranken und noch ein paar Worte wechselten. Ray hatte seine Liste mit Fragen abgehakt, die alle auf das große Finale hinführten.

»Ich würde Sie gern um einen Gefallen bitten«, sagte er zu den beiden. Sicher, kein Problem. »Mein Vater ist vor einigen Wochen gestorben, und es gibt Grund zu der

Annahme, dass er oft hier war und gewürfelt hat. Vielleicht hat er erheblich mehr gewonnen als verloren. Ließe sich das überprüfen?«

»Wie hieß er?«, fragte Barker.

»Reuben Atlee. Aus Clanton.«

Barker schüttelte verneinend den Kopf, während er ein Handy aus der Tasche zog.

»Wie viel?«, wollte Piccolo wissen.

»Ich weiß nicht, vielleicht eine Million in einem Zeitraum von mehreren Jahren.«

Barker schüttelte immer noch den Kopf. »Auf keinen Fall. Wir kennen jeden, der solche Summen gewinnt oder verliert.« Dann bat er die Person am anderen Ende der Leitung, einen gewissen Reuben Atlee zu überprüfen.

»Sie glauben, dass er eine Million Dollar gewonnen hat?«, fragte Piccolo.

»Gewonnen und verloren«, erwiderte Ray. »Wie gesagt, wir wissen es nicht genau.«

Barker beendete das Telefonat. »Wir haben keine Informationen über einen Reuben Atlee. Er hat hier bestimmt nicht sehr oft gespielt.«

»Und wenn er in einem der anderen Kasinos gespielt hat?« Ray ahnte, wie die Antwort ausfallen würde.

»Das würden wir wissen«, sagten beide wie aus einem Mund.

24

Ray war der Einzige in Clanton, der an diesem Morgen joggte, und erntete deshalb neugierige Blicke von den Hausfrauen, die in ihren Blumenbeeten standen, den Bediensteten, die die Veranden säuberten, und den Aushilfskräften auf dem Friedhof, die gerade das Gras mähten, als er am Familiengrab der Atlees vorbeilief. Die Erde auf dem Grab des Richters hatte sich bereits etwas gesetzt, aber Ray blieb weder stehen, noch wurde er langsamer, um es sich anzusehen. Die Männer, die das Grab seines Vaters ausgehoben hatten, gruben gerade ein neues. In Clanton gab es jeden Tag Todesfälle und Geburten. Alles blieb meist so, wie es schon immer gewesen war.

Es war noch nicht einmal acht Uhr, aber die Sonne brannte, und die Luft war drückend schwer. Die Feuchtigkeit machte Ray nichts aus, weil er damit aufgewachsen war, aber er hätte gut auf die schwüle Hitze verzichten können.

Er fand den Ausgang zu den schattigen Straßen und lief zum Haus zurück. Forrests Jeep stand davor, und sein Bruder saß auf der Verandaschaukel. »Reichlich früh für dich«, sagte Ray.

»Wie weit bist du gelaufen? Du bist ja völlig verschwitzt.«

»Das kommt davon, wenn man bei dieser Hitze joggen geht. Acht Kilometer. Du siehst gut aus.«

Forrest sah wirklich gut aus. Seine Augenlider waren zur Abwechslung einmal nicht geschwollen, der Blick war klar, er hatte sich rasiert und geduscht und trug eine saubere weiße Malerhose.

»Ich habe mit dem Trinken aufgehört.«

»Großartig.« Ray setzte sich schwer atmend und immer noch heftig schwitzend in einen Schaukelstuhl. Er würde nicht fragen, wie lange Forrest schon nüchtern war. Länger als vierundzwanzig Stunden sicher nicht.

Forrest stand auf und zog den zweiten Schaukelstuhl in Rays Nähe. »Ich brauche Hilfe, Bruderherz.« Er setzte sich auf die Stuhlkante.

Warum überrascht mich das nicht?, fragte Ray sich. »Leg los.«

»Ich brauche Hilfe«, wiederholte Forrest, wobei er sich heftig die Hände rieb, als wären ihm seine Worte peinlich.

Ray hatte das alles schon oft mitgemacht und keine Geduld mehr. »Was ist los, Forrest?« Meistens ging es um Geld. Falls sein Bruder kein Geld wollte, gab es ein paar andere Möglichkeiten.

»Ich möchte … an einen Ort, der etwa eine Stunde von hier entfernt ist. Er liegt mitten im Wald, ziemlich abgelegen, nett, mittendrin ein hübscher, kleiner See, gemütliche Zimmer.« Er zog eine zerknitterte Visitenkarte aus der Tasche und gab sie Ray.

Alcorn Village. Therapiezentrum für Drogen- und Alkoholkranke. Eine Einrichtung der methodistischen Kirche.

»Wer ist Oscar Meave?«, fragte Ray, während er sich die Karte ansah.

»Ich habe ihn vor ein paar Jahren kennen gelernt. Er hat mir geholfen, jetzt arbeitet er dort.«

»Ist das eine Entgiftungsklinik?«

»Entgiftung, Rehabilitation, Therapiezentrum, stationärer Entzug, Spa, Ranch, Dorf, Gefängnis, Klapsmühle – es ist mir egal, wie du es nennst. Ich brauche Hilfe, Ray. Sofort.« Forrest schlug die Hände vors Gesicht und fing an zu weinen.

»Ist ja gut«, sagte Ray. »Erzähl mir mehr.«

Forrest fuhr sich mit den Händen über Augen und Nase und holte tief Luft. »Ruf ihn an und finde heraus, ob sie ein Zimmer für mich haben«, bat er mit zitternder Stimme.

»Wie lange musst du bleiben?«

»Vier Wochen, glaube ich, aber Oscar kann dir mehr sagen.«

»Und wie viel soll das Ganze kosten?«

»Etwa dreihundert Dollar pro Tag. Ich dachte, vielleicht könnte ich meinen Anteil am Haus beleihen. Harry Rex soll den Richter fragen, ob es nicht eine Möglichkeit gibt, jetzt schon an etwas Geld zu kommen.«

Für Ray waren die Tränen nichts Neues. Er hatte die Bitten und Versprechungen schon so oft gehört. Doch egal, wie hart und zynisch er in diesem Moment sein wollte, er ließ sich doch wieder erweichen. »Ich kümmere mich darum«, sagte er. »Ich werde ihn anrufen.«

»Ray, bitte, ich will *sofort* dorthin.«

»Heute noch?«

»Ja. Ich ... Na ja, ich kann nicht nach Memphis zurück.« Forrest ließ den Kopf hängen und fuhr sich mit den Fingern durch das lange Haar.

»Sucht jemand nach dir?«

»Ja.« Er nickte. »Böse Jungs.«

»Cops?«

»Nein, die sind viel schlimmer als Cops.«

»Wissen sie, dass du hier bist?« Ray sah sich um. Er bildete sich schon ein, schwer bewaffnete Drogenhändler hinter den Büschen lauern zu sehen.

»Nein, sie haben keine Ahnung, wo ich bin.«

Ray stand auf und ging ins Haus.

Wie die meisten Menschen konnte sich auch Oscar Meave noch gut an Forrest erinnern. Sie hatten sich in einer staatlichen Entzugseinrichtung in Memphis kennen gelernt, und obwohl er sehr betroffen war, als er hörte, dass Forrest Hilfe brauchte, freute er sich, mit Ray über ihn zu sprechen. Ray versuchte, ihm zu erklären, dass es ziemlich dringend war, wenn ihm sein Bruder auch keine Details erzählt hatte und nicht erzählen würde. Ihr Vater sei vor drei Wochen gestorben, sagte er, als wäre das Grund genug.

»Bringen Sie ihn her«, sagte Meave. »Wir finden schon einen Platz für ihn.«

Dreißig Minuten später verließen sie die Stadt in Rays Mietwagen. Forrests Jeep hatten sie sicherheitshalber hinter dem Haus geparkt.

»Bist du sicher, dass diese Kerle nicht hier auftauchen werden?«, fragte Ray.

»Sie haben keine Ahnung, wo ich herkomme«, erwiderte Forrest. Sein Kopf lag an der Nackenstütze, die Augen waren hinter einer modischen Sonnenbrille verborgen.

»Und was für Typen sind das genau?«

»Ein paar richtig nette Jungs aus dem Süden von Memphis. Sie würden dir gefallen.«

»Du schuldest ihnen Geld?«

»Ja.«

»Wie viel?«

»Viertausend Dollar.«

»Und wofür hast du diese viertausend Dollar gebraucht?«

Forrest tippte sich an die Nase. Ray schüttelte verärgert den Kopf und biss sich auf die Zunge, um eine heftige Standpauke zu unterdrücken. Warte noch ein paar Kilometer, sagte er zu sich. Sie fuhren durch eine ländliche Gegend mit Ackerland auf beiden Seiten der Straße.

Forrest fing an zu schnarchen.

Zum dritten Mal hatte Ray seinen Bruder nun eigenhändig ins Auto gepackt, um ihn zu einer Entgiftungseinrichtung zu fahren. Das letzte Mal war vor fast zehn Jahren gewesen. Der Richter war damals noch nicht im Ruhestand, Claudia war noch an seiner Seite, und Forrest nahm mehr Drogen als jeder andere Mensch im Staat. Alles so, wie es fast immer schon gewesen war. Die Drogenfahndung hatte ein weites Netz um Forrest gespannt, dem er durch blankes Glück entkommen war. Sie glaubten, dass er mit Drogen handelte – was auch der Fall war –, und wenn sie ihn erwischt hätten, würde er heute noch im Gefängnis sitzen. Ray hatte ihn zu einer staatlichen Klinik in der Nähe der Küste gefahren. Der Richter hatte seine Beziehungen spielen lassen, um Forrest einen Platz zu besorgen. Dort tat er einen Monat lang nichts anderes, als zu schlafen, dann haute er ab.

Die erste Fahrt der beiden Brüder zu einer Therapieeinrichtung hatte stattgefunden, als Ray in Tulane Jura studierte. Forrest hatte wahllos Pillen geschluckt, die eine fast tödliche Kombination ergaben. Sie pumpten ihm den Magen aus und hätten ihn beinahe für tot erklärt. Der Richter schickte ihn in eine Art Lager mit abgesperrten Türen und Stacheldraht in der Nähe von Knoxville. Forrest blieb eine Woche, dann flüchtete er.

Forrest hatte zweimal im Gefängnis gesessen, einmal als Jugendlicher, einmal als Erwachsener, obwohl er zu dem Zeitpunkt erst neunzehn gewesen war. Die erste Verhaftung hatte unmittelbar vor einem entscheidenden Footballspiel seiner Highschool stattgefunden, an einem Freitagabend in Clanton, während die ganze Stadt dem Anpfiff entgegenfieberte. Er war sechzehn und Quarterback, ein

Kamikazespieler, der alles niederrannte, was sich ihm in den Weg stellte. Die Drogenfahnder holten ihn aus der Umkleidekabine und führten ihn in Handschellen ab. Sein Ersatzmann war ein blutiger Anfänger, und dass Clanton damals haushoch verlor, wurde Forrest Atlee von den Einwohnern der Stadt nie verziehen.

Ray hatte mit dem Richter zusammen auf der Tribüne gesessen und sich wie alle anderen auf das Spiel gefreut. »Wo ist Forrest?«, fragten sich die Zuschauer während des Showprogramms vor dem Spiel. Als die Münze geworfen wurde, war Forrest im Gefängnis der Stadt, wo man ihm Fingerabdrücke abnahm und ihn fotografierte. In seinem Wagen hatte man vierhundert Gramm Marihuana gefunden.

Die nächsten zwei Jahre verbrachte er in einer Jugendstrafanstalt, aus der er an seinem achtzehnten Geburtstag entlassen wurde.

Wie wird der sechzehnjährige Sohn eines angesehenen Richters einer Kleinstadt im amerikanischen Süden, in der es nie ein Rauschgiftproblem gegeben hat, zum Drogenhändler? Ray und sein Vater hatten sich diese Frage tausendmal gestellt. Die Antwort kannte nur Forrest, doch der hatte vor langer Zeit beschlossen, sie für sich zu behalten. Ray war froh, dass er über die meisten seiner Geheimnisse schwieg.

Nach einem kleinen Schläfchen wurde Forrest mit einem Ruck wach und verkündete, dass er etwas zu trinken brauche.

»Nein«, sagte Ray.

»Was Alkoholfreies, ich schwöre es dir.«

Sie hielten vor einem kleinen Laden an und kauften Mineralwasser. Zum Frühstück aß Forrest eine Tüte Erdnüsse.

»Bei einigen Einrichtungen ist das Essen recht gut«, sagte er, als sie wieder auf der Straße waren. Forrest, der Experte für Entgiftungskliniken. Forrest, der für Rehabilitationszentren zuständige Restaurantkritiker. »Aber meistens nehme ich ein paar Kilo ab«, sagte er kauend.

»Gibt es da auch Fitnessstudios oder so etwas in der Art?« Ray wollte das Gespräch nicht abbrechen lassen, hätte aber gut darauf verzichten können, die Vorzüge der verschiedenen Therapiezentren zu erörtern.

»Bei manchen schon«, erwiderte Forrest selbstgefällig. »Ellie hat mich mal zu einer Therapie nach Florida geschickt. Das Zentrum lag in der Nähe eines Strands. Viel Sand und Wasser, viele traurige, reiche Leute. Drei Tage Gehirnwäsche, dann haben sie dafür gesorgt, dass wir ständig in Bewegung waren. Wanderungen, Rad fahren, Joggen, Gewichtstraining, was man wollte. Ich bin schön braun geworden und habe sieben Kilo abgenommen. Danach war ich acht Monate lang clean.«

In Forrests bedauernswertem Leben wurde alles und jedes nach den Phasen gemessen, in denen er nüchtern und clean gewesen war.

»Ellie hat dich hingeschickt?«, erkundigte sich Ray.

»Ja. Ist schon ein paar Jahre her. Damals hatte sie Geld, allerdings nicht viel. Immer, wenn ich ganz unten war, tat ich ihr Leid, und sie half mir. Das Therapiezentrum war richtig passabel. Einige der Therapeuten waren Mädchen aus Florida mit langen Beinen und kurzen Röcken.«

»Das muss ich mir ansehen.«

»Leck mich.«

»War nur ein Witz.«

»An der Westküste gibt es ein Therapiezentrum, das Hacienda, in das die Hollywood-Stars gehen. Es geht zu wie im Ritz. Luxuriöse Zimmer, jeden Tag Massagen, Köche, die hervorragende Mahlzeiten mit tausend Kalorien pro Tag zustande bringen. Und die Therapeuten sind die besten der Welt. Genau das brauche ich, Bruderherz. Sechs Monate im Hacienda.«

»Warum sechs Monate?«

»Weil ich sechs Monate brauche. Ich habe es mit zwei Monaten probiert, einem Monat, drei Wochen, zwei Wochen, es reicht einfach nicht. Bei mir funktionieren nur sechs Monate mit totaler Abgeschiedenheit, totaler Gehirnwäsche, totaler Therapie und meiner eigenen Masseurin.«

»Wie viel kostet es?«

Forrest stieß einen Pfiff aus und verdrehte die Augen. »Such's dir aus – ich weiß es nicht. Man muss jede Menge Kohle und zwei Empfehlungsschreiben haben, um aufgenommen zu werden. Stell dir das mal vor, ein Empfehlungsschreiben. ›Liebe Leute vom Hacienda, ich möchte hiermit meinen guten Freund Doofus Smith als Patient für Ihre wundervolle Einrichtung empfehlen. Doofus trinkt Wodka zum Frühstück, schnupft Kokain zum Mittagessen, spritzt zum Kaffee Heroin und liegt beim Abendessen schon fast im Koma. Sein Gehirn ist verschmort, seine Venen sind zerfetzt, seine Leber ist durchlöchert. Doofus ist genau der richtige Patient für Sie, und außerdem gehört seinem Alten Idaho.‹«

»Kann man da sechs Monate bleiben?«

»Du hast keine Ahnung, was?«

»Da hast du wohl Recht.«

»Viele von den Koksern brauchen ein Jahr. Heroinsüchtige sogar noch länger.«

Und was für ein Gift ziehst du dir gerade rein?, hätte Ray am liebsten gefragt. Aber eigentlich wollte er es gar nicht wissen. »Ein Jahr?«, sagte er.

»Genau. Völlige Abgeschiedenheit. Und dann kommt es auf den Süchtigen an. Ich kenne Typen, die drei Jahre lang im Gefängnis gesessen haben, ohne Koks, ohne Crack, völlig ohne Drogen, und nach ihrer Entlassung haben sie sofort einen Dealer angerufen, noch vor ihren Frauen oder Freundinnen.«

»Was passiert mit ihnen?«

»Na, jedenfalls nichts Schönes.« Forrest steckte sich die letzten Erdnüsse in den Mund, klatschte die Hände gegeneinander und ließ Salz herabrieseln.

Es gab kein Schild, das die Besucher zum Alcorn Village führte. Sie folgten der Wegbeschreibung, die Oscar ihnen gegeben hatte, bis sie der Meinung waren, sich in der hügeligen Landschaft verfahren zu haben. Da sahen sie in einiger Entfernung ein Tor. Nachdem sie eine baumbestandene Einfahrt hinter sich hatten, tauchten die ersten Gebäude auf. Das Therapiezentrum machte einen friedlichen, abgeschiedenen Eindruck, und Forrest verteilte gute Noten für den ersten Eindruck.

Oscar Meave kam in die Eingangshalle des Verwaltungsgebäudes und führte sie zu einem Büro, wo er sich selbst um die Formulare für die Aufnahme kümmerte. Er war Therapeut, Verwalter und Psychologe in einer Person, ein ehemaliger Süchtiger, der seit Jahren nicht mehr abhängig war und zweimal promoviert hatte. Er trug Jeans, ein Sweatshirt, Turnschuhe, einen Spitzbart und zwei Ohrringe, und seinem Gesicht war anzusehen, dass er stürmische Jahre hinter sich hatte. Aber seine Stimme war leise und freundlich. Er strahlte das robuste Mitgefühl eines Menschen aus, der das, was Forrest bevorstand, schon hinter sich hatte.

Die Therapie kostete dreihundertfünfundzwanzig Dollar pro Tag, und Oscar empfahl einen Aufenthalt von mindestens vier Wochen. »Dann sehen wir, wie weit er ist. Ich werde ein paar sehr unangenehme Fragen stellen, weil ich wissen muss, was er alles angestellt hat.«

»Bei dem Gespräch möchte ich nicht dabei sein«, sagte Ray.

»Keine Sorge, wirst du nicht«, erwiderte Forrest. Er hatte sich bereits mit dem bevorstehenden Verhör abgefunden.

»Außerdem benötigen wir die Hälfte der Summe im Voraus«, sagte Oscar. »Die andere Hälfte ist vor Abschluss der Therapie fällig.«

Ray zuckte zusammen und versuchte, sich an den Stand seines Girokontos in Virginia zu erinnern. Er hatte zwar eine große Summe in bar, aber dieses Geld konnte er jetzt nicht auf den Tisch legen.

»Das Geld kommt aus dem Nachlass meines Vaters«, sagte Forrest. »Es könnte ein paar Tage dauern.«

Oscar schüttelte den Kopf. »Keine Ausnahmen. Die Hälfte sofort. Das ist Vorschrift.«

»Kein Problem«, warf Ray ein. »Ich stelle Ihnen einen Scheck aus.«

»Ich möchte, dass das Geld aus dem Nachlass kommt«, wandte Forrest ein. »Du wirst das nicht bezahlen.«

»Ich kann es mir ja aus dem Nachlass holen. Das wird schon gehen.« Ray wusste zwar nicht, wie, aber darüber sollte Harry Rex sich den Kopf zerbrechen. Er unterschrieb ein Formular, in dem er sich zur Übernahme sämtlicher Kosten verpflichtete. Forrest setzte seine Unterschrift auf ein Blatt Papier, auf dem alle Verbote und Vorschriften aufgelistet waren.

»Sie können frühestens in achtundzwanzig Tagen von hier weg«, sagte Oscar. »Wenn Sie vorher gehen, bekommen Sie keinen Cent von dem bereits gezahlten Geld zurück, und Sie werden hier nie wieder aufgenommen. Verstanden?«

»Verstanden«, erwiderte Forrest. Wie oft hatte er das schon durchgemacht?

»Sie sind aus freien Stücken hier, ist das richtig?«

»Das ist richtig.«

»Und niemand zwingt Sie dazu?«

»Niemand.«

Da das unbarmherzige Verhör unmittelbar bevorstand, war es für Ray an der Zeit zu gehen. Er bedankte sich bei Oscar, umarmte Forrest und fuhr erheblich schneller davon, als er gekommen war.

25

Ray war jetzt sicher, dass das Geld aus der Zeit nach 1991 stammen musste, dem Jahr, in dem der Richter in Pension gegangen war. Davor war Claudia ständig in seiner Nähe gewesen, und sie wusste nichts von den Millionen. Es war kein Schmiergeld, und er hatte es nicht beim Glücksspiel gewonnen.

Und es stammte auch nicht aus geschickten, heimlich getätigten Investitionen, da Ray keinen einzigen Beleg dafür fand, dass der Richter jemals Aktien oder Rentenwerte gekauft hatte. Der von Harry Rex beauftragte Buchhalter, der die Unterlagen des Richters vervollständigen und die letzte Steuererklärung anfertigen sollte, hatte ebenfalls nichts gefunden. Er hatte gesagt, dass er sämtliche Transaktionen problemlos nachvollziehen könne, da alles über die First National Bank in Clanton gelaufen sei.

Das glaubst du jedenfalls, dachte Ray.

Im Haus waren fast vierzig Kartons mit alten, nutzlosen Akten gelagert. Die Putzfrauen hatten sie in das Arbeitszimmer des Richters und ins Esszimmer gebracht. Nach ein paar Stunden hatte Ray gefunden, was er suchte. Zwei Kartons enthielten Notizen und Unterlagen – »Prozessakten«, wie der Richter sie auch nach seinem Ausscheiden noch genannt hatte – zu den Fällen, für

die er nach seiner Wahlniederlage von 1991 als Sonderrichter zuständig gewesen war.

Während eines Prozesses hatte der Richter immer pausenlos mitgeschrieben. Er notierte sich Datumsangaben,
Uhrzeiten, relevante Fakten, alles, was ihm bei der Urteils-
findung in einem Fall helfen konnte. Bei Zeugenaussagen
warf er häufig eine Frage ein. Und genauso häufig nutzte
er seine Notizen, um die Anwälte zu korrigieren. Ray hatte mehr als einmal gehört, wie der Richter während einer
Verhandlungspause in seinem Arbeitszimmer Witze darüber machte, dass er einschlafen würde, wenn er nicht so
eifrig mitschreiben würde. Bei einem langen Prozess konnte es schon einmal vorkommen, dass er zwanzig Schreib-
blöcke mit seinen Aufzeichnungen füllte.

Da er erst Anwalt und dann Richter gewesen war, hatte er es sich angewöhnt, alles und jedes aufzubewahren
und ordentlich abzuheften. Eine Prozessakte bestand aus
seinen Notizen, Kopien von Fällen, auf die sich die Anwälte beider Seiten bezogen, Kopien der entsprechenden
Gesetzestexte, Richtlinien, sogar vorbereitenden Schrift-
sätzen, die nicht Teil der offiziellen Gerichtsakten waren.
Mit den Jahren wurden die Prozessakten immer älter und
nutzloser. Jetzt füllten sie vierzig Kartons.

Seinen Steuererklärungen seit 1993 zufolge hatte der
Richter einiges verdient, indem er als Sonderrichter Fälle
angehört hatte, die sonst niemand verhandeln wollte. In
ländlichen Gebieten war es nichts Ungewöhnliches, dass
ein Fall mitunter zu heiß für einen gewählten Richter war.
Eine der beiden Prozessparteien stellte dann einen Antrag
auf Ablösung des Richters, der routinemäßig protestierte
und versicherte, trotz der Fakten oder der prozessführen-
den Partei gerecht und unparteiisch urteilen zu können,
dann aber widerstrebend zurücktrat und den Fall an einen
befreundeten Kollegen aus einem anderen Teil des Staates

abgab. Der Sonderrichter reiste an und konnte den Fall verhandeln, ohne die Hintergründe zu kennen und dadurch beeinflusst zu werden – und ohne sich Gedanken um seine Wiederwahl machen zu müssen.

In einigen Gerichtsbezirken wurden Sonderrichter eingesetzt, um die vollen Prozesslisten abzuarbeiten. Gelegentlich sprangen sie für einen erkrankten Kollegen ein. Fast alle diese Richter waren schon im Ruhestand. Der Staat zahlte ihnen fünfzig Dollar pro Stunde plus Spesen.

1992, in dem Jahr nach seiner Wahlniederlage, hatte Richter Atlee nichts dazuverdient. 1993 hatte man ihm fünftausendachthundert Dollar ausbezahlt. 1996, dem Jahr, in dem er am meisten gearbeitet hatte, waren es 16 300 Dollar gewesen. Im letzten Jahr, 1999, hatte er 8 760 Dollar verdient, war aber auch die meiste Zeit über krank gewesen.

Seine Einkünfte aus seiner Tätigkeit als Sonderrichter beliefen sich in einem Zeitraum von sieben Jahren auf insgesamt 56 590 Dollar. Alle Einkünfte waren in seinen Steuererklärungen angegeben.

Ray wollte wissen, bei welcher Art von Fällen der Richter in den letzten Jahren den Vorsitz geführt hatte. Harry Rex hatte einen erwähnt – den Aufsehen erregenden Scheidungsprozess eines amtierenden Gouverneurs. Die dazugehörige Prozessakte war sieben Zentimeter dicker als die übrigen und enthielt auch Artikel aus einer Zeitung aus Jackson mit Fotos des Gouverneurs und seiner Gattin, die bald seine Exfrau sein würde, und einer zweiten Frau, die man für seine aktuelle Geliebte hielt. Die Verhandlung hatte zwei Wochen gedauert, und seinen Notizen nach zu urteilen hatte sich Richter Atlee dabei prächtig amüsiert.

In der Nähe von Hattiesburg hatte der Richter zwei Wochen lang einen Annexionsfall verhandelt, der alle Beteiligten verärgert hatte. Die Stadt breitete sich immer mehr in westlicher Richtung aus und hatte ein Auge auf einige gewerblich genutzte Grundstücke in erstklassiger Lage geworfen. Mehrere Klagen waren eingereicht worden, und zwei Jahre später rief Richter Atlee die Parteien im Gerichtssaal zusammen. Auch in dieser Akte fand Ray einige Zeitungsartikel, aber nachdem er sich eine Stunde lang durch die komplizierte Thematik gearbeitet hatte, langweilte ihn der Fall. Er konnte sich nicht vorstellen, jemals den Vorsitz bei einer solchen Angelegenheit zu führen.

Aber wenigstens war es dabei um Geld gegangen.

1995 hatte Richter Atlee in der kleinen, zwei Stunden Fahrzeit entfernt liegenden Stadt Kosciusko acht Tage lang einen Fall verhandelt, aber nichts in der Akte deutete darauf hin, dass es dabei um etwas von Bedeutung gegangen war.

In Tishomingo County hatte es 1994 einen grauenhaften Verkehrsunfall gegeben, an dem ein Lastwagen beteiligt gewesen war. Fünf in ihrem Wagen eingeklemmte Teenager verbrannten. Da sie minderjährig gewesen waren, fiel die Schadenersatzklage der Angehörigen in den Zuständigkeitsbereich des Chancery Court. Ein amtierender Chancellor war mit einem der Opfer verwandt. Der andere hatte einen Gehirntumor und würde bald sterben. Richter Atlee sprang ein und führte den Vorsitz bei dem Prozess, der nach zwei Tagen mit einem Vergleich in Höhe von 7 400 000 Dollar endete. Ein Drittel ging an die Anwälte der Teenager, der Rest an ihre Familien.

Ray legte die Akte auf das Sofa des Richters neben den Annexionsfall. Er saß auf dem frisch polierten Holzfußboden des Arbeitszimmer, unter den wachsamen Augen von General Forrest. Zwar hatte er eine ungefähre Vorstellung von dem, was er da gerade tat, aber noch keinen genauen Plan, wie er weiter vorgehen sollte. Am besten war es wohl, wenn er die Akten rasch durchsah, die Fälle heraussuchte, bei denen es um Geld gegangen war, und feststellte, ob ihn das weiterbrachte.

Das Geld, das er kaum drei Meter entfernt gefunden hatte, musste ja irgendwo herkommen.

Sein Handy klingelte. Ein Sicherheitsdienst aus Charlottesville informierte ihn mit einer aufgezeichneten Nachricht darüber, dass gerade in seine Wohnung eingebrochen wurde. Er sprang auf und begann, mit sich selbst zu sprechen, während die Nachricht abgespielt wurde. Der Anruf ging gleichzeitig auch an die Polizei und an Corey Crawford. Nur Sekunden später rief Crawford an. »Ich bin auf dem Weg zu Ihrer Wohnung«, sagte er. Seine Stimme klang, als würde er gerade rennen. Es war fast 21.30 Uhr, Central Standard Time. 22.30 Uhr in Charlottesville.

Ray ging hilflos im Haus hin und her. Fünfzehn Minuten später meldete Crawford sich wieder. »Ich bin in Ihrer Wohnung«, sagte er. »Die Polizei ist auch da. Jemand hat zuerst die Tür unten und dann die oben aufgebrochen. Dadurch wurde der Alarm ausgelöst. Sie hatten nicht viel Zeit. Wo sollen wir nachsehen?«

»In meiner Wohnung gibt es nichts ausgesprochen Wertvolles.« Ray versuchte sich vorzustellen, auf was es der Dieb abgesehen haben könnte. Kein Bargeld, kein Schmuck, keine wertvollen Bilder oder Jagdgewehre, weder Gold noch Silber.

»Fernsehgerät, Stereoanlage, Mikrowelle, alles noch da«, informierte ihn Crawford. »Überall liegen Bücher und Zeitschriften auf dem Boden, und das Telefontischchen in der Küche wurde umgeworfen. Die hatten es offenbar ziemlich eilig. Fällt Ihnen noch irgendwas Wichtiges ein?«

»Nein, im Moment nicht.« Im Hintergrund hörte Ray das Funkgerät eines Polizisten quäken.

»Wie viele Schlafzimmer haben Sie?«, fragte Crawford, während er durch die Wohnung ging.

»Zwei, meines ist auf der rechten Seite.«

»Sämtliche Schranktüren stehen offen. Die haben nach was Bestimmtem gesucht. Können Sie mir sagen, nach was?«

»Nein«, antwortete Ray.

»Sieht so aus, als hätten sie das zweite Schlafzimmer gar nicht betreten«, berichtete Crawford, dann sprach er mit zwei Polizisten. »Bleiben Sie dran«, sagte er zu Ray, der regungslos an der Eingangstür stand, durch das Fliegengitter starrte und sich überlegte, wie er wohl am schnellsten nach Hause kam.

Die Polizisten und Crawford kamen zu dem Schluss, dass es sich bei dem Einbruch um das Werk eines professionellen Diebes handelte, der von der Alarmanlage überrascht worden war. Er hatte die beiden Türen aufgebrochen, ohne größeren Schaden zu verursachen, festgestellt, dass es eine Alarmanlage gab, war dann auf der Suche nach etwas Bestimmtem durch die Wohnung gerannt und hatte, als er es nicht finden konnte, aus Wut einige Gegenstände auf den Boden geworfen und das Weite gesucht. Er oder sie – es konnten auch mehrere Einbrecher gewesen sein.

»Sie müssen herkommen und der Polizei mitteilen, ob etwas fehlt. Außerdem muss ein Bericht gemacht werden«, sagte Crawford.

»Ich bin morgen wieder da«, entgegnete Ray. »Können Sie die Wohnung bis dahin sichern?«

»Kein Problem, wir lassen uns was einfallen.«

»Rufen Sie mich an, wenn die Cops weg sind.«

Ray setzte sich auf die Treppe vor dem Haus und hörte den Grillen zu, während er sich vorstellte, in der Dunkelheit vor Chaney's Self-Storage zu lauern, in der Hand den Achtunddreißiger des Richters, bereit, jeden zu erschießen, der in seine Nähe kam. Fünfzehn Stunden mit dem Auto. Dreieinhalb Stunden mit einem Privatflug-zeug. Er wählte Fog Newtons Nummer, aber niemand nahm ab.

Ray zuckte zusammen, als das Handy erneut klingelte.

»Ich bin noch in Ihrer Wohnung«, meldete sich Crawford.

»Ich glaube nicht, dass es ein Zufall war«, sagte Ray.

»Sie hatten Wertsachen erwähnt. Familienerbstücke in Chaney's Self-Storage.«

»Ja. Könnten Sie das Lagerhaus heute Nacht beobach-ten lassen?«

»Chaney's hat das Gelände gesichert, es gibt Wächter und Kameras. Die Sicherheitsmaßnahmen sind gar nicht mal schlecht.« Crawford klang müde und schien von dem Gedanken, die ganze Nacht in einem Auto verbringen zu müssen, nicht sonderlich begeistert zu sein.

»Können Sie's trotzdem tun?«

»Ich komme da doch gar nicht rein. Dazu muss man Kunde sein.«

»Beobachten Sie den Eingang.«

Crawford stöhnte und holte tief Luft. »Okay, ich küm-mere mich darum. Vielleicht schicke ich einen meiner Jungs los.«

»Danke. Ich melde mich morgen bei Ihnen, sobald ich in der Stadt bin.«

Ray rief das Lagerhaus an, doch niemand ging dran. Nach fünf Minuten versuchte er es noch einmal. Er ließ es vierzehnmal klingeln, bis sich jemand meldete.

»Chaney's, Sicherheitsdienst, Murray am Apparat.«

Ray erklärte dem Sicherheitsbeamten sehr höflich, wer er war und was er wollte. Er habe drei Lagerabteile gemie-tet und mache sich jetzt Sorgen, da jemand in seine Woh-nung in der Stadt eingebrochen sei. Ob Mr. Murray 14 B, 37 F und 18 R heute Nacht bitte besonders gut im Auge behalten könnte? Kein Problem, erwiderte Mr. Murray, der sich anhörte, als würde er pausenlos in den Telefonhörer gähnen.

Er sei nur ein bisschen nervös, erklärte Ray.

»Kein Problem«, murmelte Mr. Murray.

Erst nach einer Stunde und zwei Drinks hatte sich Rays Nervosität etwas gelegt. Er war Charlottesville keinen Meter näher gekommen. Am liebsten hätte er sich in den Mietwagen gesetzt und wäre die ganze Nacht durchgefahren, aber dieser Impuls legte sich bald. Es war besser, schlafen zu gehen und am nächsten Morgen in ein Flugzeug zu steigen. Doch da an Schlaf nicht zu denken war, beschäftigte er sich wieder mit den Prozessakten.

Der Richter hatte einmal gesagt, dass er nicht viel über Bebauungsrecht wisse, weil es in Mississippi nur wenige und in den sechs Verwaltungsbezirken des 25. Chancery District so gut wie gar keine Bebauungsvorschriften gebe. Trotzdem hatte ihn jemand überreden können, einen Fall in Columbus zu verhandeln, bei dem erbittert um eine Bebauungsvorschrift gestritten wurde. Der Prozess dauerte sechs Tage, und als er zu Ende war, gab es einen anonymen Telefonanruf. Jemand drohte, den Richter zu erschießen, was dieser in seinen Notizen vermerkt hatte.

Solche Drohungen waren nichts Ungewöhnliches, doch jeder wusste, dass der Richter immer einen Revolver mit sich herumtrug. Und man erzählte sich, dass Claudia ebenfalls ständig eine Waffe bei sich hatte. Die allgemeine Ansicht war, dass es besser sei, vom Richter als von seiner Gerichtsstenotypistin angeschossen zu werden.

Über dem Fall, in dem es um die Bebauungsvorschriften ging, wäre Ray fast eingeschlafen. Aber beim nächsten fand er eine Unstimmigkeit, das schwarze Loch, nach dem er gesucht hatte, und war mit einem Mal wieder hellwach.

Im Januar 1999 wurden dem Richter laut Steuererklärung 8 110 Dollar für einen Fall im 27. Chancery District ausgezahlt. Dieser District bestand aus zwei Countys an der Golfküste, einem Teil des Staates, für den der Richter nie viel übrig gehabt hatte. Ray konnte sich nicht vorstellen, dass sein Vater dort freiwillig einige Tage verbracht hatte.

Noch um einiges merkwürdiger war die Tatsache, dass die Prozessakte dazu fehlte.

Ray durchsuchte die beiden Kartons und fand nichts, was mit dem Fall an der Küste zu tun hatte. Mit wachsender Ungeduld durchwühlte er die übrigen achtunddreißig Kartons. Er vergaß den Einbruch in seiner Wohnung, er dachte nicht mehr an das Lagerhaus, und es war ihm egal, ob Mr. Murray wach oder überhaupt noch am Leben war. Und das Geld hätte er beinahe auch vergessen.

Eine Prozessakte fehlte.

26

Der US-Air-Flug startete um 6.40 Uhr morgens in Memphis, was bedeutete, dass Ray spätestens um fünf Uhr aus Clanton losfahren musste. Das wiederum bedeutete, dass er etwa drei Stunden Schlaf bekam, was für Maple Run jedoch normal war. Kaum war das Flugzeug in der Luft, nickte er das erste Mal weg. Auf dem Flughafen von Pittsburgh schlief er erneut ein, in dem kleinen Flugzeug nach Charlottesville ein drittes Mal. Nachdem er sich in seiner Wohnung umgesehen hatte, legte er sich aufs Sofa und wurde sofort vom Schlaf übermannt.

Das Geld war nicht angerührt worden. In keines seiner Lagerabteile bei Chaney's war eingebrochen worden. Er sperrte sich in 18 R ein, öffnete die fünf wasser- und feuerfesten Kartons und zählte dreiundfünfzig Gefrierbeutel.

Ray Atlee saß zwischen drei Millionen Dollar auf dem Betonfußboden eines Lagerabteils und gestand sich endlich ein, wie wichtig das Geld für ihn geworden war. Was ihn vergangene Nacht wirklich in Angst und Schrecken versetzt hatte, war der Gedanke, es zu verlieren. Und jetzt hatte er Angst, es hier zurückzulassen.

In den letzten drei Wochen hatte er sich zunehmend dafür interessiert, was wie viel kostete, was er mit dem Geld alles kaufen und wie er es vermehren konnte, je nachdem, ob er es konservativ oder risikofreudig investierte. Manchmal hielt er sich für reich, dann wieder wies er solche Gedanken weit von sich. Aber sie waren ständig in seinem Kopf, in seinem Unterbewusstsein, und drängten sich immer öfter in den Vordergrund. Allmählich bekam er Antworten auf seine Fragen: Nein, es war kein Falschgeld, nein, es konnte nicht zurückverfolgt werden, nein, der Richter hatte es nicht im Kasino gewonnen, nein, es war kein Schmiergeld von Anwälten oder Prozessparteien.

Und nein, das Geld sollte nicht mit Forrest geteilt werden, weil sein Bruder sich damit umbringen würde. Nein, es sollte aus mehreren wichtigen Gründen nicht in den Nachlass aufgenommen werden.

Eine Möglichkeit nach der anderen schloss Ray aus. Er würde vielleicht gezwungen sein, das Geld zu behalten.

Als jemand an die Metalltür klopfte, hätte er fast losgeschrien. Er sprang auf und rief: »Wer ist da?«

»Der Sicherheitsdienst«, lautete die Antwort. Die Stimme kam ihm bekannt vor. Er stieg über das Geld und machte die Tür einen Spaltbreit auf. Mr. Murray grinste ihn an.

»Alles in Ordnung bei Ihnen?« Murray sah eher aus wie ein Hausmeister als wie ein Sicherheitsbeamter.

»Alles in Ordnung, danke«, antwortete Ray, dem fast das Herz stehen geblieben wäre.

»Lassen Sie es mich wissen, wenn Sie Hilfe brauchen.«

»Ich möchte mich wegen letzter Nacht bei Ihnen bedanken.«

»Hab’ nur meine Arbeit gemacht.«

Nachdem Murray gegangen war, verstaute Ray das Geld wieder im Kofferraum des Audis. Während er dann durch die Stadt zu seiner Wohnung fuhr, behielt er den Rückspiegel im Auge.

Sein Vermieter schickte mehrere mexikanische Zimmerleute vorbei, um die beschädigten Türen zu reparieren. Sie hämmerten und sägten den ganzen Nachmittag lang und freuten sich über ein kaltes Bier, als sie mit der Arbeit fertig waren. Ray unterhielt sich ein wenig mit ihnen, während er versuchte, sie aus seiner Wohnung hinauszubekommen. Auf dem Küchentisch lag ein Stapel Post. Er hatte ihn fast den ganzen Tag über ignoriert, jetzt aber setzte er sich an den Tisch und sah sich die Briefe an. Rechnungen, die zu zahlen waren. Kataloge und Werbung. Drei Beileidskarten.

Ein Brief von der Steuerbehörde, adressiert an Mr. Ray Atlee, Nachlassverwalter von Reuben V. Atlee, vor zwei Tagen abgestempelt in Atlanta. Ray sah ihn sich aufmerksam an, bevor er ihn langsam öffnete. Ein Schreiben auf offiziellem Briefpapier, von einem gewissen Martin Gage, Steuerfahndung, Außenstelle Atlanta. In dem Brief stand Folgendes:

Sehr geehrter Mr. Atlee,
als Verwalter des Nachlasses Ihres Vaters sind Sie gesetzlich verpflichtet, sämtliche Vermögenswerte zur Bewertung und steuerlichen Veranlagung anzugeben. Die Verschleierung von Vermögen kann als Steuerhinterziehung betrachtet werden. Eine nicht autorisierte Auszahlung von Vermögenswerten verstößt gegen das geltende Recht von Mississippi und unter Umständen auch gegen Bundesrecht.

Martin Gage,
Steuerfahndung

Rays erster Impuls war, Harry Rex anzurufen und ihn zu fragen, was er der Steuerbehörde mitgeteilt hatte. Als Nachlassverwalter hatte Ray ab dem Zeitpunkt des Todes ein Jahr lang Zeit, um die endgültige Vermögensaufstellung einzureichen, und dem Buchhalter zufolge waren Fristverlängerungen problemlos möglich.

Der Brief war einen Tag, nachdem er und Harry Rex vor Gericht den Nachlass eröffnet hatten, abgeschickt worden. Warum hatte die Steuerbehörde so schnell reagiert? Und woher wusste sie eigentlich vom Tod Reuben Atlees?

Statt Harry Rex anzurufen, wählte er die Büronummer, die auf dem Briefkopf angegeben war. Er wurde von einer Tonbandansage in der Welt der Steuerbehörde, Außenstelle Atlanta, begrüßt. Man teilte ihm bedauernd mit, dass er zu einem anderen Zeitpunkt noch einmal anrufen müsse, da heute Samstag sei. Ray schaltete den Computer ein, ging online und fand im Telefonverzeichnis von Atlanta drei Martin Gages. Der erste, den er anrief, war gerade verreist, aber seine Frau sagte, er arbeite nicht für die Steuerbehörde, Gott sei Dank. Unter der zweiten Nummer meldete sich niemand. Beim dritten Versuch bekam Ray einen Mr. Gage in die Leitung, der gerade beim Abendessen saß.

»Sind Sie bei der Steuerbehörde beschäftigt?«, fragte Ray, nachdem er sich als Juraprofessor vorgestellt und für die Störung entschuldigt hatte.

»Ja, bin ich.«

»Steuerfahndung?«

»Genau. Seit vierzehn Jahren.«

Ray sagte, dass er einen Brief von ihm bekommen habe, und las ihn vor.

»Das habe ich nicht geschrieben«, erwiderte Gage.

»Wer denn dann?«, fragte Ray gereizt, was er sofort bereute.

»Woher soll ich das wissen? Können Sie mir den Brief faxen?«

Ray sah zu seinem Faxgerät hinüber und überlegte

schnell. »Ja, aber das Fax steht im Büro. Ich kann es erst am Montag erledigen.«

»Scannen Sie den Brief, und schicken Sie ihn mir per E-Mail«, schlug Gage vor.

»Äh, mein Scanner ist gerade kaputt. Ich werde Ihnen den Brief am Montag faxen.«

»In Ordnung, aber ich kann Ihnen jetzt schon sagen, dass sich hier jemand einen Scherz erlaubt hat. Der Brief stammt nicht von mir.«

Ray hätte das Gespräch mit dem Steuerfahnder am liebsten beendet, aber Gage kam jetzt in Fahrt. »Hören Sie«, fuhr er fort, »wenn sich jemand als Steuerbeamter ausgibt, ist das ein Bundesvergehen, und in einem solchen Fall ermitteln wir sofort. Haben Sie einen Verdacht, wer das gewesen sein könnte?«

»Nein, gar keinen.«

»Vermutlich hat er meinen Namen aus dem Online-Verzeichnis. Das war der größte Unsinn, der uns je eingefallen ist. Informationsfreiheit und dieser ganze Mist.«

»Vermutlich.«

»Wann wurde der Nachlass eröffnet?«

»Vor drei Tagen.«

»Vor drei Tagen! Dann ist die Vermögensaufstellung ja erst in einem Jahr fällig.«

»Ich weiß.«

»Was ist im Nachlass?«

»Nichts. Ein altes Haus.«

»Der Kerl muss verrückt sein. Faxen Sie mir den Brief am Montag. Ich werde Sie dann anrufen.«

»Danke.«

Ray legte das Telefon auf den Beistelltisch und fragte sich, aus welchem Grund er eigentlich bei Gage angerufen hatte.

Um den Brief zu überprüfen.

Gage würde nie eine Kopie davon bekommen. In einem Monat würde er ihn vergessen haben. Und in einem Jahr würde er sich nicht einmal mehr daran erinnern können, das jemand einen solchen Brief erwähnt hatte.

Trotzdem war der Anruf kein besonders kluger Schachzug gewesen.

Forrest hatte sich an den Alltag im Alcorn Village gewöhnt. Er durfte zwei Telefongespräche pro Tag führen, die abgehört wurden, wie er erklärte. »Sie wollen nicht, dass wir unsere Dealer anrufen.«

»Das ist nicht witzig«, sagte Ray. Er sprach mit dem nüchternen Forrest, dem Forrest mit der deutlichen Aussprache und dem scharfen Verstand.

»Warum bist du in Virginia?«

»Ich wohne hier.«

»Ich dachte, du wolltest hier in der Gegend ein paar Freunde besuchen. Kumpel von der Uni oder so.«

»Ich komme bald wieder. Wie ist das Essen?«

»Wie in einem Altersheim, dreimal am Tag Wackelpudding, aber immer in einer anderen Farbe. Furchtbar. Dreihundert Dollar am Tag ist blanker Nepp.«

»Und wie sieht's mit hübschen Mädchen aus?«

»Eines, aber sie ist vierzehn und die Tochter eines Richters, ob du es glaubst oder nicht. Ziemlich fertige Typen hier. Einmal am Tag haben wir eine Gruppensitzung, bei der jeder auf den schimpfen darf, der ihn zum Drogenkonsum verleitet hat. Wir reden über unsere Probleme. Wir helfen uns gegenseitig. Verdammt, ich habe mehr Ahnung als die Therapeuten. Schließlich ist das meine achte Entgiftung, Bruderherz.«

»Ich dachte, es wären mehr gewesen«, sagte Ray.

»Danke, dass du mir hilfst. Weißt du, was pervers ist?«

»Was?«

»Ich bin am glücklichsten, wenn ich clean bin. Ich fühle mich großartig, ich komme mir intelligent vor, ich kann alles. Und wenn ich dann wieder auf der Straße bin und denselben Blödsinn mache wie der andere Abschaum, hasse ich mich dafür. Ich weiß nicht, warum ich es tue.«

»Klingt, als würde es dir gut gehen, Forrest.«

»Bis auf das Essen gefällt es mir hier.«

»Gut. Ich bin stolz auf dich.«

»Kommst du mich besuchen?«

»Natürlich. Aber erst in ein paar Tagen.«

Anschließend rief Ray Harry Rex an, der – wie immer am Wochenende – im Büro war. Bei drei Exfrauen und einer Ehefrau gab es gute Gründe, warum man ihn nur selten zu Hause antraf.

»Weißt du, ob der Richter Anfang letzten Jahres einen Fall an der Küste verhandelt hat?«, fragte er.

Harry Rex aß gerade etwas und schmatzte ins Telefon. »An der Küste? Er hasste die Küste und war der Meinung, dass sich da nur Proleten von der Mafia herumtreiben.«

»Er hat Geld für eine Verhandlung dort unten bekommen. Letztes Jahr im Januar.«

»Letztes Jahr war er krank.« Harry Rex schluckte etwas Flüssiges.

»Der Krebs wurde im Juli diagnostiziert.«

»Ich kann mich an keinen Fall an der Küste erinnern.« Harry Rex biss in etwas. »Das ist eine Überraschung.«

»Für mich auch.«

»Warum siehst du dir seine Akten an?«

»Ich vergleiche nur die Einnahmenbelege mit seinen Prozessakten.«

»Warum?«

»Weil ich der Nachlassverwalter bin.«

»Entschuldigung, dass ich gefragt habe. Wann kommst du wieder her?«

»In ein paar Tagen.«

»He, ich habe heute zufällig Claudia getroffen, nachdem ich sie monatelang nicht gesehen hatte. Sie kam früh am Morgen in die Stadt und parkte einen nagelneuen schwarzen Cadillac in der Nähe des Coffee Shop, so dass ihn alle gut sehen konnten. Dann ist sie den halben Vormittag in der Stadt herumflaniert. Tolle Frau.«

Ray musste lächeln, als er sich vorstellte, wie Claudia mit einer Handtasche voller Geld zum Autohändler rannte. Der Richter wäre stolz gewesen.

Die Nacht verbrachte er auf dem Sofa, wo er immer wieder aus dem Schlaf aufschreckte. Die Wände knackten lauter als sonst, die Lüftungsschlitze und Leitungsschächte schienen aktiver zu sein. Dinge bewegten sich, dann war wieder alles ruhig. In der Nacht nach dem Einbruch wartete die ganze Wohnung auf den nächsten Dieb.

27

Um sich den Anschein von Normalität zu geben, ging Ray auf einer seiner Lieblingsstrecken joggen. Er lief die Fußgängerzone hinunter, die Main Street bis zum Campus, den Observatory Hill hoch und wieder zurück, insgesamt neun Kilometer. Mittags aß er mit Carl Mirk im Bizou, einem beliebten Bistro drei Häuserblocks von seiner Wohnung entfernt, und trank danach einen Kaffee in einem Straßencafé. Fog hatte die Bonanza für eine Flugstunde um fünfzehn Uhr reserviert, aber dann kam die Post, und mit der Normalität war es vorbei.

Der Umschlag war von Hand adressiert und an ihn gerichtet. Kein Absender, abgestempelt einen Tag zuvor in Charlottesville. Eine Stange Dynamit auf dem Tisch hätte nicht verdächtiger ausgesehen. Im Umschlag steckte ein dreimal gefaltetes Blatt Papier. Nachdem Ray es auseinander gefaltet hatte, traf ihn fast der Schlag. Einen Augenblick lang konnte er nicht denken, atmen, fühlen, hören.

Das Blatt war ein digitales Farbfoto, auf dem Lagerabteil 14 B von Chaney's Self-Storage zu sehen war, ausgedruckt auf normalem Kopierpapier. Kein Text, keine Warnungen, keine Drohungen. Es war auch nichts dergleichen notwendig.

Als Ray wieder atmen konnte, fing er an zu schwitzen,

und das dumpfe Gefühl in seinem Magen wich einem stechenden Schmerz. Ihm war so schwindlig, dass er die Augen schließen musste, und als er sie wieder öffnete und das Bild ansah, war es unscharf.

Sein erster Gedanke – der erste, an den er sich erinnern konnte – war, dass es in seiner Wohnung nichts gab, auf das er nicht hätte verzichten können. Er konnte alles zurücklassen. Trotzdem packte er eine kleine Tasche.

Drei Stunden später hielt er an einer Tankstelle in Roanoke, weitere drei Stunden später fuhr er zu einem belebten LKW-Stopp östlich von Knoxville. Er bog in den Parkplatz ein, ließ sich hinter das Lenkrad des TT sinken und beobachtete die Trucker, die kamen und gingen, und die Gäste in dem gut besuchten Lokal. Er wollte einen bestimmten Tisch am Fenster, und als der frei wurde, schloss er den Audi ab und ging hinein. Vom Tisch aus bewachte er seinen Wagen, der fünfzehn Meter von ihm entfernt stand und drei Millionen Dollar in bar enthielt.

Dem Geruch nach zu urteilen war die Spezialität des Hauses Fett. Ray bestellte einen Hamburger und fing an, auf eine Serviette zu kritzeln, welche Möglichkeiten er hatte.

Am sichersten wäre das Geld in einer Bank aufgehoben, in einem großen Schließfach hinter dicken Wänden, bewacht von Kameras. Er könnte die Summe splitten, sie auf mehrere Banken in mehreren Städten zwischen Charlottesville und Clanton verteilen und so eine möglichst irreführende Spur hinterlassen. Das Geld ließe sich unauffällig in einem Aktenkoffer hinbringen. Einmal in der Bank, würde es für immer sicher sein.

Aber das hieße auch, zu viele Spuren zu hinterlassen. Formulare für das Mieten von Schließfächern, er musste sich ausweisen, Adresse und Telefonnummer angeben …
und unser neuer stellvertretender Direktor würde Sie gern

kennen lernen! Es bedeutete Geschäfte mit Menschen, die er nicht kannte, Videokameras, Schließfachregister und vielleicht einiges mehr, weil er noch nie etwas in einem Bankschließfach deponiert hatte.

Er war an mehreren Lagerhäusern mit Abteilen zum Mieten vorbeigefahren, die entlang der Interstate standen. Solche Lagerhäuser fand man inzwischen überall; aus irgendeinem Grund waren sie immer so nah wie möglich an die Hauptverkehrstraßen gebaut worden. Warum suchte er sich nicht eines davon aus, zahlte die Miete in bar und beschränkte das Ausfüllen von Formularen auf ein Minimum? Er konnte einen oder zwei Tage in Podunktown bleiben, noch ein paar feuerfeste Lagerungskartons kaufen, das Geld verstecken und wieder abreisen. Es war eine brillante Idee, weil sein Peiniger es nicht erwarten würde.

Und es war eine dumme Idee, weil es bedeutet hätte, das Geld zurückzulassen.

Er könnte es mit nach Maple Run nehmen und im Keller vergraben. Harry Rex würde den Sheriff und die Polizei bitten, auf verdächtig aussehende Fremde zu achten, die in der Stadt herumlungerten. Wenn Ray von jemandem verfolgt wurde, würde man den großen Unbekannten in Clanton festnageln, und Dell aus dem Coffee Shop würde bis Sonnenaufgang über alle Einzelheiten informiert sein. In Clanton konnte man nicht husten, ohne gleich drei Leute anzustecken.

Die Fernfahrer kamen immer zu mehreren herein und redeten meist laut miteinander, nach langer, einsamer Fahrt begierig auf Gesellschaft und Gespräche. Sie sahen alle gleich aus, trugen Jeans und Cowboy-Stiefel. Als ein Mann mit Turnschuhen an Ray vorbeiging, wurde er aufmerksam. Leichte Baumwollhose, keine Jeans. Der Mann war allein und setzte sich an die Theke. Ray konnte im Spiegel einen Blick auf sein Gesicht erhaschen, das er schon einmal gesehen hatte. Weit auseinander stehende Augen, schmales Kinn, lange, flache Nase, flachsblondes Haar, etwa fünfunddreißig. Irgendwo in der Gegend von Charlottesville, aber er wusste nicht mehr, wo.

Oder verdächtigte er jetzt jeden?

Die Kellnerin brachte seinen dampfend heißen Hamburger, auf dem Pommes frites lagen, doch Ray hatte keinen Hunger mehr. Er fing mit der dritten Serviette an. Die ersten beiden hatten ihn nicht weitergebracht.

Zurzeit gab es nicht viele Möglichkeiten für ihn. Da er das Geld nicht aus den Augen lassen wollte, nahm er sich vor, die Nacht durchzufahren, ab und zu für einen Kaffee anzuhalten, vielleicht ein kleines Nickerchen im Wagen einzulegen. Am frühen Morgen würde er in Clanton ankommen. Wenn er wieder auf vertrautem Terrain war, würde ihm sicher etwas einfallen.

Das Geld im Keller von Maple Run zu verstecken war keine gute Idee. Ein Kurzschluss, ein Blitzschlag, ein vergessenes Streichholz, und das Haus fing an zu brennen. Es war sowieso kaum mehr als Brennholz.

Der Mann an der Theke hatte ihn keines Blickes gewürdigt, und je mehr Ray darüber nachdachte, desto mehr war er der Überzeugung, dass er sich geirrt hatte. Der Mann hatte ein Durchschnittsgesicht, jene Art Gesicht, das man jeden Tag sah und selten in Erinnerung behielt. Er aß Schokoladenkuchen und trank Kaffee. Eigenartig, um elf Uhr nachts.

Ray kam um kurz nach sieben Uhr morgens in Clanton an. Er hatte gerötete Augen, fiel vor Müdigkeit beinahe um und sehnte sich nach einer Dusche und zwei Tagen Schlaf. In der Nacht zuvor hatte er von der Stille in Maple Run geträumt, wenn er nicht gerade sämtliche Scheinwerfer hinter sich im Rückspiegel beobachtet und sich geohrfeigt hatte, um wach zu bleiben. Ein großes, leeres Haus ganz für ihn allein. Er konnte oben, unten oder auf der Veranda schlafen. Keine klingelnden Telefone, niemand, der ihn störte.

Aber die Dachdecker hatten andere Pläne. Sie waren schon fleißig bei der Arbeit, als er Maple Run erreichte. Auf dem Rasen vor dem Haus lagen Leitern und Werkzeuge, die Einfahrt war von mehreren Pritschenwagen blockiert. Er fand Harry Rex im Coffee Shop, wo er pochierte Eier aß und zwei Zeitungen gleichzeitig las.

»Was machst du hier?« Harry Rex hob kaum den Blick. Er war weder mit seinen Eiern noch mit seinen Zeitungen fertig und schien nicht sonderlich begeistert davon zu sein, dass Ray im Coffee Shop auftauchte.

»Möglicherweise habe ich Hunger.«

»Du siehst furchtbar aus.«

»Danke. Ich konnte nicht schlafen, deshalb bin ich hergefahren.«

»Du brichst gleich zusammen.«

»Stimmt.«

Endlich ließ Harry Rex die Zeitung sinken. Er spießte mit der Gabel einen Bissen von dem Ei auf, das er offenbar mit einer scharfen Sauce übergossen hatte. »Du bist die ganze Nacht von Charlottesville hierher gefahren?«

»Es sind nur fünfzehn Stunden.«

Eine Kellnerin brachte Ray Kaffee. »Wie lange wollen die Dachdecker am Haus arbeiten?«

»Sind sie schon da?«

»O ja. Mindestens ein Dutzend. Ich wollte eigentlich die nächsten zwei Tage durchschlafen.«

»Das sind die Gebrüder Atkins. Wenn sie nicht gerade trinken oder miteinander streiten, sind sie ziemlich schnell. Einer von ihnen ist letztes Jahr von der Leiter gefallen und hat sich fast das Genick gebrochen. Ich habe dreißigtausend von der Unfallversicherung für ihn herausgeholt.«

»Warum hast du sie dann genommen?«

»Sie sind billig, und das sollte dir als Nachlassverwalter nur recht sein. Wenn du schlafen willst, geh in mein Büro. Ich habe ein kleines Versteck im zweiten Stock.«

»Mit einem Bett?«

Harry Rex sah sich vorsichtig um, als würden die Klatschmäuler von Clanton schon auf ihn lauern. »Kannst du dich noch an Rosetta Rhines erinnern?«

»Nein.«

»Sie war meine fünfte Sekretärin und dritte Frau. Dort oben hat alles angefangen.«

»Sind die Bettbezüge sauber?«

»Was für Bettbezüge? Nimm's oder lass es bleiben. Es ist sehr ruhig dort, aber der Boden wackelt. Deshalb wurden wir auch erwischt.«

»Tut mir Leid, dass ich gefragt habe.« Ray trank einen großen Schluck Kaffee. Er war hungrig, aber er wollte sich nicht den Magen voll schlagen. Am liebsten wäre ihm etwas Leichtes, Gesundes gewesen, wie eine Schüssel Müsli mit Obst und fettarmer Milch. Aber wenn er im Coffee Shop etwas Derartiges bestellte, würde man sich über ihn lustig machen.

»Willst du was essen?«, knurrte Harry Rex.

»Nein. Wir müssen ein paar Sachen lagern, Kartons und Möbel. Weißt du, wo wir das Zeug hinbringen können?«

»Wir?«

»Okay, ich.«

»Es ist doch sowieso nichts wert.« Harry Rex biss in ein Brötchen, das er mit Wurst und Käse belegt und mit Senf bestrichen hatte. »Verbrenn es.«

»Ich kann die Sachen nicht verbrennen. Zumindest jetzt noch nicht.«

»Dann tu das, was alle guten Nachlassverwalter tun. Du bringst die Sachen für zwei Jahre in ein Lagerhaus, dann gibst du einen Teil davon der Heilsarmee, und den Rest verbrennst du.«

»Ja oder nein – gibt es hier ein Lagerhaus?«

»Bist du nicht mit dem verrückten Cantrell in die Schule gegangen?«

»Es gab zwei verrückte Cantrells.«

»Nein, es gab drei. Einer ist in der Nähe von Tobytown von einem Bus überfahren worden.« Harry Rex trank einen großen Schluck Kaffee, dann widmete er sich wieder den Eiern.

»Ein Lagerhaus, Harry Rex.«

»Oh, wir sind etwas gereizt heute.«

»Nein, nur hundemüde.«

»Ich habe dir mein Liebesnest angeboten.«

»Nein danke. Da sind mir die Dachdecker lieber.«

»Ihr Onkel ist Virgil Cantrell. Ich habe seine erste Frau bei ihrer zweiten Scheidung vertreten. Er hat das alte Bahnhofsdepot zu einem Lagerhaus umgebaut.«

»Ist das das einzige Lagerhaus in Clanton?«

»Nein, Lundy Staggs hat westlich der Stadt eins mit kleinen Mietabteilen gebaut, die aber mit Wasser voll gelaufen sind. Ich würde da nichts lagern.«

»Wie heißt das Depot jetzt?« Ray hatte genug vom Coffee Shop.

»›Das Depot‹.« Wieder ein Biss in das Brötchen.

»An den Gleisen?«

»Genau.« Harry Rex kippte Tabasco über die Eier, die noch auf seinem Teller lagen. »Er hat eigentlich immer Platz und sogar einen Raum umbauen lassen, damit er feuerfest ist. Ich würde allerdings nicht in den Keller gehen.«

Ray zögerte, weil er wusste, dass er den Köder besser ignorieren sollte. Er warf einen Blick auf seinen Wagen, den er vor dem Gerichtsgebäude geparkt hatte, und fragte: »Warum nicht?«

»Sein Junge wohnt da unten.«

»Sein Junge?«

»Ja, der ist genauso verrückt wie der Alte. Virgil konnte ihn nicht in Whitfield unterbringen, und Geld für eine private Anstalt hat er nicht, also hat er ihn in den Keller gesperrt.«

»Ist das dein Ernst?«

»Na klar. Ich habe ihm gesagt, dass er damit nicht gegen das Gesetz verstößt. Der Junge hat alles, was er braucht – Schlafzimmer, Bad, Fernseher. Das ist erheblich billiger als ein Zimmer in einer Klapsmühle.«

»Wie heißt er?« Ray musste einfach fragen.

»Der Kleine.«

»Der Kleine?«

»Der Kleine.«

»Wie alt ist der Kleine?«

»Weiß ich nicht. Fünfundvierzig, fünfzig.«

Zu Rays großer Erleichterung waren weder Vater noch Sohn zu sehen, als er das Depot betrat. Eine stämmige Frau in einem Overall sagte ihm, dass Mr. Cantrell gerade Besorgungen mache und erst in zwei Stunden zurück sei. Ray fragte, ob sie Lagerplatz zu vermieten habe, und sie bot ihm eine Führung durch das Depot an.

Vor vielen Jahren war einmal ein entfernter Onkel aus Texas zu den Atlees zu Besuch gekommen. Rays Mutter hatte ihren Sohn derart geschrubbt, dass ihm die Haut weh tat. Erwartungsvoll waren alle zum Depot gefahren, um den Onkel abzuholen. Forrest war damals noch ein Baby und wurde zu Hause beim Kindermädchen gelassen. Ray konnte sich noch gut daran erinnern, wie er auf dem Bahnsteig gewartet, das Pfeifen des herannahenden Zuges gehört hatte und von der Aufregung der wartenden Menge angesteckt worden war. Zu jener Zeit war im Depot immer viel los gewesen, aber als er in die Highschool kam, wurde der Bahnhof stillgelegt und nur noch von jungen Rowdys als Unterschlupf benutzt. Das Gebäude wäre fast abgerissen worden, doch irgendwann nahm sich die Stadt der Sache an und führte eine halbherzige Renovierung durch.

Inzwischen war es in viele kleine Räume aufgeteilt worden, die zwei Stockwerke einnahmen und bis an die Decke mit wertlosem Trödel voll gestopft waren. Überall lagen Holzbalken und Gipsplatten herum, ein sicheres Zeichen für endlose Reparaturen. Auf dem Fußboden befand sich Sägemehl. Ein schneller Rundgang bestätigte Rays Verdacht, dass das Depot noch besser brennen würde als Maple Run.

»Im Keller haben wir noch mehr Platz«, sagte die Frau.

»Nein danke.«

Als er nach draußen ging, fuhr ein brandneuer schwarzer Cadillac auf der Taylor Street an ihm vorbei. Der makellos saubere Wagen funkelte im Schein der Morgensonne, am Steuer saß Claudia mit einer Jackie-O-Sonnenbrille.

Während er in der schwülen Hitze stand und zusah, wie der Wagen die Straße hinunterglitt, hatte Ray das Gefühl, als würde ganz Clanton über ihm zusammenstürzen. Claudia, Vater und Sohn Cantrell, Harry Rex und dessen Frauen und Sekretärinnen, die Gebrüder Atkins, die Dächer reparierten, tranken und sich gegenseitig verprügelten …

Sind denn alle verrückt geworden? Oder bin nur ich verrückt?

Er stieg in den TT und fuhr davon, eine Wolke aus Staub und Schotter zurücklassend. Am Stadtrand gabelte sich die Straße. Richtung Norden ging es zu Forrest, Richtung

Süden zur Küste. Rays Leben würde nicht einfacher werden, wenn er jetzt seinen Bruder besuchte, aber er hatte es ihm versprochen.

28

Zwei Tage später kam Ray an der Golfküste von Mississippi an. Er wollte einige Studienfreunde von der juristischen Fakultät in Tulane besuchen und spielte mit dem Gedanken, seine Stammlokale von früher abzuklappern. Er sehnte sich nach einem Austern-Sandwich im Franky & Johnny's, einer Muffaletta im Maspero's in der Decatur Street im französischen Viertel, einem Dixie-Bier im Chart Room in der Bourbon Street und einem Zichorienkaffee und Beignets im Café du Monde – alles Restaurants und Kneipen, in denen er vor zwanzig Jahren regelmäßig gewesen war.

Aber in New Orleans nahm die Kriminalität überhand, und sein hübscher kleiner Sportwagen war dort vielleicht nicht sicher. Der Dieb, der ihn stehlen und den Kofferraum öffnen würde, hätte das große Los gezogen. Aber kein Dieb würde ihn erwischen – genauso wenig wie die Staatspolizei, denn er hielt sich genau an die Geschwindigkeitsbegrenzungen. Er war der perfekte Autofahrer: Er befolgte sämtliche Vorschriften und behielt jedes andere Auto im Auge.

Auf dem Highway 90 herrschte reger Verkehr, und eine Stunde lang fuhr er im Schneckentempo Richtung Osten durch Long Beach, Gulfport und Biloxi. Am Strand entlang, vorbei an den glitzernden, neuen Kasinos am Meer, den neuen Hotels und Restaurants. Das Glücksspiel hatte an der Küste genauso schnell Fuß gefasst wie in den ländlichen Gebieten um Tunica.

Ray fuhr über die Bucht von Biloxi und passierte die Grenze zu Jackson County. In der Nähe von Pascagoula sah er eine hektisch blinkende Neonreklame, die ein Büffet mit Cajun-Gerichten für 13,99 Dollar anpries. Das Restaurant sah heruntergekommen aus, aber der Parkplatz war hell erleuchtet. Als Ray die Anlage etwas genauer in Augenschein nahm, stellte er fest, dass er einen Tisch am Fenster bekommen und sein Auto im Auge behalten konnte. Inzwischen war das für ihn schon zur Gewohnheit geworden.

An der Küste gab es drei Countys: Jackson im Osten, die an Alabama angrenzte, Harrison in der Mitte und Hancock im Westen bei Louisiana. Ein Lokalpolitiker aus der Gegend hatte es in Washington zu etwas gebracht und sorgte dafür, dass großzügige Fördermittel in die Schiffswerften von Jackson County flossen. Harrison County war durch Glücksspiel reich geworden. Und im Januar 1999 war Richter Atlee nach Hancock County gekommen, dem am wenigsten entwickelten und besiedelten Verwaltungsbezirk, und hatte dort einen Fall verhandelt, von dem zu Hause niemand etwas wusste.

Nach einem ausgedehnten Abendessen mit Flusskrebs-Etoufée, Garnelen mit Remoulade und rohen Austern fuhr Ray über die Bucht zurück und ließ Biloxi und Gulfport hinter sich. In der kleinen Stadt Pass Christian fand er, wonach er gesucht hatte – ein neu gebautes Motel, dessen Zimmer in einem niedrigen Anbau lagen und direkt auf den Parkplatz gingen. Die Umgebung sah recht sicher aus, der Parkplatz war halb voll. Ray zahlte sechzig Dollar in bar für eine Nacht und fuhr den TT rückwärts bis knapp vor seine Zimmertür. Beim ersten verdächtigen Geräusch in der Nacht würde er mit dem Achtunddreißiger des Richters nach draußen stürmen. Und wenn es sein musste, würde er im Wagen schlafen.

Hancock County war nach John Hancock benannt, einem der Männer, deren Unterschriften auf der Unabhängigkeitserklärung der Vereinigten Staaten prangen. Das Gerichtsgebäude war 1911 in Bay St. Louis gebaut und im August 1969 vom Hurrikan Camille davongeweht worden. Das Auge des Sturms war mitten durch Pass Christian und Bay St. Louis gefegt und hatte kein Gebäude in dieser Gegend verschont. Mehr als hundert Menschen starben, viele Vermisste wurden nie gefunden.

Ray hielt an, um einen Gedenkstein auf dem Rasen vor dem Gerichtsgebäude zu lesen, dann drehte er sich um und warf einen weiteren Blick auf den Audi.

Obwohl Gerichtsakten in der Regel für die Öffentlichkeit zugänglich waren, war Ray nervös. Die Angestellten in Clanton wachten eifersüchtig über ihre Akten und passten genau auf, wer kam und ging. Er wusste nicht genau, wonach er suchte und wo er anfangen sollte. Am meisten Angst hatte er vor dem, was er vielleicht finden würde.

In der Geschäftsstelle des Chancery Court wartete er, bis eine hübsche, junge Angestellte, die sich einen Bleistift hinters Ohr geklemmt hatte, auf ihn aufmerksam wurde. »Kann ich Ihnen helfen?«, fragte sie mit breitem Südstaatenakzent. Ray hatte einen Notizblock in der Hand, als könnte er sich damit ausweisen und sich Zugang zu den Akten verschaffen.

»Haben Sie hier Unterlagen zu Prozessen?«, fragte er.

Sie runzelte die Stirn und musterte ihn, als hätte er sich daneben benommen.

»Wir haben Protokolle sämtlicher Sitzungsperioden

hier«, sagte sie langsam; offenbar hielt sie ihn für nicht sehr intelligent. »Und die eigentlichen Gerichtsakten.« Ray notierte, was sie gesagt hatte.

»Und dann gibt es natürlich noch die Prozessmitschriften der Gerichtsstenotypisten«, fuhr sie nach einer kleinen Pause fort.

»Kann ich mir die Protokolle ansehen?«, fragte Ray.

»Sicher. Welche Sitzungsperiode?«

»Januar vergangenen Jahres.«

Sie ging zwei Schritte nach rechts und gab etwas in den Computer ein. Ray sah sich in dem großen Büro um, in dem mehrere weibliche Angestellte saßen. Einige tippten, einige hefteten Unterlagen ab, einige telefonierten. Als er das letzte Mal in der Geschäftsstelle des Chancery Court von Clanton gewesen war, hatte er dort nur einen einzigen Computer gesehen. Hancock County war zehn Jahre weiter.

In einer Ecke tranken zwei Rechtsanwälte Kaffee aus Papierbechern und unterhielten sich flüsternd über wichtige Angelegenheiten. Vor ihnen lagen Grundbücher, die zweihundert Jahre zurückreichten. Beide Anwälte trugen Lesebrillen, die ihnen auf die Nasenspitze gerutscht waren, abgewetzte Schnürschuhe und Krawatten mit dicken Knoten. Sie überprüften Eigentumsrechte von Grundstücken für einhundert Dollar pro Anfrage, eine von Dutzenden langweiliger Aufgaben, die Scharen von Kleinstadtanwälten übernahmen. Der eine bemerkte Ray und musterte ihn argwöhnisch.

Das könnte ich sein, dachte Ray.

Die junge Angestellte bückte sich und zog einen dicken Ordner hervor, in dem Computerausdrucke abgeheftet waren. Sie blätterte ein paar Seiten um, dann hörte sie auf und drehte den Ordner so, dass Ray das Schriftstück lesen konnte. »Hier.« Sie deutete mit dem Finger auf eine Stelle. »Januar 1999, zwei Wochen, in denen Verhandlungen stattgefunden haben. Das hier ist die Prozessliste, die mehrere Seiten lang ist. In dieser Spalte ist die Entscheidung des Richters vermerkt. Wie Sie sehen, sind die meisten Fälle im März weiterverhandelt worden.«

Ray sah sich die Seiten an und hörte ihr gleichzeitig zu.

»Interessieren Sie sich für einen bestimmten Prozess?«

»Können Sie sich an einen Fall erinnern, bei dem Richter Atlee aus Ford County den Vorsitz geführt hat? Ich glaube, er hat hier einen Fall als Sonderrichter verhandelt«, fragte er beiläufig. Die Frau starrte ihn an, als hätte er sie gebeten, ihm ihre Scheidungsakte zu zeigen.

»Sind Sie Reporter?«, fragte sie, und Ray wäre fast einen Schritt zurückgewichen.

»Muss ich das sein?«, fragte er. Zwei der anderen Angestellten hörten auf zu arbeiten und starrten missbilligend zu ihm herüber.

Sie sah ihn mit einem gezwungenen Lächeln an. »Nein, aber dieser Fall hat Aufsehen erregt. Sehen Sie hier, das ist er.« Sie deutete auf den Eintrag. In der Prozessliste war der Fall lediglich mit *Gibson v. Miyer-Brack* aufgeführt. Ray nickte zustimmend, als hätte er genau das gefunden, wonach er gesucht hatte. »Und wo haben Sie die Akte?«, fragte er.

»Die ist ziemlich dick«, antwortete sie.

Er folgte ihr in einen Raum, in dem schwarze Metallschränke mit tausenden Akten standen. Sie wusste genau, zu welchem Schrank sie gehen musste. »Unterschreiben Sie hier.« Sie reichte ihm ein Klemmbrett mit einem Formular. »Nur Ihren Namen und das Datum. Den Rest trage ich ein.«

»Um was ging es bei dem Fall?«, fragte er, während er das Formular ausfüllte.

»Schuldhaft verursachter Tod.« Sie öffnete eine lange

Schublade und deutete von einem Ende zum anderen. »Alles von diesem Prozess. Die vorbereitenden Schriftsätze fangen hier an, dann kommt die Offenlegung der Beweismittel, dann die Prozessmitschrift. Sie können die Unterlagen zu dem Tisch da drüben mitnehmen, aber Sie dürfen den Raum nicht verlassen. Anordnung vom Richter.«

»Von welchem Richter?«

»Richter Atlee.«

»Richter Atlee ist verstorben.«

»Das war sicher nicht das Schlechteste, was passieren konnte«, sagte sie, während sie sich abwandte. Der Sauerstoff schien den Raum mit ihr zu verlassen, und Ray brauchte ein paar Sekunden, bis er wieder denken konnte.

Die Akte war über einen Meter dick, aber das war ihm egal. Er hatte den ganzen Sommer Zeit.

Clete Gibson starb 1997 im Alter von einundsechzig Jahren. Todesursache war Nierenversagen. Ursache des Nierenversagens war ein Medikament namens Ryax des Herstellers Miyer-Brack. Das behauptete zumindest der Kläger, und es wurde vom Ehrenwerten Reuben V. Atlee, der als Sonderrichter den Vorsitz führte, für wahr befunden.

Mr. Gibson hatte Ryax acht Jahre lang genommen, um seinen hohen Cholesterinspiegel zu senken. Das Medikament war ihm von seinem Hausarzt verschrieben und von seinem Apotheker verkauft worden, die von Gibsons Witwe und seinen Kindern ebenfalls verklagt wurden. Nachdem Gibson das Medikament etwa fünf Jahre lang genommen hatte, bekam er Probleme mit den Nieren und ließ sich daher von mehreren Ärzten behandeln. Damals waren keine Nebenwirkungen von Ryax, einem verhältnismäßig neuen Medikament, bekannt. Als es bei Gibson zu einem

Nierenversagen kam, lernte er durch Zufall einen Rechtsanwalt namens Patton French kennen. Das war kurz vor seinem Tod.

Patton French war von der Kanzlei French & French in Biloxi. Im Briefkopf der Kanzlei wurden sechs weitere Anwälte aufgeführt. Außer dem Hersteller, dem Arzt und dem Apotheker wurden als Beklagte ein örtlicher Pharmavertreter aus der Gegend und dessen Grossist in New Orleans genannt. Jeder Beklagte wurde von einer großen Kanzlei vertreten; darunter waren auch einige bekannte Namen aus New York. Die Prozessführung der Anklage war auf Konfrontation ausgelegt, komplex, zeitweise sogar ausgesprochen aggressiv. Mr. Patton French und seine kleine Kanzlei aus Biloxi führten einen beeindruckenden Feldzug gegen die Schwergewichte auf der Gegenseite.

Miyer-Brack war ein Schweizer Pharmariese in Privatbesitz und unterhielt laut Aussage des amerikanischen Repräsentanten Beteiligungen in sechzig Ländern. 1998 hatte das Unternehmen bei einem Umsatz von 9,1 Milliarden Dollar einen Gewinn von 635 Millionen Dollar gemacht. Ray brauchte allein eine Stunde, um die Aussage dieses Zeugen zu lesen.

Aus irgendeinem Grund hatte Patton French die Klage wegen schuldhaft verursachtem Tod nicht bei einem ordentlichen Gericht eingereicht, an dem fast alle Prozesse durch Geschworene entschieden wurden, sondern beim Chancery Court. An einem Chancery Court wurden Geschworenenprozesse von Gesetz wegen nur bei Testamentsanfechtungen durchgeführt. Ray hatte während seiner Referendarzeit beim Richter bei mehreren dieser aufwändigen Verfahren mitgearbeitet.

Der Chancery Court war aus zwei Gründen für den Fall zuständig. Erstens: Gibson war tot, und sein Nachlass fiel in den Zuständigkeitsbereich des Chancery Court. Zweitens: Gibson hatte ein Kind unter achtzehn Jahren. Rechts-angelegenheiten Minderjähriger waren grundsätzlich an einem Chancery Court zu verhandeln.

Gibson hatte drei weitere Kinder, die aber alle schon erwachsen waren. Die Klage hätte daher sowohl bei einem Bundesgericht als auch bei einem Chancery Court einge-reicht werden können, was auf eines von zahllosen Schlupf-löchern in den Gesetzen des Bundesstaates Mississippi zurückzuführen war. Ray hatte den Richter einmal gebe-ten, ihm dieses Rätsel zu erklären, aber wie üblich hatte er als Antwort nur ein »Wir haben das beste Gerichtssystem der Welt« zu hören bekommen. Das glaubte jeder altge-diente Chancellor.

Dass man seinen Anwalt entscheiden ließ, vor welchem Gericht geklagt wurde, kam nicht nur in Mississippi vor. »Forum Shopping« – also der Versuch, einen Fall vor einem aus welchen Gründen auch immer wohlgesonnen Gericht verhandeln zu lassen – war in allen amerikanischen Bundesstaaten üblich. Aber wenn eine Witwe aus einem ländlichen Gebiet von Mississippi eine Klage gegen ein Schweizer Mammutunternehmen, das ein in Uruguay her-gestelltes Medikament in den Vereinigten Staat vertrieb, am Chancery Court von Hancock County einreichte, mussten sämtliche Alarmglocken schrillen. Mit solch kom-plexen Fällen wandte man sich in der Regel an ein Bundes-gericht, und Miyer-Brack und seine Phalanx von Anwäl-ten hatten auch hartnäckig versucht, den Fall an ein anderes Gericht verweisen zu lassen. Doch Richter Atlee hatte sich geweigert, und der Bundesrichter ebenfalls. Unter den Beklagten befanden sich Ortsansässige, so dass die Verweisung an ein Bundesgericht abgelehnt werden konnte.

Reuben Atlee führte den Vorsitz, und im Verlauf der Ver-handlung verlor er immer öfter die Geduld mit den Anwälten der Beklagten. Über einige Entscheidungen seines Vaters musste Ray schmunzeln. Sie waren kurz und bündig, ausgesprochen sachlich und so geartet, dass sie die Horden von Anwälten, die um die Beklagten herumschwirrten, in helle Aufregung versetzten. Moderne Maßnahmen für eine zügige Prozessführung waren in Richter Atlees Gerichtssaal noch nie notwendig gewesen.

Bei der Verhandlung stellte sich heraus, dass Ryax ein fehlerhaftes Produkt war. Patton French fand zwei Gutachter, die kein gutes Haar an dem Medikament ließen. Die Gegengutachter von Miyer-Brack waren lediglich Sprachrohr des Pharmaunternehmens. Ryax senkte den Cholesterinspiegel ganz erheblich. Es war im Eiltempo durch sämtliche Zulassungsverfahren gebracht und dann auf den Markt geworfen worden, wo es sich von Anfang an außergewöhnlich gut verkauft hatte. Inzwischen waren Zehntausende von Nieren zerstört, und Mr. Patton French machte Miyer-Brack dafür verantwortlich.

Der Prozess dauerte acht Tage. Trotz der Einwände der Verteidiger begann die Verhandlung jeden Morgen um Punkt 8.15 Uhr. Sie endete häufig erst um zwanzig Uhr, was zu weiteren Einwänden führte, die von Richter Atlee jedoch allesamt ignoriert wurden. Ray hatte das unzählige Male miterlebt. Der Richter glaubte an harte Arbeit, und da er bei diesem Fall keine Rücksicht auf Geschworene nehmen musste, war er durch nichts zu erweichen.

Das Urteil wurde zwei Tage nach der letzten Zeugenaussage gesprochen, ein Beweis für Richter Atlees ungewöhnlich schnelle Arbeitsweise. Er war offenbar in Bay St. Louis geblieben und hatte dem Gerichtsstenotypisten seine vierseitige Entscheidung diktiert. Auch das war für Ray keine Überraschung. Der Richter hasste Verzögerungen bei der Urteilsfällung.

Außerdem hatte er seine Notizen, auf die er sich beziehen konnte. Nach acht Tagen ununterbrochener Zeugenaussagen musste der Richter dreißig Notizblöcke beschrieben haben. Sein Urteil war so detailliert, dass sogar die Gutachter beeindruckt waren.

Der Familie von Clete Gibson wurde ein Schadenersatz für den entstandenen Verlust in Höhe von 1,1 Millionen Dollar zugesprochen, einem Wirtschaftswissenschaftler zufolge der Wert seines Lebens. Und um Miyer-Brack dafür zu bestrafen, dass das Unternehmen ein derart fehlerhaftes Produkt auf den Markt geworfen hatte, setzte der Richter einen Strafschadenersatz in Höhe von zehn Millionen Dollar fest. In der Urteilsbegründung wurden Miyer-Bracks unternehmerische Rücksichtslosigkeit und Gier auf das Schärfste missbilligt, und es war offensichtlich, dass Richter Atlee die Geschäftspraktiken des Pharmariesen wirklich höchst beunruhigend fand.

Ray hatte nicht gewusst, dass der Richter jemals einen Strafschadenersatz festgelegt hatte.

Nach dem Prozess wurden natürlich die üblichen Anträge gestellt, die der Richter mit barsch klingenden Begründungen ablehnte. Miyer-Brack wollte, dass der Strafschadenersatz zurückgenommen wurde. Patton French wollte, dass der Strafschadenersatz erhöht wurde. Beiden Seiten ging eine schriftliche Standpauke zu.

Merkwürdig war jedoch, dass es nicht zu einer Berufung gekommen war. Ray suchte längere Zeit danach. Er blätterte zweimal durch die Unterlagen aus der Zeit nach dem Prozess, dann wühlte er sich erneut durch die Schublade des Aktenschranks. Womöglich hatte es nach dem Ende des Prozesses eine weitere Entscheidung gegeben. Er nahm sich vor, die Angestellte im Büro danach zu fragen.

Bezüglich der Honorarfrage kam es zu einer hässlichen Auseinandersetzung. Patton French hatte einen Vertrag mit der Gibson-Familie, der ihm fünfzig Prozent des zugesprochenen Schadenersatzes garantierte. Wie immer war der Richter der Meinung, dass ein solches Honorar unangemessen hoch sei. Wenn ein Fall vor einem Chancery Court verhandelt wurde, lag das Honorar des Anwalts im Ermessen des Richters, und für Richter Atlee waren dreiunddreißig Prozent immer die Höchstgrenze gewesen. Was das für den Fall bedeutete, konnte sich jeder selbst ausrechnen, und Mr. French kämpfte erbittert um sein wohlverdientes Geld. Doch der Richter blieb hart.

Im Fall Gibson war Richter Atlee in Höchstform gewesen, und Ray war stolz und traurig zugleich. Er konnte kaum glauben, dass die Verhandlung erst vor eineinhalb Jahren stattgefunden hatte, zu einem Zeitpunkt, als sein Vater schon an Diabetes, Herzschwäche und vermutlich Krebs gelitten hatte, obwohl der Tumor erst sechs Monate später entdeckt worden war.

Er bewunderte die Kämpfernatur seines alten Herrn.

Bis auf eine Frau, die an ihrem Schreibtisch eine Melone aß und auf den Computermonitor starrte, waren alle Mitarbeiter zum Essen gegangen. Ray verließ das Büro und machte sich auf den Weg zu einer Bibliothek.

29

Von einem Fastfood-Lokal in Biloxi aus hörte Ray seinen Anrufbeantworter in Charlottesville ab. Drei
Nachrichten waren darauf. Kaley wollte nun doch mit ihm
essen gehen und wurde umgehend und endgültig gelöscht.
Fog Newton ließ ihn wissen, dass die Bonanza für nächste Woche gebucht sei, und meinte, sie müssten unbedingt
fliegen gehen. Martin Gage von der Steuerbehörde in
Atlanta wartete auf das Fax mit dem nicht vorhandenen
Brief. Er konnte lange warten.

An einem orangefarbenen Kunststofftisch mit Blick auf
den Strand aß Ray einen Fertigsalat. Er konnte sich nicht
mehr erinnern, wann er das letzte Mal allein in einem Fastfood-Lokal gesessen hatte. Auch jetzt tat er es nur, weil er
beim Essen sein Auto im Auge behalten konnte. Außerdem wimmelte das Lokal nur so von jungen Müttern mit
Kleinkindern, einer Bevölkerungsgruppe, die sich im Allgemeinen nicht durch einen Hang zur Kriminalität aus-
zeichnete. Schließlich ließ Ray den Salat Salat sein und rief
Fog an.

Die städtische Bücherei von Biloxi befand sich in der
Lameuse Street. Mithilfe des Stadtplans, den er in einem
kleinen Gemischtwarenladen erstanden hatte, gelangte
Ray dorthin. Er parkte nahe beim Haupteingang und blieb,

wie er es sich in letzter Zeit angewöhnt hatte, kurz stehen, um den TT und dessen Umgebung zu beobachten, bevor er das Gebäude betrat.

Die Computer befanden sich im ersten Stock in einem Raum, der völlig mit Glas verkleidet war, zu Rays Enttäuschung aber keine Fenster nach draußen besaß. Die führende Zeitung an der Küste war der *Sun Herald*, dessen Archiv Nutzern der Bibliothek eine Suchfunktion für die Ausgaben ab 1994 anbot. Ray ging zum 24. Januar 1999, dem Tag nachdem Richter Atlee das Urteil in dem Prozess gesprochen hatte. Es war keine Überraschung, dass sich ein Artikel auf der ersten Seite des Lokalteils mit dem 11,1-Millionen-Dollar-Urteil in Bay St. Louis befasste. Noch weniger überraschend war, dass Mr. Patton French einiges zu sagen gehabt hatte. Richter Atlee dagegen hatte jeden Kommentar verweigert. Die Verteidiger wiederum hatten sich schockiert gezeigt und angekündigt, in Berufung zu gehen.

Ein Foto zeigte Patton French, einen Mittfünfziger mit rundem Gesicht und welligem grauem Haar. Bei der Lektüre des Artikels wurde klar, dass er selbst die Zeitung angerufen und sich nur zu gern zu der großen Neuigkeit geäußert hatte: Es sei ein »harter Prozess« gewesen, die Beklagten seien bei ihren Handlungen von »rücksichtsloser Gier« getrieben worden. Dagegen habe das Gericht eine »mutige und faire« Entscheidung gefällt, und eine Berufung könne »nur ein weiterer Versuch sein, den Lauf der Gerechtigkeit zu behindern«.

Er habe viele Prozesse gewonnen, prahlte er, aber dies sei seine wichtigste Verurteilung. Zur Flut hoher Schadenersatzzahlungen in der letzten Zeit befragt, wies Patton French den Gedanken, dass das Urteil überzogen sein könnte, von sich. »Ein Gericht in Hinds County erkannte vor zwei Jahren auf Schadenersatz in Höhe von fünfhundert Millionen Dollar.« In anderen Teilen des Staates hatten weitsichtige Geschworenengerichte geldgierige Unternehmen zu Strafen von zehn beziehungsweise zwanzig Millionen Dollar verdonnert. »Die Höhe des Urteils ist juristisch in jeder Hinsicht gerechtfertigt.«

Wie sich im Laufe des Artikels herausstellte, hatte Patton French sich auf pharmazeutische Haftungsfälle spezialisiert. Er bearbeitete allein vierhundert Ryax-Fälle, und jeden Tag kamen weitere hinzu.

Ray ließ den *Sun Herald* per Suchbefehl nach dem Wort Ryax durchforsten. Fünf Tage später, am 29. Januar, war eine fett gedruckte, ganzseitige Anzeige erschienen, die mit der Unheil verkündenden Frage begann: »Haben Sie Ryax eingenommen?« Darunter folgten zwei Absätze mit düsteren Warnungen vor den Gefahren des Medikaments. Ein weiterer schilderte den kürzlichen Erfolg von Patton French, dem erfahrenen Prozessanwalt, der sich auf Ryax und andere mit Mängeln behaftete Medikamente spezialisiert hatte. In den folgenden zehn Tagen würden qualifizierte Mediziner im Gulfport-Hotel potenzielle Opfer untersuchen. Diese Tests waren für alle, die sich meldeten, mit keinerlei Kosten verbunden und offenbar unverbindlich – zumindest wurde nichts Gegenteiliges erwähnt. In deutlichen Lettern stand am Fuß der Seite zu lesen, dass die Kanzlei French & French für diese Anzeige bezahlt hatte. Es folgten deren Adressen und Telefonnummern in Gulfport, Biloxi und Pascagoula.

Die Wortsuche ergab, dass am 1. März 1999 eine nahezu identische Anzeige veröffentlicht worden war. Der einzige Unterschied bestand in Ort und Zeitpunkt der Tests. Für den 2. Mai 1999 fand Ray eine weitere Anzeige in der Sonntagsausgabe des *Sun Herald*.

Fast eine Stunde lang suchte er in Zeitungen, die nicht direkt an der Küste erschienen, und fand die gleiche Anzeige im *Clarion-Ledger* aus Jackson, in der *Times-Picayune* aus New Orleans, im *Hattiesburg American*, dem *Mobile Register* und dem *Commercial Appeal* aus Memphis sowie dem *Advocate* aus Baton Rouge. Patton French hatte eine massive Offensive gegen Ryax und Miyer-Brack ins Rollen gebracht.

Da er davon ausging, dass die Anzeigen möglicherweise in allen fünfzig Bundesstaaten erschienen waren, hörte Ray an dieser Stelle auf. Stattdessen probierte er es im Internet auf gut Glück mit der Suche nach Mr. French und landete auf der Website der Kanzlei, einem eindrucksvollen Propagandamachwerk.

Die Kanzlei beschäftigte nunmehr vierzehn Anwälte, unterhielt Büros in sechs Städten und expandierte sozusagen stündlich. Die einseitige Biografie von Patton French fiel so schmeichelhaft aus, dass sich zarter besaitete Naturen dafür geschämt hätten. Patton Frenchs Vater, Mr. French der Ältere, sah aus wie mindestens achtzig und fungierte als Seniorpartner.

Offenbar lebte die Kanzlei von ihrer aggressiven Vertretung von Menschen, die durch ärztliche Kunstfehler oder mangelhafte Medikamente zu Schaden gekommen waren. Ihr bedeutendster Fall war der bisher größte Ryax-Vergleich aller Zeiten gewesen: neunhundert Millionen Dollar für siebentausendzweihundert Mandanten. Jetzt hatte sich die Kanzlei Shyne Medical vorgenommen, den Hersteller von Minitrin. Dieses weit verbreitete Medikament gegen Bluthochdruck war für die Firma höchst profitabel gewesen, bis es von der Arznei- und Lebensmittelbehörde FDA vom Markt genommen wurde, weil man es mit gefährlichen Nebenwirkungen in Verbindung brachte. Die Kanzlei vertrat fast zweitausend Minitrin-Mandanten und führte jede Woche neue Untersuchungen durch.

Außerdem hatte Patton French Clark Pharmaceuticals

vor einem Geschworenengericht in New Orleans auf acht Millionen Dollar verklagt, und er hatte gewonnen. Diesmal ging es um Kobril, ein Antidepressivum, das im Verdacht stand, zu Gehörverlust zu führen. Für die erste Serie von vierzehnhundert Kobril-Fällen hatte man sich auf Schadenersatz in Höhe von zweiundfünfzig Millionen Dollar geeinigt.

Die anderen Angehörigen der Kanzlei wurden kaum erwähnt. Es handelte sich eindeutig um eine Ein-Mann-Show, bei der die Untergebenen in Hinterzimmern mit Tausenden von Mandanten rangen, die praktisch auf der Straße aufgelesen wurden. Eine ganze Seite der Homepage zeigte, wo Mr. French demnächst als Redner auftreten würde, eine weitere enthielt seine zahlreichen Termine bei Gericht, und zwei Seiten waren den Zeitplänen für die medizinischen Untersuchungen und Tests gewidmet. Nicht weniger als acht Medikamente standen auf der Liste – unter anderem auch Skinny Ben, die Schlankheitspille, von der Forrest gesprochen hatte.

Um ihren Mandanten noch mehr Service zu bieten, hatte die Kanzlei eine Gulfstream IV erworben. Ein großes Farbfoto zeigte das Flugzeug auf einem Rollfeld. Selbstverständlich stand Patton French im dunklen Designeranzug neben der Nase der Maschine, bereit, sofort an Bord zu gehen und irgendwo für die Gerechtigkeit zu kämpfen. Ray wusste, dass ein solches Flugzeug etwa dreißig Millionen Dollar kostete. Dazu kamen die beiden Vollzeit-Piloten und Wartungskosten, die der Schrecken jedes Buchhalters sein mussten.

Patton French war ein schamloser Egomane.

Die Maschine gab Ray endgültig den Rest; er verließ die Bibliothek. Am Audi lehnend, wählte er die Nummer von French & French und arbeitete sich durch das telefonische Auswahlmenü hindurch: Mandant, Anwalt, Richter, anderes, Information zu medizinischen Untersuchungen, Rechtsanwaltsgehilfe, die ersten vier Buchstaben des Familiennamens Ihres Anwalts. Er wurde von drei eifrigen Sekretärinnen von Mr. French weitergereicht, bis er schließlich bei der Dame landete, die für den Terminkalender zuständig war.

»Ich würde Mr. French wirklich gern treffen«, sagte er erschöpft.

»Er ist nicht in der Stadt«, lautete die erstaunlich höfliche Antwort.

Selbstverständlich war er nicht in der Stadt. »Hören Sie«, knurrte Ray grob. »Ich sage das nur einmal. Mein Name ist Ray Atlee, mein Vater war Richter Reuben Atlee. Ich bin in Biloxi und möchte Patton French sehen.«

Er gab ihr seine Handynummer und fuhr zum Acropolis, einem billigen Kasino nach Las-Vegas-Art, das sich in Architektur und Dekors am altgriechischen Stil orientiert hatte. Die Ausführung war lausig, aber wen interessierte das schon. Der volle Parkplatz wurde bewacht. Ob die Sicherheitsleute auch aufpassten, war nicht ganz klar. Dafür fand Ray in der Kasinobar einen Platz, von dem aus er sein Auto im Blick hatte. Er nippte gerade an einem Mineralwasser, als sein Handy klingelte.

»Mr. Ray Atlee?«, sagte eine Stimme.

»Ja.« Ray drückte das Telefon fester ans Ohr.

»Hier spricht Patton French. Schön, dass Sie angerufen haben. Tut mir Leid, dass ich nicht da war.«

»Sie sind bestimmt ein viel beschäftigter Mann.«

»Das kann man wohl sagen. Sie sind an der Küste?«

»Im Moment sitze ich im Acropolis. Sehr interessantes Etablissement.«

»Ich bin gerade auf dem Rückweg. Ich war in Naples, ein Kläger hatte ein Beratungsgespräch mit ein paar wichtigen Anwälten aus Florida.«

War ja nicht anders zu erwarten, dachte Ray.

»Das mit Ihrem Vater tut mir Leid«, sagte French. In der Leitung rauschte es. Vermutlich raste er gerade in dreizehntausend Metern Höhe der Heimat entgegen.

»Danke.«

»Ich war bei der Beerdigung und habe Sie dort gesehen. Leider hatte ich keine Gelegenheit, mit Ihnen zu sprechen. Der Richter war ein wunderbarer Mensch.«

»Danke«, wiederholte Ray.

»Wie geht es Forrest?«

»Woher kennen Sie Forrest?«

»Ich weiß fast alles, Ray. Meine Prozesse werden bis ins kleinste Detail vorbereitet. Wir sammeln die Informationen lastwagenweise. Deswegen gewinnen wir auch. Ist er im Moment clean?«

»Soviel ich weiß, ja.« Ray fand es irritierend, über ein so persönliches Thema derart beiläufig zu sprechen, als ginge es ums Wetter. Aber er wusste ja von der Website, dass Patton French keinerlei Feingefühl besaß.

»Gut. Hören Sie, ich komme morgen zurück. Ich bin auf meiner Jacht, da geht alles etwas langsamer. Können wir uns zum Mittag- oder Abendessen treffen?«

Auf der Website war keine Jacht erwähnt, Mr. French, die haben Sie wohl vergessen. Ray hätte eine Stunde bei einer Tasse Kaffee einem zweistündigen Mittagessen oder gar einem noch längeren Abendessen vorgezogen, aber schließlich war er der Gast. »Das passt mir beides.«

»Dann halten Sie mir doch beide Termine offen, wenn es Ihnen nichts ausmacht. Hier draußen im Golf scheint es etwas windig zu werden, und ich bin nicht sicher, wann wir zurück sind. Kann meine Sekretärin Sie morgen anrufen?«

»Selbstverständlich.«

»Geht es um den Gibson-Prozess?«

»Ja, es sei denn, da ist noch etwas anderes.«

»Nein. Mit Gibson fing alles an.«

In seinem Zimmer im Easy Sleep Inn sah sich Ray mit einem Auge und ohne Ton ein Baseballspiel an, während er gleichzeitig zu lesen versuchte und darauf wartete, dass die Sonne unterging. Er brauchte Schlaf, hatte aber keine Lust, ins Bett zu gehen, bevor es dunkel wurde. Er erreichte Forrest beim zweiten Versuch. Sie sprachen gerade über die Freuden der Therapie, als sein Handy lautstark klingelte. »Ich rufe dich zurück«, sagte Ray und hängte auf.

Schon wieder ein Eindringling – in Ihre Wohnung wird gerade eingebrochen, meldete die Roboterstimme des Sicherheitsdienstes. Als die Aufnahme verstummte, öffnete Ray die Tür und starrte auf sein Auto, das er keine sieben Meter entfernt geparkt hatte. Mit dem Telefon in der Hand wartete er.

Erneut rief der Sicherheitsdienst auch Corey Crawford an, der sich fünfzehn Minuten später bei Ray meldete. Haus- und Wohnungstür mit der Brechstange geöffnet, ein Tisch umgestoßen, Lichter an, alle elektrischen Geräte noch vorhanden. Der Polizist vom letzten Mal füllte gerade einen fast identischen Bericht wie beim ersten Einbruch aus.

»Es gibt da nichts Wertvolles«, meinte Ray.

»Und warum wird dann immer wieder eingebrochen?«, fragte Corey.

»Das weiß ich nicht.«

Crawford telefonierte mit dem Vermieter, der versprach, einen Schreiner zu finden, um die Türen zu reparieren. Nachdem der Polizist gegangen war, blieb er in der Wohnung und rief Ray wieder an. »Das ist kein Zufall«, sagte er.

»Warum nicht?«

»Weil die gar nicht versuchen, etwas zu stehlen. Das ist ein Einschüchterungsmanöver. Was ist los?«

»Ich weiß es nicht.«

»Das kaufe ich Ihnen nicht ab.«

»Ich schwöre es.«

»Sie verheimlichen mir was.«

Da hast du allerdings Recht, dachte Ray, aber er ließ sich nichts anmerken. »Es ist reiner Zufall, Corey, regen Sie sich ab. Nur ein paar Jugendliche aus den Slums mit rosafarbenen Haaren und Sicherheitsnadeln in den Backen. Drogensüchtige, die Kohle brauchen.«

»Ich kenne die Gegend. Das waren keine Jugendlichen.«

»Ein Profi würde doch nicht zurückkommen, wenn er merkt, dass es eine Alarmanlage gibt. Das waren unterschiedliche Einbrecher.«

»Da bin ich anderer Meinung.«

Sie einigten sich darauf, sich nicht zu einigen, obwohl beide die Wahrheit kannten.

Ray wälzte sich zwei Stunden lang in der Dunkelheit im Bett herum, ohne dass es ihm gelungen wäre, auch nur ein Auge zu schließen. Gegen elf stieg er ins Auto. Kurz darauf fand er sich im Acropolis wieder, wo er Roulette spielte und bis zwei Uhr morgens schlechten Wein trank.

Er verlangte ein Zimmer mit Blick auf den Parkplatz, nicht auf den Strand. Von einem Fenster im dritten Stock aus bewachte er seinen Wagen, bis er schließlich einschlief.

30

Ray schlief so lange, dass das Zimmermädchen die Geduld verlor. Abreise war bis zwölf Uhr mittags, da gab es keine Ausnahmen. Als sie um 11.45 Uhr gegen die Tür hämmerte, brüllte er etwas zurück und sprang unter die Dusche.

Sein Auto schien in Ordnung zu sein, zumindest gab es am Heck keine Dellen und Kratzer oder andere Hinweise darauf, dass jemand herumgeschnüffelt hatte. Er schloss den Kofferraum auf und warf einen schnellen Blick hinein: drei schwarze Müllsäcke aus Plastik, die mit Geld voll gestopft waren. Alles kam ihm völlig normal vor, bis er sich hinter das Lenkrad setzte und den Umschlag entdeckte, den jemand unter den Scheibenwischer gesteckt hatte. Wie erstarrt blickte er ihn an, und das Ding schien seinen Blick aus fünfzig Zentimeter Entfernung zu erwidern. Weiß, A4-Format, keine sichtbaren Markierungen, zumindest nicht auf der Seite, die am Glas anlag.

Was auch immer das war, Gutes hatte es nicht zu bedeuten. Es war eindeutig keine Werbung für einen Pizza-Service oder für einen Politiker. Ein Strafzettel konnte es auch nicht sein, weil das Parken beim Acropolis kostenlos war.

Es war ein Umschlag mit Inhalt.

Ganz langsam stieg Ray aus dem Auto und sah sich um; vielleicht entdeckte er ja jemanden. Dann hob er den Scheibenwischer an, nahm den Umschlag und untersuchte ihn so sorgfältig, als handelte es sich um ein wichtiges Beweisstück in einem Mordprozess. Anschließend stieg er wieder ins Auto, weil er vermutete, dass er beobachtet wurde.

In dem Kuvert steckte erneut ein dreifach gefaltetes Blatt, wiederum ein ausgedrucktes digitales Farbfoto. Diesmal zeigte es Abteil 37 F von Chaney's Self-Storage in Charlottesville, Virginia, gut fünfzehnhundert Kilometer und mit dem Auto mindestens achtzehn Stunden entfernt. Dieselbe Kamera, derselbe Drucker und mit Sicherheit auch derselbe Fotograf, der bestimmt wusste, dass 37 F nicht das letzte Versteck war, das Ray benutzt hatte.

Obwohl er sich benommen fühlte, fuhr er eilig los. Während er über den Highway 90 raste, behielt er die Fahrzeuge hinter sich im Auge. Dann scherte er plötzlich nach links aus und bog in eine Straße ein, der er gut einen Kilometer weit nach Norden folgte, wo er abrupt auf den Parkplatz eines Waschsalons fuhr. Niemand folgte ihm. Eine Stunde lang beobachtete er jedes einzelne vorbeikommende Auto, ohne etwas Verdächtiges zu entdecken. Zu seiner Beruhigung hatte er auf dem Sitz neben sich griffbereit den Revolver liegen. Noch beruhigender war allerdings das Gefühl, dass sich das Geld nur wenige Zentimeter von ihm entfernt befand. Er hatte alles, was er brauchte.

Der Anruf der Sekretärin, die für Mr. Frenchs Terminkalender zuständig war, kam um Viertel nach elf. Wichtige Angelegenheiten machten ein Mittagessen mit Mr. French unmöglich, aber über ein frühes Abendessen würde er sich sehr freuen. Sie fragte, ob sich Ray gegen sechzehn Uhr im Büro des großen Mannes einfinden könnte, wo der Abend seinen Anfang nehmen würde.

Bei dem Büro, das sich auf der Website von seiner besten Seite präsentierte, handelte es sich um ein Herrenhaus im georgianischen Stil mit Blick auf den Golf. Das lang gestreckte Grundstück wurde von Eichen mit langen Bärten aus Spanischem Moos beschattet. Die aus derselben Epoche stammenden Nachbarhäuser waren im gleichen Stil gehalten.

Der hintere Teil war vor kurzem zu einem Parkplatz mit hohen Ziegelmauern und Sicherheitskameras umgebaut worden, die ständig das gesamte Gelände überwachten. Ein Wachmann, der wie ein Beamter des Secret Service gekleidet war, öffnete für Ray das Metalltor und schloss es hinter ihm sofort wieder. Nachdem Ray auf einem reservierten Platz geparkt hatte, eskortierte ihn ein weiterer Wachmann zum Hintereingang des Gebäudes, wo ein Arbeitertrupp Platten verlegte, während eine zweite Gruppe Sträucher pflanzte. Offenbar wurden Büro und Grundstück in aller Eile gründlich überholt.

»In drei Tagen kommt der Gouverneur zu Besuch«, flüsterte der Wachmann.

»Großartig«, meinte Ray.

Frenchs persönliches Büro befand sich im zweiten Stock. Er selbst allerdings hielt sich immer noch auf der Jacht draußen im Golf auf, wie eine attraktive junge Brünette in einem hautengen, teuren Kleid Ray mitteilte. Trotzdem führte sie ihn in das Büro und bat ihn, auf der Sitzgruppe am Fenster Platz zu nehmen und zu warten. Der Raum war mit heller Eiche vertäfelt und enthielt so viele schwere Ledersofas, Sessel und Ottomanen, dass man damit ein ganzes Jagdschlösschen hätte möblieren können. Der Schreibtisch war so groß wie ein Swimmingpool und mit maßstabgetreuen Modellen großer Jachten bedeckt.

»Er liebt Schiffe, was?«, fragte Ray, während er sich im Raum umsah. Offenbar sollte er beeindruckt werden.

»Ja, allerdings.« Mit einer Fernbedienung öffnete die Angestellte einen Schrank, und ein großer Flachbildschirm glitt heraus. »Im Moment ist er in einer Besprechung, aber er wird sich gleich melden. Hätten Sie gern etwas zu trinken?«

»Ja, bitte. Schwarzen Kaffee.«

In der rechten oberen Ecke des Bildschirms befand sich eine winzige Kamera. Ray vermutete, dass er gleich mit Mr. French über Satellit plaudern würde. Seine Verärgerung darüber, dass man ihn warten ließ, wuchs zunehmend. Unter normalen Umständen hätte er inzwischen schon vor Wut gekocht, aber ihn faszinierte die Show, die um ihn herum inszeniert wurde. Auch er hatte seine Rolle darin. Entspann dich und genieß das Theater, riet er sich selbst. Du hast jede Menge Zeit.

Das Mädchen kam mit dem Kaffee zurück, der natürlich in feinem Porzellan serviert wurde. Auf einer Seite der Tasse prangte das Monogramm F & F.

»Kann ich nach draußen gehen?«, fragte Ray.

»Selbstverständlich.« Sie lächelte und kehrte an ihren Schreibtisch zurück.

Eine Türreihe öffnete sich auf einen langen Balkon. Ray trank seinen Kaffee am Geländer stehend und genoss die Aussicht. Die weitläufige Rasenfläche vor dem Haus endete am Highway, dahinter erstreckten sich Strand und Meer. Kasinos waren nicht zu sehen, auch keine unfertigen Neubauten. Auf der Veranda unter ihm plauderten Maler, während sie ihre Leitern umstellten. Alles an der Anlage wirkte neu oder frisch restauriert. Patton French hatte eindeutig im Lotto gewonnen.

»Mr. Atlee?«, rief die Angestellte, und Ray kehrte ins Büro zurück. Vom Bildschirm sah ihm Patton French über seine Lesebrille hinweg entgegen. Sein Blick wirkte angespannt, sein Haar war leicht zerzaust. »Da sind Sie ja«, blaffte er. »Tut mir Leid, dass es so lange gedauert hat. Setzen Sie sich bitte, Ray, damit ich Sie besser sehen kann.«

Das Mädchen zeigte ihm seinen Platz.

»Wie geht es Ihnen?«, wollte French wissen.

»Gut, und Ihnen?«

»Ausgezeichnet. Hören Sie, dieses Chaos tut mir Leid. Alles meine Schuld, aber ich hing den ganzen Nachmittag über in einer dieser blöden Telefonkonferenzen fest und kam einfach nicht weg. Ich habe mir überlegt, dass ein Abendessen hier auf dem Schiff ein bisschen ruhiger wäre. Was meinen Sie? Mein Koch ist um Klassen besser als alle, die Sie an Land finden. Vom Hafen sind es nur dreißig Minuten bis hier. Wir könnten einen Drink nehmen, nur wir beide, und uns dann bei einem ausgedehnten Essen über Ihren Vater unterhalten. Es wird Ihnen gefallen, das kann ich Ihnen versprechen.«

Als er endlich schwieg, fragte Ray: »Ist mein Auto hier sicher?«

»Natürlich, das ist ja eine geschlossene Anlage. Wenn Sie wollen, sage ich den Wachleuten, sie sollen sich auf das Ding draufsetzen.«

»Okay. Muss ich rausschwimmen?«

»Nein, dafür habe ich Boote. Dickie bringt Sie zu mir.«

Dickie war der dickliche junge Mann, der Ray ins Gebäude eskortiert hatte. Jetzt geleitete er ihn nach draußen, wo ein überlanger silberner Mercedes wartete. Dickie steuerte ihn wie einen Panzer durch den Verkehr zur Point Cadet Marina, wo etwa hundert kleine Boote lagen. Zufällig gehörte eines der größeren Patton French. Es trug den Namen *Lady of Justice*.

»Die See ist ruhig, wir werden nur etwa fünfundzwanzig Minuten brauchen«, verkündete Dickie, als sie an Bord kletterten. Die Motoren liefen bereits. Ein Steward mit starkem Akzent fragte Ray, ob er etwas trinken wolle.

»Eine Diät-Limo.« Sie legten ab und tuckerten durch die Reihen der Liegeplätze, bis sie Pier und Marina hinter sich gelassen hatten. Ray stieg auf das obere Deck und beobachtete, wie die Küste in der Ferne verschwand.

Knapp dreißig Seemeilen vor Biloxi ankerte die *King of Torts*, eine siebenundvierzig Meter lange Luxusjacht mit fünfköpfiger Besatzung und üppig ausgestatteten Quartieren für ein Dutzend Gäste. Der Name des Bootes spielte auf die erfolgreich geführten Schadenersatzprozesse seines Besitzers an. Einziger Passagier war Mr. French, der seinen Gast bereits erwartete. »Ich freue mich sehr, Ray«, sagte er, während er ihm zunächst die Hand schüttelte und dann die Schulter drückte.

»Ich mich auch.« Ray bemühte sich, nicht zurückzuweichen. French legte offenbar Wert auf Körperkontakt. Er war drei oder vier Zentimeter größer als Ray, sonnengebräunt und besaß durchdringende blaue Augen, die im Moment zu Schlitzen verengt waren, ihr Gegenüber jedoch unverwandt ansahen.

»Wirklich sehr schön, dass Sie kommen konnten.« French drückte erneut Rays Hand. Wenn sie zu einer geheimen Bruderschaft gehört hätten, dann hätte er ihn nicht liebevoller befummeln können.

»Dickie, du bleibst hier«, brüllte er hinunter. »Folgen Sie mir, Ray.« Sie stiegen die kurze Treppe zum Hauptdeck hinauf, wo sie von einem Steward in einem weißen Jackett erwartet wurden. Über seinem Arm hing ein perfekt gefaltetes F-&-F-Serviertuch.

»Was darf ich Ihnen bringen?«, fragte er Ray.

Da Ray vermutete, dass sich French nicht mit leichten Getränken abgab, erkundigte er sich: »Was ist die Spezialität des Hauses?«

»Geeister Wodka mit etwas Limonenschale.«

»Dann probiere ich den.«

»Ein toller neuer Wodka aus Norwegen, der wird Ihnen schmecken.« Patton French kannte sich mit Wodka aus.

Er trug ein am Hals zugeknöpftes schwarzes Leinenhemd und beigefarbene Leinenshorts, die perfekt gebügelt waren und hervorragend saßen. Der leichte Bauchansatz fiel angesichts des massigen Brustkorbs und der Unterarme, die doppelt so dick waren wie bei normalen Menschen, kaum auf. Sein Haar mochte er anscheinend besonders, denn er wühlte ständig mit den Händen darin herum.

»Was halten Sie von dem Schiff?«, fragte er, wobei er mit den Händen vom Heck bis zum Bug wies. »Hat sich ein unbedeutender saudischer Prinz vor ein paar Jahren bauen lassen. Der Idiot hat sogar einen Kamin installieren lassen, können Sie sich das vorstellen? Hat ihn um die zwanzig Millionen gekostet, und nach einem Jahr hat er das Schiff dann gegen eine Siebzig-Meter-Jacht eingetauscht.«

»Wirklich unglaublich.« Ray bemühte sich, gebührend beeindruckt zu klingen. Die Welt der Jachten war ihm immer fremd geblieben, und nach dieser Episode würde er sich vermutlich für den Rest seines Lebens von ihr fern halten.

»In Italien hergestellt.« French tippte gegen eine Reling aus irgendeinem sündhaft teuren Holz.

»Warum bleiben Sie hier draußen im Golf?«

»Weil ich Offshore-Geschäfte mag, wenn Sie wissen, was ich meine. Kleiner Scherz. Setzen Sie sich doch.« Sie ließen sich auf zwei Liegestühlen nieder. Als sie bequem saßen, deutete French mit dem Kopf zur Küste. »Von hier aus sieht man Biloxi kaum, aber das ist für mich nah genug. Hier draußen kann ich an einem Tag mehr Arbeit erledigen als im Büro in einer Woche. Außerdem ziehe ich gerade um. Meine Scheidung läuft. Hier draußen ist sozusagen mein Schlupfwinkel.«

»Tut mir Leid, das zu hören.«

»Dies ist mittlerweile die größte Jacht in Biloxi, und die meisten Leute kennen sie. Meine jetzige Frau denkt, ich hätte sie verkauft. Komme ich der Küste zu nahe, könnte Ihr schmieriger kleiner Rechtsanwalt herausschwimmen und sie fotografieren. Dreißig Seemeilen ist nah genug.«

Die geeisten Wodkas wurden in hohen, schmalen Gläsern serviert, auf denen F & F eingraviert war. Obwohl Ray nur daran nippte, brannte das Gesöff bis in die Zehen. French dagegen nahm einen tiefen Zug und schmatzte genießerisch mit den Lippen. »Was halten Sie davon?«, fragte er stolz.

»Guter Wodka.« Ray konnte sich nicht mehr erinnern, wann er zum letzten Mal Wodka getrunken hatte.

»Dickie hat frischen Schwertfisch für das Abendessen mitgebracht. Wie klingt das?«

»Ausgezeichnet.«

»Außerdem ist im Moment Austernzeit.«

»Ich habe in Tulane studiert und mich drei Jahre lang von frischen Austern ernährt.«

»Ich weiß.« French holte ein kleines Funkgerät aus der Hemdtasche und gab ihre Essenswünsche nach unten durch. Dann blickte er auf die Uhr und entschied, dass sie in zwei Stunden essen würden.

»Sie haben mit Hassel Mangrum studiert«, stellte French fest.

»Ja, aber er war ein Jahr über mir.«

»Wir haben denselben Fitnesstrainer. Hassel war hier an der Küste sehr erfolgreich, hat sich rechtzeitig in die Asbestaffären eingeklinkt.«

»Ich habe seit zwanzig Jahren nichts von ihm gehört.«

»Da haben Sie nicht viel verpasst. Inzwischen ist er eine ziemliche Nervensäge geworden, aber vielleicht war er das an der juristischen Fakultät ja auch schon.«

»Allerdings. Woher wissen Sie, dass wir zusammen studiert haben?«

»Recherche, Ray, gründliche Recherche.« French trank erneut von seinem Wodka. Rays dritter Schluck schien sein Gehirn zu verbrennen.

»Wir haben eine Menge Geld für Ermittlungen über Richter Atlee ausgegeben – seine Familie, seinen Hintergrund, seine Urteile, seine Finanzen, alles, was wir finden konnten. Nichts Illegales oder Schnüffeln in der Privatsphäre, sondern gute, altmodische Detektivarbeit. Wir wussten auch von Ihrer Scheidung. Wie hieß er noch? Lew der Liquidator?«

Ray nickte nur. Am liebsten hätte er sich abfällig über Lew Rodowski geäußert und French die Meinung gesagt, weil er seine Vergangenheit durchwühlt hatte, aber für einen Moment beeinträchtigte der Wodka seine Geistesgegenwart. Deshalb nickte er nur erneut.

»Wir wussten sogar, wie viel Gehalt Sie als Juraprofessor beziehen. In Virginia sind diese Informationen nämlich öffentlich zugänglich.«

»Stimmt.«

»Kein schlechtes Gehalt, Ray, aber es ist auch eine gute Universität.«

»Allerdings.«

»Die Erforschung der Vergangenheit Ihres Bruders erwies sich als ziemliches Abenteuer.«

»Das glaube ich gern. Für die Familie war sein Leben auch ein Abenteuer.«

»Wir haben jedes Urteil Ihres Vaters in Schadenersatzprozessen und Fällen von schuldhaft verursachtem Tod gelesen. Es waren nicht viele, aber sie lieferten uns immerhin einige Anhaltspunkte. Bei den zuerkannten Summen war er konservativ, aber er stand immer auf der Seite des kleinen Mannes, des Arbeiters. Wir wussten, dass er sich an das Gesetz halten würde, aber wir wussten auch, dass alte Chancellors das Gesetz häufig nach ihrer eigenen Vorstellung von Gerechtigkeit auslegen. Die Wühlarbeit erledigten meine Angestellten, aber ich habe jede einzelne seiner wichtigen Entscheidungen gelesen. Er war brillant, Ray, und immer fair. Ich hatte an keiner einzigen seiner Äußerungen etwas auszusetzen.«

»Sie haben ihn für den Gibson-Fall ausgewählt?«

»Ja. Als wir beschlossen, den Fall vor einem Chancery Court und nicht vor einem Geschworenengericht verhandeln zu lassen, entschieden wir uns auch gegen einen örtlichen Richter. Davon gibt es drei. Einer ist mit der Familie Gibson verwandt, der andere befasst sich nur mit Scheidungen, und der dritte ist vierundachtzig, senil und hat das Haus seit drei Jahren nicht verlassen. Also sahen wir uns im gesamten Staat um und fanden drei mögliche Kandidaten. Glücklicherweise kannten sich mein Vater und Ihr Vater seit sechzig Jahren, vom Studium in Sewanee und später von der juristischen Fakultät der Universität von Mississippi. Sie waren während der ganzen Zeit nicht direkt befreundet gewesen, aber in Kontakt geblieben.«

»Praktiziert Ihr Vater noch?«

»Nein, er lebt jetzt in Florida und spielt jeden Tag Golf. Ich bin einziger Inhaber der Kanzlei. Aber mein alter Herr fuhr nach Clanton und plauderte mit Richter Atlee auf der Veranda über den Amerikanischen Bürgerkrieg und Nathan Bedford Forrest. Sie fuhren sogar nach Shiloh und sahen sich zwei Tage lang das Schlachtfeld an. Für Richter Atlee war es sehr bewegend, an der Stelle zu stehen, an der General Johnston fiel.«

»Ich war selbst ein Dutzend Mal dort.« Ray konnte ein Lächeln nicht unterdrücken.

»Einen Mann wie Richter Atlee setzt man nicht unter Druck, den muss man überzeugen.«

»Für diese Art von Überzeugungsarbeit hat er einmal einen Anwalt ins Gefängnis geworfen. Der Kerl kam vor Verhandlungsbeginn herein und wollte seine Argumente vortragen. Der Richter ließ ihn dafür einen halben Tag lang im Gefängnis schmoren.«

»Das war dieser Chadwick drüben in Oxford, nicht wahr?«, meinte French selbstzufrieden.

Ray war sprachlos.

»Wie dem auch sei, wir mussten Richter Atlee unbedingt vor Augen führen, wie wichtig der Ryax-Prozess war. Wir wussten, dass er keine Lust haben würde, den Fall an der Küste zu verhandeln, aber er würde es tun, wenn er an die Sache glaubte.«

»Er hasste die Küste.«

»Das war uns bekannt, und glauben Sie mir, es beunruhigte uns sehr. Aber er war ein Mann mit Prinzipien. Nachdem er den Amerikanischen Bürgerkrieg zwei Tage lang noch einmal durchlebt hatte, erklärte er sich widerwillig bereit, den Fall zu übernehmen.«

»Ist die Berufung der Sonderrichter nicht Aufgabe des Obersten Gerichtshofs?«, fragte Ray. Beim vierten Schluck floss der Wodka anstandslos hinunter und brannte auch nicht in der Kehle. Allmählich gewöhnte er sich an den Geschmack.

French zuckte wegwerfend die Achseln. »Natürlich, aber es gibt immer einen Weg. Wir haben Beziehungen.«

In der Welt von Patton French war jeder käuflich.

Der Steward servierte frische Drinks. Nicht dass sie nötig gewesen wären, aber sie wurden trotzdem akzeptiert. French war hyperaktiv und konnte nicht lange stillsitzen. »Jetzt zeige ich Ihnen das Schiff«, sagte er und sprang ohne erkennbare Anstrengung auf. Sein Glas balancierend, kletterte Ray vorsichtig aus dem Liegestuhl.

31

Das Abendessen wurde in der Kapitänsmesse serviert, einem Mahagoni-getäfelten Esszimmer, dessen Wände mit Modellen alter Klipper und von Kanonenbooten geschmückt waren. Dazwischen hingen Karten der Neuen Welt und des Fernen Ostens. Eine Sammlung alter Musketen sollte offenbar den Eindruck vermitteln, die *King of Torts* befahre die Weltmeere schon seit Jahrhunderten. Der Speiseraum befand sich auf dem Hauptdeck hinter der Brücke, nur durch einen schmalen Gang von der Küche getrennt, in der ein vietnamesischer Koch konzentriert vor sich hin arbeitete. Der offizielle Essbereich bestand aus einem ovalen Marmortisch, der Platz für ein Dutzend Gäste bot und mindestens eine Tonne wiegen musste. Ray fragte sich, wie sich die *King of Torts* über Wasser hielt.

Doch heute Abend saßen nur zwei Personen am Kapitänstisch, über dem ein kleiner Kronleuchter im Rhythmus der Wellen schaukelte. Ray hatte an einem Ende Platz genommen, French am anderen. Der erste Wein des Abends war ein weißer Burgunder, der für Ray nach dem scharfen Wodka nach gar nichts schmeckte. Seinem Gastgeber ging es da offenbar anders. French hatte drei eisgekühlte Wodkas gekippt und sprach mittlerweile mit schwerer werdender Zunge. Dennoch schmeckte er jeden Hauch von

Frucht, ahnte sogar das Eichenholzfass und fühlte sich wie alle Wein-Snobs verpflichtet, Ray an dieser nützlichen Information teilhaben zu lassen.

»Auf Ryax.« French erhob sein Glas zu einem verspäteten Toast. Ray stieß mit ihm an, sagte aber nichts. Heute Abend war es nicht an ihm zu reden, und das wusste er. Er würde nur zuhören, während sich sein Gastgeber betrank und gesprächig wurde.

»Ryax hat mich gerettet, Ray«, erklärte French, während er das Weinglas schwenkte und bewundernd auf die goldene Flüssigkeit starrte.

»In welcher Hinsicht?«

»In jeder Hinsicht. Es hat meine Seele gerettet. Mein Gott ist das Geld, und durch Ryax bin ich reich geworden.« Ein kleiner Schluck, gefolgt von dem unumgänglichen Schmatzen und Augenrollen. »Die Asbestwelle vor zwanzig Jahren habe ich verpasst. Die Werften drüben in Pascagoula verwendeten jahrelang Asbest. Zehntausende Menschen erkrankten, und ich habe es verpasst. Ich war zu beschäftigt damit, Ärzte und Versicherungsgesellschaften zu verklagen. Damit verdiente ich gut, aber ich erkannte das Potenzial von Sammelklagen auf Schadenersatz einfach nicht. Sind Sie bereit für die Austern?«

»Ja.«

French drückte einen Knopf, worauf der Steward zwei Platten mit rohen Austern in der halben Schale hereinbrachte. Ray mischte Meerrettich in die Cocktailsauce und bereitete sich auf das Festmahl vor, während Patton immer noch sein Weinglas schwenkte und ununterbrochen redete.

»Dann kam der Tabak«, fuhr er traurig fort. »Die Anwälte waren häufig dieselben, alle von hier. Ich dachte, sie wären verrückt. Das glaubte doch jeder! Aber sie verklagten die großen Tabakfirmen in fast jedem Bundesstaat.

Ich hatte die Chance, auf den Zug aufzuspringen, aber ich hatte die Hosen voll. Es fällt mir schwer, das zuzugeben, Ray. Ich war zu feige, das Risiko einzugehen.«

»Was verlangten sie?« Ray schob sich die erste Auster mit einem Cracker in den Mund.

»Eine Million Dollar für die Finanzierung des Prozesses. Und ich hatte damals eine Million Dollar.«

»Wie hoch war der Vergleich?«, fragte Ray kauend.

»Über dreihundert Milliarden. Der größte finanzielle und juristische Betrug aller Zeit. Die Tabakfirmen kauften die Anwälte praktisch. Eine riesige Bestechungsaffäre, und ich habe sie verpasst.« French schien ob dieses Unglücks in Tränen ausbrechen zu wollen, erholte sich jedoch nach einem kräftigen Schluck Wein schnell wieder.

»Gut, die Austern«, meinte Ray mit vollem Mund.

»Vor vierundzwanzig Stunden waren sie noch fünf Meter unter der Wasseroberfläche.« French schenkte Wein nach und wandte sich seiner Platte zu.

»Was wäre die Rendite für Ihre Million gewesen?«

»Zweihundert zu eins.«

»Zweihundert Millionen Dollar?«

»Ja. Mir war danach ein ganzes Jahr lang übel, und einer Menge anderer Anwälte von hier ging es ebenso. Wir kannten die Spieler und hatten uns nicht getraut.«

»Dann kam Ryax.«

»Genau.«

»Wie sind Sie darauf gestoßen?« Ray wusste, die Frage würde eine weitere langatmige Antwort nach sich ziehen, so dass er in aller Ruhe essen konnte.

»Ich war bei einem Seminar für Prozessanwälte in St. Louis. Missouri ist ja ganz nett, aber wenn es um Schadenersatzforderungen geht, hinkt es kilometerweit hinter uns her. Wir haben seit Jahren die Asbest- und Tabakjungs, die die Millionen zählen und allen zeigen, wie der Hase läuft. Ich nahm einen Drink mit einem alten Anwalt aus einer Kleinstadt in den Ozarks. Sein Sohn lehrt Medizin an der Universität von Columbia und war auf Ryax aufmerksam geworden. Die Untersuchungsergebnisse waren entsetzlich. Das verdammte Medikament frisst die Nieren schlicht auf, und da es neu war, gab es noch keine Schadenersatzklagen. Ich trieb einen Experten in Chicago auf, der wiederum über einen Arzt in New Orleans Clete Gibson fand. Dann begannen wir mit den medizinischen Tests, und eine Lawine geriet ins Rollen. Nun brauchten wir nur noch ein durchschlagendes Urteil.«

»Warum wollten Sie keine Verhandlung vor einem Geschworenengericht?«

»Ich liebe Geschworene. Mir gefällt es, sie auszuwählen, mit ihnen zu reden, sie umzustimmen, zu manipulieren, ja sogar zu kaufen – aber sie sind unberechenbar. Ich wollte eine sichere Bank, eine Garantie. Außerdem wollte ich einen schnellen Prozess. Die Gerüchte über Ryax verbreiteten sich wie ein Lauffeuer. Sie können sich vorstellen, wie die Nachricht, dass ein neues Medikament verheerende Nebenwirkungen zeigt, auf ein Heer gieriger Schadenersatzanwälte wirkt. Wer zuerst eine drastische Verurteilung erzielte, war der König, vor allem, wenn das Urteil in Biloxi gefällt wurde. Miyer-Brack ist eine Schweizer Firma …«

»Ich habe die Akte gelesen.«

»Den gesamten Vorgang?«

»Ja, gestern im Gericht von Hancock County.«

»Nun, die Europäer fürchten unser Schadenersatzsystem wie der Teufel das Weihwasser.«

»Nicht ohne Grund, oder?«

»Schon, aber das ist nur positiv, weil es dafür sorgt, dass sie ehrlich bleiben. Eigentlich sollten sie Angst davor haben, dass eines ihrer Medikamente mangelhaft sein und den Menschen Schaden zufügen könnte, aber das interessiert keinen, wenn Milliarden auf dem Spiel stehen. Leute wie ich sorgen dafür, dass sie auf dem rechten Pfad bleiben.«

»Wussten sie über Ryax Bescheid?«

French würgte eine weitere Auster herunter, schluckte mühsam, kippte ein Glas Wein hinterher und erwiderte schließlich: »Schon ziemlich bald. Das Medikament senkte den Cholesterinspiegel so wirksam, dass Miyer-Brack und die FDA es in aller Eile auf den Markt brachten. Wieder ein Wunderheilmittel. Ein paar Jahre lang funktionierte es auch ohne Nebenwirkungen. Dann kam der große Knall. Die Nephronen … Wissen Sie, wie die Nieren funktionieren?«

»Gehen wir für den Augenblick davon aus, dass ich keine Ahnung habe.«

»In jeder Niere gibt es Millionen kleine Filtereinheiten, die Nephronen. Ryax enthielt eine synthetische Chemikalie, die diese praktisch einschmolz. Nicht jeder stirbt daran wie der arme Mr. Gibson. Die Schädigung kann unterschiedlich schwer ausfallen, ist aber immer irreversibel. Die Niere ist ein Organ mit erstaunlichen Selbstheilungskräften, aber nach fünf Jahren Ryax ist nichts mehr zu machen.«

»Wann genau erfuhr Miyer-Brack, dass es ein Problem gab?«

»Schwer zu sagen. Wir zeigten dem Richter interne Dokumente, in denen die Laborangestellten ihre Vorgesetzten zur Vorsicht drängten und baten, weitere Forschungen abzuwarten. Nachdem Ryax vier Jahre lang mit spektakulären Ergebnissen auf dem Markt gewesen war, zeigten sich die Wissenschaftler des Unternehmens beunruhigt. Dann wurden Patienten ernsthaft krank, und es gab sogar Todesfälle. Inzwischen war es zu spät. Von meinem Standpunkt aus mussten wir den perfekten Mandanten und das perfekte Forum finden, was uns gelang. Dann mussten wir nur noch schnell handeln, bevor ein anderer Anwalt eine drastische Verurteilung erreichte. An dieser Stelle kam Ihr Vater ins Spiel.«

Der Steward räumte die Austernschalen ab und servierte einen Salat aus Krabbenfleisch. Mr. French persönlich wählte unterdessen einen weiteren weißen Burgunder aus dem Bordweinkeller aus.

»Was geschah nach dem Gibson-Prozess?«, erkundigte sich Ray.

»Ich selbst hätte das Drehbuch nicht besser schreiben können. Miyer-Brack brach vollständig zusammen. Arrogante Arschlöcher zerflossen in Tränen und boten den Ryax-Anwälten Säcke voll Bargeld an. Vor dem Prozess hatte ich vierhundert Fälle und keinerlei Druckmittel, danach waren es fünftausend, und ich hatte ein Elf-Millionen-Dollar-Urteil in der Tasche. Hunderte von Anwälten riefen mich an. Ich flog einen Monat lang mit einem Learjet im Land herum und traf mit anderen Anwälten Vereinbarungen über die gemeinsame Vertretung ihrer Mandanten. Ein Bursche in Kentucky hatte hundert Fälle, einer in St. Paul achtzig und so fort. Dann, etwa vier Monate nach dem Prozess, flogen wir zu einer großen Konferenz nach New York. In weniger als drei Stunden hatten wir für sechstausend Fälle einen Vergleich über siebenhundert Millionen Dollar ausgehandelt. Einen Monat später erhielten wir für weitere zwölfhundert Fälle zweihundert Millionen.«

»Wie hoch war Ihr Anteil?« Einem normalen Menschen gegenüber hätte eine solche Frage unhöflich gewirkt, aber French konnte es gar nicht erwarten, über sein Honorar zu sprechen.

»Fünfzig Prozent vorab für die Anwälte, dann die Spesen, der Rest ging an die Mandanten. Das ist das Schlechte an Erfolgshonorarverträgen – der Mandant bekommt die Hälfte. Außerdem musste ich noch mit anderen Anwälten abrechnen. Aber am Ende blieben dreihundert Millionen und ein paar Zerquetschte übrig. Das ist das Schöne an Sammelklagen auf Schadenersatz, Ray. Man schleppt die Mandanten lastwagenweise an, schließt für alle gleichzeitig einen Vergleich ab und behält die Hälfte.«

Keiner der beiden aß. Es lag zu viel Geld in der Luft.

»Dreihundert Millionen Honorar?«, wiederholte Ray ungläubig.

French gurgelte mit dem Wein. »Ist doch wundervoll, nicht wahr? Das Geld strömt so schnell herein, dass ich es gar nicht alles ausgeben kann.«

»Sieht aus, als würden Sie Ihr Bestes tun.«

»Und das ist erst die Spitze des Eisberges. Haben Sie schon mal von einem Medikament namens Minitrin gehört?«

»Ich habe mir Ihre Website angesehen.«

»Wirklich? Was meinen Sie dazu?«

»Ganz schön clever. Zweitausend Minitrin-Fälle.«

»Inzwischen sind es dreitausend. Minitrin ist ein Medikament gegen Bluthochdruck, das gefährliche Nebenwirkungen hat. Wird von Shyne Medical hergestellt. Die haben mir fünfzigtausend pro Fall angeboten, aber ich habe abgelehnt. Vierzehnhundert Kobril-Fälle … Das ist ein Antidepressivum, von dem wir vermuten, dass es zu Gehörverlust führt. Je von Skinny Ben gehört?«

»Ja.«

»Wir haben dreitausend Skinny-Ben-Fälle. Und fünfzehnhundert …«

»Ich habe die Liste gesehen. Ich nehme an, die Website ist auf dem aktuellen Stand.«

»Natürlich. Ich bin der neue König der Schadenersatzprozesse in diesem Land. In meiner Kanzlei arbeiten außer mir dreizehn Anwälte, und ich bräuchte vierzig.«

Der Steward sammelte die Reste ein, bevor er den Schwertfisch vor ihnen abstellte und den nächsten Wein brachte, obwohl die angebrochene Flasche noch halb voll war. French durchlief das übliche Probierritual und nickte schließlich geradezu widerstrebend. Für Ray schmeckte der Wein fast wie die ersten beiden.

»Das verdanke ich alles Richter Atlee.«

»Wie das?«

»Er hatte den Mut, die richtige Entscheidung zu treffen und in Hancock County gegen Miyer-Brack zu verhandeln, anstatt den Fall an ein Bundesgericht zu verweisen. Er verstand das Problem und hatte keine Angst, sie zu bestrafen. Der richtige Zeitpunkt ist alles, Ray. Weniger als sechs Monate nach seinem Urteil hatte ich dreihundert Millionen Dollar in der Tasche.«

»Haben Sie die gesamte Summe behalten?«

French war gerade dabei, die Gabel zum Mund zu führen. Er zögerte eine Sekunde, dann nahm er den Fisch und kaute eine Weile darauf herum. »Ich verstehe die Frage nicht«, meinte er schließlich.

»Ich glaube doch. Haben Sie Richter Atlee etwas von dem Geld gegeben?«

»Ja.«

»Wie viel?«

»Ein Prozent.«

»Drei Millionen Dollar?«

»Und ein paar Zerquetschte. Der Fisch ist köstlich, finden Sie nicht?«

»Allerdings. Warum?«

French legte Messer und Gabel ab und fuhr sich erneut mit beiden Händen durch die Locken. Dann wischte er sie an der Serviette ab und schwenkte sein Weinglas. »Ich glaube, es gibt eine Menge Fragen. Warum, wann, wie, wer.«

»Sie sind ein guter Geschichtenerzähler, fangen Sie einfach an.«

Erneut wurde das Glas geschwenkt, dann folgte ein genüsslicher Zug. »Es ist nicht das, was Sie denken. Obwohl ich Ihren Vater und jeden anderen Richter auch bestochen hätte, um dieses Urteil zu erreichen. Ich habe das früher getan und würde es jederzeit wiederholen. Das zähle ich unter allgemeine Unkosten. Ehrlich gesagt, fand ich ihn und seinen Ruf so Respekt einflößend, dass ich mich nicht traute, ihm einen Handel vorzuschlagen. Er hätte mich ins Gefängnis geworfen.«

»Und Sie dort verrotten lassen.«

»Ja, ich weiß, mein Vater hatte mich davon überzeugt. Also spielten wir ehrlich. Im Prozess wurde mit harten Bandagen gekämpft, aber ich hatte die Wahrheit auf meiner Seite. Ich gewann. Das brachte mir viel Geld ein, und inzwischen verdiene ich noch mehr an meinen Prozessen. Gegen Ende des vergangenen Sommers, nachdem wir den Vergleich geschlossen hatten und das Geld angewiesen worden war, wollte ich mich erkenntlich zeigen. Leute, die mir helfen, vergesse ich nicht, Ray. Ein neues Auto hier, eine Eigentumswohnung dort, ein Sack Bargeld als Gegenleistung für einen Gefallen. Ich kämpfe mit allen Mitteln, und ich schütze meine Freunde.«

»Er war nicht Ihr Freund.«

»Wir waren keine Amigos und gehörten auch nicht irgendeiner geheimen Bruderschaft an, aber einen besseren Freund habe ich in meinem ganzen Leben nicht gehabt. Alles fing mit ihm an. Ist Ihnen klar, wie viel Geld ich in den nächsten fünf Jahren verdienen werde?«

»Eine schockierend hohe Summe, da bin ich mir sicher.«

»Eine halbe Milliarde, und das verdanke ich alles Ihrem Vater.«

»Und wann haben Sie genug?«

»Es gibt hier einen Tabakanwalt, der hat eine Milliarde gemacht. Den möchte ich schon einholen.«

Ray brauchte etwas zu trinken. Er starrte prüfend auf sein Glas, als verstünde er etwas von Wein, und schüttete ihn dann hinunter. French widmete sich dem Fisch.

»Irgendwie habe ich das Gefühl, dass Sie die Wahrheit sagen«, murmelte Ray.

»Ja, ich lüge nicht. Ich betrüge und verteile Schmiergelder, aber ich lüge nicht. Vor etwa sechs Monaten, während ich dabei war, mich mit Flugzeugen, Schiffen, Strandhäusern, Berghütten und neuen Büros einzudecken, erfuhr ich, dass bei Ihrem Vater eine schwere Krebserkrankung diagnostiziert worden war. Ich wollte ihm etwas Gutes tun. Ich wusste, dass er nicht viel Geld hatte und das auch noch an alle möglichen Leute verteilte.«

»Und da haben Sie ihm drei Millionen in bar geschickt?«

»Ja.«

»Einfach so?«

»Einfach so. Ich rief ihn an und teilte ihm mit, dass ein Paket an ihn unterwegs sei. Vier Pakete, wie sich herausstellen sollte, vier große Kartons. Einer meiner Jungs fuhr sie mit einem Lieferwagen hin und stellte sie auf die Veranda. Richter Atlee war nicht zu Hause.«

»Nicht registrierte Scheine?«

»Warum hätte ich sie registrieren lassen sollen? Glauben Sie, ich wollte erwischt werden?«

»Was meinte er dazu?«

»Ich habe nie ein Wort von ihm dazu gehört und auch keinen Wert darauf gelegt.«

»Was tat er?«

»Das müssten Sie doch wissen. Sie sind sein Sohn, Sie kennen ihn besser als ich. Sagen Sie mir, was er mit dem Geld getan hat.«

Ray schob seinen Stuhl zurück. Das Weinglas in der

Hand, schlug er die Beine übereinander und versuchte, sich zu entspannen. »Er fand das Geld auf der Veranda. Als ihm klar wurde, um was es sich handelte, verfluchte er Sie vermutlich nach Strich und Faden.«

»Das will ich doch hoffen.«

»Er stellte das Zeug in die Diele, wo schon Dutzende anderer Kartons standen. Sein Plan war, es wieder nach Biloxi zu schaffen, aber die Tage vergingen. Er war krank und schwach und kein besonders guter Autofahrer. Dass er todkrank war, ließ ihn die Dinge mit Sicherheit unter einem anderen Blickwinkel sehen. Nach ein paar Tagen beschloss er, das Geld zu verstecken. Dabei hatte er immer noch vor, es zurückzubringen und Ihnen die Leviten zu lesen. Doch im Laufe der Zeit wurde er immer kränker.«

»Wer fand das Geld?«

»Ich.«

»Und wo ist es?«

»Im Kofferraum meines Wagens, der vor Ihrem Büro steht.«

French lachte herzlich und ausgiebig. »Also da, wo es herkam«, prustete er, nach Luft schnappend.

»Inzwischen hat es aber eine ganz schöne Strecke zurückgelegt. Ich entdeckte es gleich, nachdem ich ihn tot aufgefunden hatte, in seinem Arbeitszimmer. Irgendjemand versuchte, einzubrechen und es zu stehlen. Also nahm ich es mit nach Virginia. Jetzt ist es wieder hier, aber diese Person folgt mir immer noch.«

Das Gelächter brach abrupt ab. French fuhr sich mit der Serviette über den Mund. »Wie viel haben Sie gefunden?«

»3 118 000 Dollar.«

»Verdammt! Er hat nicht einen Cent ausgegeben.«

»Und in seinem Testament ist es auch nicht erwähnt. Er hat es einfach in Kartons in einem Schrank unter seinen Bücherregalen verstaut.«

»Wer war der Einbrecher?«
»Ich hoffte, das könnten Sie mir sagen.«
»Ich kann's mir zumindest vorstellen.«
»Dann sagen Sie es mir bitte.«
»Das ist wieder eine lange Geschichte.«

32

Der Steward brachte eine Auswahl von Single-Malt-Whiskeys auf das obere Deck, wo sie sich zu einem Schlummertrunk und einer weiteren Geschichte niedergelassen hatten. In der Ferne flimmerten die Lichter von Biloxi. Ray war kein Whiskeytrinker und verstand nicht das Geringste von Single Malts, aber er passte sich dem Ritual an, weil er wollte, dass French sich weiter betrank. Die Geschichten sprudelten jetzt nur so aus ihm heraus, und Ray wollte alle hören.

Sie entschieden sich für Lagavulin, weil er so schön rauchig war – was auch immer das hieß. Vier andere Flaschen standen wie Wachsoldaten in Galauniform aufgereiht. Ray schwor sich, nichts mehr zu trinken. Er würde nur an seinem Glas nippen und alles wieder ausspucken. Falls sich die Gelegenheit bot, würde er den Rest über Bord kippen. Zu seiner Erleichterung goss der Steward winzige Mengen in niedrige, dicke Gläser, die so schwer waren, dass sie vermutlich ein Loch in den Boden schlagen würden, wenn man sie fallen ließe.

Es war kurz vor zweiundzwanzig Uhr, aber Ray hatte das Gefühl, es wäre viel später. Der Golf war dunkel, kein anderes Schiff zu sehen. Aus dem Süden wehte ein sanfter Wind, der die *King of Torts* leicht auf den Wellen schaukeln ließ.

»Wer weiß von dem Geld?«, fragte French, genießerisch schmatzend.

»Ich, Sie und der Transporteur, wer auch immer das war.«

»Das ist Ihr Mann.«

»Wer ist er?«

Ein langer Zug, noch mehr Geschmatze. Ray führte den Whiskey an die Lippen und bereute es sofort. Obwohl sie sich anfühlten wie betäubt, brannten sie sofort wieder.

»Gordie Priest. Er arbeitete etwa acht Jahre für mich, zunächst als Laufbursche, später sozusagen als reisender Vertreter. Seine Familie lebt schon immer an der Küste, und immer am Rand der Legalität. Sein Vater und seine Onkel verdienten ihr Geld mit Wetten, Huren, schwarzgebranntem Schnaps, Spelunken, alles illegal. Sie gehörten zu der Küstenmafia, wie man sie früher nannte, einer Bande von Verbrechern, die nichts von ehrlicher Arbeit hielten. Vor zwanzig Jahren hatten sie hier einigen Einfluss, aber das ist Geschichte. Die meisten von ihnen landeten im Gefängnis. Gordies Vater, den ich sehr gut kannte, wurde vor einer Bar in Mobile erschossen. Ziemlich übler Haufen. Meine Familie kennt sie seit Jahren.«

Das hieß, dass seine Familie ebenfalls zu der Verbrecherbande gehörte, auch wenn er es nicht aussprach. Sie hielten die Fassade aufrecht, waren die Anwälte, die in die Kameras lächelten und im Hinterzimmer unter der Hand Geschäfte abschlossen.

»Gordie landete im Gefängnis, als er etwa zwanzig war – gehörte zu einem Autoschieberring, der in einem Dutzend Bundesstaaten arbeitete. Ich stellte ihn ein, als er entlassen wurde, und mit der Zeit entwickelte er sich zu einem der besten Laufburschen an der Küste. Besonders gut war er bei Offshore-Fällen. Er kannte die Leute auf den Bohrinseln. Wenn jemand verletzt oder getötet worden war, zog er den Fall für uns an Land. Dafür bekam er von mir eine schöne Provision – man muss schließlich etwas für sein Personal tun. In einem Jahr zahlte ich ihm fast achtzigtausend, alles in bar. Natürlich musste er das ganze Geld auf den Kopf hauen. Kasinos und Frauen, das waren seine Schwächen. Er liebte es, nach Vegas zu fahren und eine Woche lang besoffen zu sein. Dabei warf er mit Geld um sich, als wäre er Krösus persönlich. Er benahm sich wie ein Idiot, aber dumm war er nicht. Wenn er pleite war, schuftete er, um Geld zu verdienen. Sobald er es hatte, setzte er alles daran, es wieder loszuwerden.«

»Mir ist noch nicht ganz klar, was das mit mir zu tun hat.«

»Nur Geduld.« French hustete zweimal, und Ray kippte hastig seinen Whiskey über Bord.

»Nach dem Gibson-Fall Anfang letzten Jahres kam es zu einer wahren Geldflut. Ich musste Leute entschädigen, die mir einen Gefallen erwiesen hatten. Jede Menge Bargeld war in Umlauf. Bargeld für die Anwälte, die mir ihre Fälle schickten, Bargeld für die Ärzte, die Tausende neuer Mandanten untersuchten. Nicht alles war illegal, aber viele wollten keine Unterlagen. Ich beging den Fehler, Gordie für die Lieferungen einzusetzen. Ich dachte, ich könnte ihm vertrauen, zählte auf seine Loyalität, aber ich hatte mich getäuscht.«

French war mit seinem Whiskey fertig und schickte sich an, einen anderen zu probieren. Ray lehnte ab und gab vor, noch mit seinem Lagavulin beschäftigt zu sein.

»Er brachte das Geld nach Clanton und stellte es auf der Veranda ab?«, fragte er.

»Ja. Drei Monate später stahl er mir eine Million Dollar in bar und verschwand. Er hat zwei Brüder, und während der vergangenen zehn Jahre war immer einer der drei im Gefängnis. Außer jetzt. Im Moment sind alle auf

Bewährung draußen und versuchen, das große Geld aus mir herauszuholen. Erpressung ist ein schweres Verbrechen, aber ich kann mich schlecht ans FBI wenden.«

»Warum glauben Sie, dass er es auf die drei Millionen abgesehen hat?«

»Wir haben ihn vor ein paar Monaten abgehört. Ich habe für die Suche nach Gordie ein paar Leute engagiert, mit denen nicht zu spaßen ist.«

»Was tun Sie, wenn Sie ihn finden?«

»Oh, auf seinen Kopf ist ein Preis ausgesetzt.«

»Sie haben *Auftragskiller* auf ihn angesetzt?«

»Ja.«

Jetzt bat Ray doch um einen weiteren Whiskey.

Er schlief auf dem Schiff, und zwar in einem großen Raum irgendwo unter der Wasserlinie. Als er am nächsten Morgen auf das Hauptdeck hinaustrat, stand die Sonne schon hoch im Osten, und die Luft war bereits heiß und schwül. Der Kapitän wünschte ihm einen guten Morgen und deutete auf den Gang, an dessen Ende Ray French fand, der in ein Telefon brüllte.

Scheinbar aus dem Nichts erschien der treue Steward und bot ihm einen Kaffee an. Das Frühstück fand ein Deck weiter oben statt, wo sie in der Nacht ihren Whiskey zu sich genommen hatten. Eine Markise sorgte für Schatten.

»Ich liebe es, im Freien zu essen«, verkündete French, als er sich Ray schließlich anschloss. »Sie haben zehn Stunden geschlafen.«

»Wirklich?« Ray sah auf seine Uhr, die noch auf Ostküstenzeit eingestellt war. Er befand sich auf einer Jacht im Golf von Mexiko, eine Million Kilometer von Zuhause entfernt, und wusste weder Uhrzeit noch Datum, nur, dass er von ein paar höchst unangenehmen Gestalten gejagt wurde.

Auf dem Tisch standen Brot, Müsli und Cornflakes. »Tin Lu macht Ihnen, was Sie wollen«, sagte French. »Speck, Eier, Waffeln, Wackelpudding.«

»Nein danke, mir reicht das, was da ist.«

French war frisch und hyperaktiv. Er ging seinen harten Arbeitstag mit einer Energie an, die nur von der Aussicht auf ein Honorar von einer halbe Milliarde herrühren konnte. Er trug ein weißes Leinenhemd, das er wie das schwarze Hemd vom Vortag am Hals zugeknöpft hatte, Shorts und Mokassins. Seine tanzenden Augen blickten klar. »Ich habe soeben dreihundert weitere Minitrin-Fälle übernommen«, verkündete er, während er eine großzügige Portion Cornflakes in eine große Schale schüttete. Auf jedem Geschirrteil prangte das obligatorische F-&-F-Monogramm.

Ray hatte die Nase voll von Sammelklagen. »Schön, aber ich interessiere mich mehr für Gordie Priest.«

»Wir finden ihn. Ich habe schon herumtelefoniert.«

»Vermutlich ist er in der Stadt.« Ray zog ein zusammengefaltetes Blatt Papier aus der hinteren Hosentasche. Es war das Foto von 37 F, das er am Morgen zuvor auf seiner Windschutzscheibe gefunden hatte. French warf einen Blick darauf und hörte auf zu kauen.

»Ist das oben in Virginia?«

»Ja, das zweite von den drei Lagerabteilen, die ich gemietet habe. Da sie die ersten beiden gefunden haben, bin ich mir sicher, dass sie auch von dem dritten wissen. Und sie wussten, wo ich mich gestern Morgen aufgehalten habe.«

»Aber offenbar wissen sie nicht, wo das Geld ist. Sonst hätten sie es einfach aus dem Kofferraum geholt, während Sie schliefen. Oder hätten Sie irgendwo zwischen hier und Clanton angehalten und Ihnen eine Kugel in den Schädel gejagt.«

»Sie wissen doch gar nicht, was in ihren Köpfen vorgeht.«

»Klar weiß ich das. Denken Sie wie ein Gauner, Ray, wie ein Verbrecher.«

»Ihnen mag das ja leicht fallen, aber das gilt nicht für jeden.«

»Wenn Gordie und seine Brüder wüssten, dass Sie drei Millionen Dollar in Ihrem Kofferraum versteckt haben, dann würden sie sich das Zeug holen. So einfach ist das.« French legte das Foto auf den Tisch und widmete sich seinen Cornflakes.

»Nichts ist einfach«, hielt Ray dagegen.

»Was wollen Sie tun? Das Geld bei mir lassen?«

»Ja.«

»Seien Sie nicht dumm, Ray. Drei Millionen Dollar steuerfrei.«

»Was bringen mir die, wenn ich erschossen werde? Mein Gehalt ist auch nicht schlecht.«

»Das Geld ist sicher. Lassen Sie es, wo es ist. Geben Sie mir ein wenig Zeit, um die Burschen zu finden und zu neutralisieren.«

Der Gedanke an diese Neutralisierung raubte Ray den Appetit.

»Los, Mann, essen Sie!«, befahl French, als Ray schwieg.

»Mein Magen verträgt das alles nicht. Schmutziges Geld, Gangster, die in meine Wohnung einbrechen und mich durch den ganzen Südosten der Vereinigten Staaten verfolgen, Abhöraktionen, Auftragskiller. In was zum Teufel bin ich da hineingeraten?«

French hörte keinen Augenblick auf zu kauen. Seine Innereien mussten mit Stahl ausgelegt sein. »Immer cool bleiben. Dann gehört das Geld bald Ihnen.«

»Ich will es nicht.«

»Natürlich wollen Sie es.«

»Nein, das stimmt nicht.«

»Dann geben Sie es Forrest.«

»Ein furchtbarer Gedanke.«

»Spenden Sie es, zum Beispiel Ihrer Fakultät oder für irgendeinen guten Zweck, damit Sie sich besser fühlen.«

»Warum gebe ich es nicht einfach Gordie, damit er mich nicht erschießt?«

French ließ den Löffel sinken und sah sich um, als würden sie belauscht. »Also, hören Sie: Wir haben Gordie letzte Nacht drüben in Pascagoula aufgespürt. Wir sind ihm dicht auf den Fersen, okay? Innerhalb von vierundzwanzig Stunden dürften wir ihn haben.«

»Und dann wird er neutralisiert?«

»Auf Eis gelegt.«

»Auf Eis gelegt?«

»Gordie ist bald Vergangenheit, und Ihr Geld ist bald in Sicherheit. Sie müssen nur noch ein wenig durchhalten.«

»Ich würde jetzt gern gehen.«

French wischte sich ein wenig Sahne von der Unterlippe, griff nach seinem Mini-Funkgerät und wies Dickie an, das Boot vorzubereiten. Minuten später waren sie fertig zum Einsteigen.

»Sehen Sie sich die hier an«, sagte French und reichte Ray einen Umschlag.

»Was ist das?«

»Fotos von den Priest-Brüdern. Nur für den Fall, dass sie Ihnen über den Weg laufen.«

Ray ignorierte den Umschlag, bis er in Hattiesburg, neunzig Minuten nördlich der Küste, eine Pause einlegte. Er tankte und erstand ein in Zellophan eingewickeltes Sandwich, das entsetzlich schmeckte. Dann war er schon wieder unterwegs. Er hatte es eilig, Clanton zu erreichen, wo Harry Rex den Sheriff und sämtliche Hilfssheriffs kannte.

Gordie blickte auf dem Polizeifoto von 1991 besonders bedrohlich drein, aber seine Brüder Slatt und Alvin wirkten auch nicht angenehmer. Ray hätte nicht sagen können, wer älter und wer jünger war. Nicht dass es von Bedeutung war. Keiner der drei ähnelte dem anderen. Eine verkommene Brut. Dieselbe Mutter, aber mit Sicherheit drei verschiedene Väter.

Von ihm aus konnte jeder der Brüder eine Million haben, dachte er. Hauptsache, sie ließen ihn in Ruhe.

33

Als zwischen Jackson und Memphis das Hügelland begann, schien die Küste Lichtjahre entfernt zu sein. Ray hatte sich oft gefragt, wie ein solch kleiner Staat so gegensätzlich sein konnte: die Delta-Region mit den reichen Baumwoll- und Reispflanzungen und der Armut, die Fremde immer wieder überraschte; die Küste mit ihrer Mixtur aus Einwanderern verschiedenster Nationen und Rassen und der Lässigkeit, für die New Orleans bekannt war; und schließlich das Hügelland, das immer noch weitgehend trocken war und wo die meisten Bewohner jeden Sonntag in die Kirche gingen. Jemand aus dem Hügelland würde die Küste nie verstehen und im Delta niemals akzeptiert werden. Ray war froh, dass er in Virginia lebte.

Patton French war nur ein Traum, sagte er sich immer wieder. Eine Comic-Figur aus einer anderen Welt, eine aufgeblasene Nervensäge, die von ihrem eigenen Ego verzehrt wurde. Verlogen, korrupt, ein schamloser Verbrecher.

Doch immer wenn er auf den Beifahrersitz sah, starrte ihm von dort das drohende Gesicht Gordie Priests entgegen. Schon auf den ersten Blick war klar, dass dieses Vieh alles für das Geld tun würde, das Ray immer noch durch das Land kutschierte.

Eine Stunde von Clanton entfernt, als er sich wieder in

Reichweite eines Sendemasts befand, klingelte sein Handy. Ein sehr aufgeregter Fog Newton war dran. »Wo zum Teufel haben Sie gesteckt?«, wollte er wissen.

»Sie würden's doch nicht glauben.«

»Ich habe den ganzen Morgen über versucht, Sie zu erreichen.«

»Was ist los?«

»Wir hatten hier ein bisschen Aufregung. Letzte Nacht, nachdem das Terminal für Privatflieger geschlossen war, schlich sich jemand auf das Rollfeld und brachte an der linken Tragfläche der Bonanza einen Brandsatz an. Ein Hausmeister im Hauptterminal entdeckte die Flammen und holte die Feuerwehr.«

Ray war an den Rand der Interstate 55 gefahren und hielt an. Er grunzte etwas ins Telefon, und Fog sprach weiter. »Der Schaden ist aber ziemlich groß. Es war zweifellos Brandstiftung. Sind Sie noch dran?«

»Ich höre. Wie groß ist der Schaden?«

»Linke Tragfläche, Motor und ein Großteil des Rumpfs. Aus Sicht der Versicherung wohl ein Totalschaden. Der Brandexperte ist bereits hier und jemand von der Versicherung ebenfalls. Wenn die Tanks voll gewesen wäre, wäre das Ding wie eine Bombe explodiert.«

»Wissen die anderen Besitzer Bescheid?«

»Ja, die waren alle schon hier. Natürlich stehen sie ganz oben auf der Liste der Verdächtigen. Zum Glück waren Sie nicht in der Stadt. Wann kommen Sie zurück?«

»Bald.«

Ray nahm die nächste Ausfahrt und fuhr auf den geschotterten Parkplatz eines LKW-Stopps, wo er lange in der Hitze saß und gelegentlich einen Blick auf Gordie warf. Die Priests handelten schnell – gestern Morgen Biloxi, vergangene Nacht Charlottesville. Wo waren sie jetzt?

In der Raststätte trank er Kaffee und hörte den Fernfahrern zu. Um sich auf andere Gedanken zu bringen, rief er im Alcorn Village an, um zu hören, wie es Forrest ging. Der war gerade in seinem Zimmer und schlief den Schlaf der Gerechten, wie er es nannte. Er finde es immer wieder erstaunlich, sagte er nun, wie viel er während der Therapie schlafe. Über das Essen hatte er sich inzwischen beschwert, was zu einer leichten Verbesserung geführt hatte. Entweder das, oder er hatte eine Vorliebe für Wackelpudding entwickelt. Ganz wie ein Kind in Disneyworld fragte er, wie lange er bleiben könne. Ray sagte, er sei sich nicht sicher. Die Geldquelle, die ihm einst unerschöpflich vorgekommen war, schien auf einmal vom Versiegen bedroht zu sein.

»Lass mich hier bleiben, Bruderherz«, flehte Forrest. »Ich will für den Rest meines Lebens hier bleiben.«

Die Atkins-Jungen hatten ihre Arbeit am Dach von Maple Run ohne Zwischenfall beendet. Als Ray eintraf, war keine Menschenseele zu sehen. Er rief Harry Rex an, um sich zurückzumelden. »Lass uns heute Abend auf der Veranda ein Bier trinken«, schlug er vor.

Eine solche Einladung hatte Harry Rex noch nie ausgeschlagen.

Neben dem Gehweg, unmittelbar vor dem Haus, gab es eine ebene, mit dichtem Gras bewachsene Stelle. Nach reiflicher Überlegung entschied Ray, dass das der richtige Platz für eine Autowäsche war. Er parkte den kleinen Audi mit der Nase zur Straße, so dass Heck und Kofferraum nur einen Schritt von der Veranda entfernt waren. Im Keller fand er einen alten Blecheimer, im Schuppen hinter dem Haus einen löchrigen Schlauch. Ohne Hemd und Schuhe plantschte er zwei Stunden lang in der heißen Nachmittagssonne herum und schrubbte den Roadster. Dann wachste und polierte er ihn eine Stunde lang. Um siebzehn

Uhr öffnete er eine Flasche kaltes Bier und setzte sich auf die Stufen, um das Ergebnis seiner Arbeit zu bewundern.

Er rief die private Handynummer an, die ihm Patton French gegeben hatte, aber der große Mann war natürlich zu beschäftigt. Ray hatte sich für die Gastfreundschaft bedanken wollen, aber eigentlich wollte er erfahren, ob es Fortschritte bei der Eliminierung der Priest-Bande gegeben hatte. Natürlich hätte er diese Frage niemals direkt gestellt, aber ein hart gesottener Bursche wie French würde mit einer solchen Neuigkeit nicht hinter dem Berg halten.

Vermutlich hatte French ihn schon vergessen. Im Grund war es ihm völlig egal, ob die Priests Ray oder irgendwen sonst erledigten. Schließlich musste er an den Sammelklagen auf Schadenersatz eine halbe Milliarde verdienen, und dafür benötigte er seine gesamte Energie. Falls man gegen jemanden wie French wegen Schmiergeldzahlungen oder Auftragsmord Anklage erhob, würde er fünfzig Anwälte engagieren und jeden einzelnen Gerichtsschreiber, Richter, Staatsanwalt und Geschworenen kaufen.

Ray rief Corey Crawford an und erfuhr, dass der Vermieter die Türen erneut repariert hatte. Die Polizei hatte versprochen, die Wohnung in den nächsten Tagen bis zu seiner Rückkehr im Auge zu behalten.

Um kurz nach sechs Uhr bog ein Lieferwagen von der Straße in die Auffahrt. Ein lächelnder Bote sprang mit einem dünnen Kurier-Umschlag heraus, den Ray noch lange nach der Übergabe anstarrte. Bei dem Luftfrachtbrief handelte es sich um ein vorgedrucktes Formular der juristischen Fakultät der Universität von Virginia, das von Hand an Mr. Ray Atlee, Maple Run, 816 Fourth Street, Clanton, Mississippi, adressiert worden war. Das Datum war das vom Vortag, vom 2. Juni. Alles an dem Umschlag kam ihm verdächtig vor.

Niemand an der juristischen Fakultät hatte seine Adresse in Clanton, und nichts von dort konnte so dringend sein, dass es per Kurier über Nacht ausgeliefert werden musste. Noch nie hatte er in den Sommerferien eine FedEx-Sendung von der Fakultät erhalten, und er sah keinen Grund, weshalb die Universität ihm überhaupt etwas schicken sollte. Er öffnete noch ein Bier und kehrte dann zur Vordertreppe zurück, wo er das verdammte Ding ergriff und aufriss.

Ein schlichter weißer A4-Umschlag, auf den jemand außen das Wort »Ray« gekritzelt hatte. Innen fand er eines der inzwischen vertrauten Fotos von Chaney's, das diesmal die Vorderseite von Lagerabteil 18 R zeigte. Darunter stand in der krakeligen Schrift eines Wahnsinnigen: »Du brauchst kein Flugzeug. Hör auf, das Geld zu verprassen.«

Diese Burschen waren sehr, sehr gut. Es war schwierig genug gewesen, die drei Lagerabteile bei Chaney's zu finden und zu fotografieren. Kühn und gleichzeitig dumm war es, die Bonanza in Brand zu stecken. Merkwürdigerweise beeindruckte ihn im Augenblick am meisten, dass es ihnen gelungen war, aus dem Sekretariat der Fakultät einen FedEx-Luftfrachtbrief zu entwenden.

Es dauerte eine Weile, bis sich der Schock gelegt hatte. Dann wurde ihm etwas klar, an das er sofort hätte denken müssen. Nachdem sie nun auch Abteil 18 R gefunden hatten, wussten sie, dass das Geld nicht in Charlottesville war – weder bei Chaney's noch in seiner Wohnung. Sie waren ihm von Virginia nach Clanton gefolgt, und wenn er unterwegs angehalten hätte, um das Geld zu verstecken, hätten sie das gewusst. Vermutlich hatten sie Maple Run erneut durchsucht, während er sich an der Küste aufhielt.

Das Netz zog sich stündlich enger zusammen. Alle Hinweise wurden miteinander in Verbindung gebracht, die Linien zwischen den einzelnen Punkten gezogen. Das Geld konnte nur bei ihm sein. Und Ray hatte keinen Ort, an den er sich hätte flüchten können.

Als Juraprofessor hatte er ein durchaus annehmbares Gehalt und genoss zusätzliche Vergünstigungen. Sein Lebensstil war nicht sehr aufwändig. Während er immer noch ohne Hemd und Schuhe auf der Veranda saß und in der feuchten Luft des frühen Abends eines langen, heißen Junitages sein Bier schlürfte, beschloss er, dass er genau dieses Leben weiterführen wollte. Gewalt überließ er lieber Leuten wie Gordie Priest und den von Patton French engagierten Auftragskillern. Ray war in diesem Umfeld nicht in seinem Element.

Außerdem war es ohnehin schmutziges Geld.

»Wieso parkst du in deinem Vorgarten?«, grummelte Harry Rex, während er die Stufen hinauftrampelte.

»Ich habe das Auto gewaschen und dann dort stehen lassen.« Ray hatte inzwischen geduscht und trug Shorts und ein T-Shirt.

»Manche Leute haben einfach keine Kultur. Gib mir ein Bier.«

Harry Rex hatte sich den ganzen Tag im Gericht herumgeärgert – eine hässliche Scheidung, bei der es vor allem darum ging, welcher Ehepartner vor zehn Jahren am meisten Haschisch geraucht und am meisten herumgevögelt hatte. Das Sorgerecht für die vier Kinder wurde verhandelt, und keines der Elternteile war als Erziehungsberechtigter geeignet.

»Ich bin zu alt für so was«, sagte Harry Rex sehr müde. Beim zweiten Bier nickte er kurz ein.

Er war seit fünfundzwanzig Jahren der gefragteste Scheidungsanwalt in Ford County. Verfehdete Paare stritten sich häufig darum, wer ihn zuerst kontaktiert hatte. Ein Farmer aus Karraway hatte bei ihm einen Vorschuss hinterlegt, damit er ihm bei der nächsten Trennung zur Seite stand. Harry Rex war clever, konnte aber auch gemein und beleidigend werden. Bei hitzigen Scheidungskriegen kam ihm das zugute.

Aber die Arbeit hatte ihren Preis gefordert. Wie alle Kleinstadtanwälte sehnte sich Harry Rex nach dem großen Coup, der großen Schadenersatzklage mit vierzig Prozent Erfolgshonorar, damit er endlich aufhören konnte zu arbeiten.

Am Abend zuvor hatte Ray an Bord einer von einem saudischen Prinzen gebauten Jacht mit einem Mitglied der Anwaltskammer von Mississippi, das Milliardenklagen gegen multinationale Konzerne organisierte, teuren Wein getrunken. Jetzt saß er auf einer verrosteten Hollywoodschaukel und trank Budweiser mit einem Mitglied der Anwaltskammer von Mississippi, das sich den ganzen Tag über mit Sorgerecht und Alimenten herumgeschlagen hatte.

»Der Makler hat das Haus heute Morgen einem potenziellen Käufer gezeigt«, erklärte Harry Rex. »Er hat mich in der Mittagspause angerufen und aus meinem Nickerchen gerissen.«

»Wer ist der Interessent?«

»Erinnerst du dich an die Kapshaw-Jungs aus der Nähe von Rail Springs?«

»Nein.«

»Nette Kerle. Sie fingen vor zehn oder zwölf Jahren an, in einer alten Scheune Stühle zu bauen. Eins führte zum anderen, und schließlich verkauften sie ihr Geschäft an ein großes Möbelunternehmen oben in Carolina. Brachte jedem von ihnen eine Million Dollar ein. Junkie und seine Frau suchen ein Haus.«

»Junkie Kapshaw?«

»Ja. Aber er ist ein alter Geizkragen und hat keine Lust, für den Schuppen vierhunderttausend hinzulegen.«

»Das kann ich ihm nicht verdenken.«

»Seine Frau ist völlig durchgeknallt und bildet sich ein, sie müsse unbedingt ein altes Haus haben. Der Makler rechnet damit, dass sie ein Angebot machen, aber ein ziemlich niedriges.« Harry Rex gähnte.

Sie sprachen eine Weile über Forrest, dann versiegte das Gespräch. »Ich glaube, ich gehe jetzt besser.« Nach drei Bier schickte sich Harry Rex an aufzubrechen.

»Wann fährst du nach Virginia zurück?«, fragte er, während er mühsam aufstand und sich streckte.

»Morgen wahrscheinlich.«

»Ruf mich an.« Er gähnte erneut und ging die Stufen hinunter.

Ray beobachtete, wie die Lichter des Wagens am Ende der Straße verschwanden. Plötzlich fühlte er sich vollkommen allein. Das erste Geräusch, das er hörte, war ein Rascheln im Gebüsch nahe der Grundstücksgrenze. Wahrscheinlich nur ein alter Hund oder eine Katze auf der Jagd … Aber so harmlos es auch sein mochte, es jagte ihm solche Angst ein, dass er ins Haus flüchtete.

34

Der Angriff begann um kurz nach zwei Uhr morgens, zur dunkelsten Stunde der Nacht, wenn der Schlaf am tiefsten und die Reaktionen am langsamsten sind. Ray schlief wie ein Toter, obwohl sich sein müder Geist noch lange mit seinen Sorgen herumgequält hatte. Den Revolver neben sich, lag er auf einer Matratze in der Diele. Die drei Müllsäcke mit dem Bargeld standen direkt neben seinem improvisierten Bett.

Zuerst flog ein Ziegelstein durch das Fenster – eine Explosion, die das alte Haus erschütterte und Glas und Schutt auf den Esstisch und die frisch polierten Holzböden regnen ließ. Zeitpunkt und Ort der Attacke waren wohlgeplant. Dahinter stand jemand, der es ernst meinte und so etwas vermutlich nicht zum ersten Mal tat. Ray rappelte sich auf wie eine verwundete Straßenkatze und war froh, dass er sich nicht selbst erschoss, als er nach der Waffe tastete. Geduckt huschte er durch die Diele zum Lichtschalter und entdeckte den Ziegelstein, der Unheil verkündend neben der Fußbodenleiste in der Nähe der Porzellanvitrine lag.

Mit einer Decke fegte er die Splitter zur Seite, dann hob er den Ziegelstein vorsichtig auf. Er war ganz neu, rot, mit scharfen Kanten. Eine Nachricht war mit zwei dicken Gummibändern daran befestigt. Während Ray auf die Überbleibsel des Fensters starrte, entfernte er sie, aber seine Hände zitterten so, dass er die Botschaft kaum lesen konnte. Mühsam schluckend, bemühte er sich, ruhig zu atmen und sich auf die handgeschriebene Warnung zu konzentrieren.

Sie lautete schlicht: »Leg das Geld wieder dahin, wo du es gefunden hast, und dann hau sofort ab.«

Rays Hand blutete, ein kleiner Kratzer von einer Glasscherbe. Es war seine Waffenhand – falls er denn so etwas hatte. Entsetzt fragte er sich, wie er sich schützen konnte. In eine dunkle Ecke des Esszimmers gekauert, befahl er sich, tief durchzuatmen und klar zu denken.

Plötzlich klingelte das Telefon, was ihm erneut einen gewaltigen Schrecken einjagte. Beim zweiten Klingeln stolperte er in die Küche, wo ihm ein schwaches Licht über dem Herd half, das Telefon zu finden. »Hallo!«, brüllte er in den Hörer.

»Leg das Geld zurück und dann hau ab«, sagte eine ruhige, aber unbeugsame Stimme, die er noch nie gehört hatte und in der er trotz seiner Panik den Hauch eines Küstenakzents zu entdecken meinte. »Sofort, bevor dir was zustößt!«

Er wollte »Nein« schreien, »Hört auf« oder »Wer sind Sie?«, aber seine Unschlüssigkeit ließ ihn zögern, und dann war die Leitung tot. Mit dem Rücken an den Kühlschrank gelehnt, setzte er sich auf den Boden und ging in aller Eile seine Möglichkeiten durch. Es waren nicht viele.

Er konnte die Polizei anrufen – in aller Eile das Geld verstecken, die Säcke unter ein Bett stopfen, die Matratze wegräumen, die Nachricht, aber nicht den Stein verstecken, und so tun, als wollten ein paar Kriminelle zum Spaß ein altes Haus verwüsten. Der Cop würde alles mit einer Taschenlampe absuchen und eine oder zwei Stunden bleiben, aber irgendwann musste er gehen.

Nicht so die Priests, die an Ray klebten wie Kletten. Vielleicht zogen sie vorübergehend die Köpfe ein, doch verschwinden würden sie nicht. Außerdem waren sie wesentlich gewiefter als die Nachtstreife von Clanton. Und wesentlich motivierter.

Er konnte Harry Rex anrufen – ihn wecken, sagen, es sei dringend, und ihn zum Haus kommen lassen, um ihm die ganze Geschichte zu erzählen. Er sehnte sich nach jemandem, mit dem er reden konnte. Wie oft hatte er Harry Rex gegenüber schon reinen Tisch machen wollen? Sie konnten das Geld teilen oder es in den Nachlass aufnehmen oder damit nach Tunica fahren und sich ein Jahr lang im Glücksspiel versuchen.

Aber durfte er Harry Rex ebenfalls in Gefahr bringen? Drei Millionen waren Grund genug für mehr als einen Mord.

Ray hatte eine Waffe. Wieso schützte er sich nicht selbst? Er konnte die Angreifer abwehren. Wenn sie durch die Tür kamen, würde er alle Lichter einschalten. Die Schüsse würden die Nachbarn alarmieren, und die ganze Stadt würde zusammenlaufen.

Aber es bedurfte nur einer einzigen, wohl gezielten Kugel, eines kleinen Geschosses, das er vermutlich nie sehen und nur für einen oder zwei Augenblicke spüren würde … Und seine Angreifer waren nicht nur in der Überzahl, sondern hatten in ihrem Leben auch unverhältnismäßig viel mehr Schüsse abgegeben als Professor Ray Atlee. Er hatte bereits beschlossen, dass er nicht sterben wollte. Das Leben zu Hause in Virginia war einfach zu angenehm.

Gerade, als sich sein Herzschlag allmählich beruhigte und sein Puls wieder langsamer schlug, krachte ein zweiter Ziegel ins Haus, diesmal durch das kleine Fenster über der Spüle. Ray zuckte zusammen, schrie auf und ließ die

Waffe fallen. Er stieß sie mit dem Fuß beiseite, während er in die Eingangshalle rannte. Auf Händen und Knien zerrte und schob er die drei Säcke mit dem Geld in das Arbeitszimmer des Richters. Er zog das Sofa von den Regalen weg und begann schwitzend und fluchend, die Geldbündel wieder in den Schrank zu werfen, wo er sie gefunden hatte. Jeden Augenblick rechnete er mit einem weiteren Stein oder den ersten Schüssen.

Nachdem er das Geld vollständig wieder in das Versteck gestopft hatte, holte er den Revolver und schloss die Vordertür auf. Er hastete zu seinem Auto, ließ den Motor an und legte einen Start hin, der tiefe Spurrillen auf dem Rasen hinterließ.

Wenigstens war ihm unverletzt die Flucht gelungen. Für den Augenblick war das alles, was ihn interessierte.

Nördlich von Clanton, in der Gegend um den Lake Chatoula, war das Land flach. Auf einer Strecke von drei Kilometern war die Straße dort völlig gerade und eben. Die als »Bottoms« bekannte Sumpfgegend – wahrlich das Ende der Welt – war jahrelang Schauplatz nächtlicher Dragrennen, Saufgelage, Prügeleien und ähnlich erfreulicher Aktivitäten gewesen. Bis zu diesem Augenblick war Ray dem Tod noch nie so nah gewesen wie einmal während seiner Highschool-Zeit, als er sich auf dem Rücksitz eines voll besetzten Pontiac Firebird wiederfand, der von einem betrunkenen Bobby Lee West gesteuert wurde. Dieser lieferte sich ein Dragrennen mit einem Camaro, der von dem noch besoffeneren Doug Terring gelenkt wurde. Beide Fahrzeuge rasten mit mehr als hundertsechzig Stundenkilometern durch die Bottoms. Ray hatte überlebt, aber Bobby Lee war ein Jahr später ums Leben gekommen, als sein Firebird von der Straße abkam und gegen einen Baum prallte.

Als er jetzt die ebene Gerade erreichte, trat er aufs Gas und ließ den TT zeigen, was er konnte. Es war halb drei morgens, da schlief sicher jeder außer ihm.

Elmer Conway hatte tatsächlich geschlafen, aber ein riesiger Moskito hatte Blut aus seiner Stirn gesaugt und ihn dabei geweckt. Als er die Lichter des sich rasch nähernden Fahrzeugs sah, schaltete er das Radargerät ein. Es dauerte fast sechs Kilometer, bis das merkwürdige ausländische Wägelchen an den Straßenrand fuhr und anhielt. Inzwischen war Elmer sauer.

Ray beging den Fehler, die Fahrertür zu öffnen und auszusteigen. Das gefiel Elmer gar nicht.

»Stehen bleiben, Arschloch!«, brüllte er über den Lauf seiner Dienstpistole hinweg, die, wie Ray schnell erkannte, auf seinen Kopf gerichtet war.

»Immer mit der Ruhe«, sagte er, wobei er die Hände hob.

»Weg vom Auto!« Elmer deutete mit der Waffe auf eine Stelle in der Nähe der Mittellinie.

»Selbstverständlich, Sir, aber bitte bleiben Sie ruhig.« Ray trat hastig zur Seite.

»Wie heißen Sie?«

»Ray Atlee. Ich bin Richter Atlees Sohn. Könnten Sie bitte die Waffe wieder einstecken?«

Elmer senkte die Pistole ein paar Zentimeter, gerade so weit, dass die Kugel Ray in den Magen und nicht in den Kopf getroffen hätte. »Auf Ihrem Nummernschild steht aber Virginia.«

»Weil ich in Virginia lebe.«

»Und dort wollen Sie jetzt hin?«

»Ja, Sir.«

»Und warum so eilig?«

»Ich weiß nicht, ich dachte nur ...«

»Sie sind über hundertfünfzig gefahren.«

»Tut mir Leid.«

»Sollte es auch. Das ist Gefährdung des Straßenverkehrs.« Elmer trat einen Schritt näher heran. Ray hatte den Schnitt an seiner Hand bereits vergessen, und ihm war nicht bewusst, dass er sich auch am Knie verletzt hatte. Elmer holte eine Taschenlampe hervor und ließ sie aus drei Metern Entfernung über Ray wandern. »Warum bluten Sie?«

Das war eine gute Frage. Während ihm der Beamte mitten auf dem dunklen Highway mit der Taschenlampe ins Gesicht leuchtete, fiel ihm keine angemessene Antwort darauf ein. Die Wahrheit zu erzählen würde eine Stunde dauern, und glauben würde ihm der Polizist ohnehin nicht. Eine Lüge dagegen würde das Ganze nur noch schlimmer machen. »Ich weiß es nicht«, murmelte er schließlich.

»Was ist in dem Wagen?«

»Nichts.«

»Na klar.«

Elmer legte Ray Handschellen an und packte ihn auf den Rücksitz des Ford-County-Streifenwagens, eines braunen Impala, dessen Stoßfänger staubbedeckt waren. Die Radkappen fehlten, und hinten am Wagen war eine ganze Kollektion von Antennen montiert. Ray beobachtete, wie der Polizist um den TT herumging und hineinsah. Dann kam er zurück, stieg in den Streifenwagen und fragte ohne sich umzudrehen: »Wozu brauchen Sie die Waffe?«

Ray hatte versucht, den Revolver unter den Beifahrersitz zu schieben, doch offenbar war er von außen zu sehen.

»Für meinen Schutz.«

»Haben Sie einen Waffenschein?«

»Nein.«

Elmer rief die Einsatzzentrale an und erstattete ausführlich Bericht über seinen Fang. Er schloss mit den Wor-

ten: »Ich bringe ihn rein«, als hätte er einen der zehn meist-
gesuchten Verbrecher aller Zeiten gefasst.

»Was ist mit meinem Wagen?«, fragte Ray, als sie wen-
deten.

»Ich schicke einen Abschleppwagen.«

Elmer schaltete das Blaulicht ein und trieb den Tacho
bis auf hundertdreißig.

»Kann ich meinen Anwalt anrufen?«

»Nein.«

»Kommen Sie, es war doch nur ein Verkehrsvergehen.
Mein Anwalt kann mich im Gefängnis treffen, die Kaution hinterlegen, und in einer Stunde bin ich wieder draußen.«

»Wer ist Ihr Anwalt?«

»Harry Rex Vonner.«

Elmer grunzte, und die Adern an seinem Hals schwol-
len an. »Der Mistkerl hat mir bei meiner Scheidung das
letzte Hemd ausgezogen.«

Als Ray das hörte, lehnte er sich zurück und schloss die
Augen.

Während Elmer ihn den Gehweg hinaufführte, erinnerte
sich Ray daran, dass er bereits zweimal im Gefängnis von
Ford County gewesen war. Beide Male hatte er arbeits-
scheuen Vätern, die jahrelang keinen Unterhalt für ihre
Kinder gezahlt hatten und deswegen vom Richter einge-
sperrt worden waren, Dokumente gebracht. Haney Moak,
der geistig etwas zurückgebliebene Gefängniswärter, saß
immer noch in einer zu groß geratenen Uniform hinter der
Theke und las Detektivromane. Da er auch als Einsatzzentrale für die Nachtschicht fungierte, wusste er bereits
von Rays Gesetzesübertretung.

»Richter Atlees Junge, ja?«, begrüßte er ihn mit einem
schiefen Grinsen. Sein Kopf saß ebenfalls ein wenig schief

auf dem Hals, und die Augen standen nicht auf gleicher Höhe, so dass es nicht einfach war, bei einer Unterhaltung mit ihm Blickkontakt zu halten.

»Ja, Sir.« Ray war für jede freundliche Seele dankbar.

»Ein guter Mann«, meinte Haney, während er hinter Ray trat und die Handschellen aufschloss.

Ray rieb sich die Handgelenke und blickte auf Hilfssheriff Conway, der mit geschäftiger Miene Formulare ausfüllte. »Gefährdung des Straßenverkehrs und kein Waffenschein.«

»Du sperrst ihn doch wohl nicht ein, oder?« Haney ging mit Elmer so grob um, als wäre es sein Fall und nicht der des Hilfssheriffs.

»Klar tue ich das.« Die Spannung war geradezu fühlbar.

»Kann ich Harry Rex Vonner anrufen?«, bat Ray.

Haney wies mit dem Kopf auf ein Telefon an der Wand. Dabei funkelte er Elmer herausfordernd an. Offenbar hatten die beiden einige Hühnchen miteinander zu rupfen. »Mein Gefängnis ist voll«, verkündete Haney.

»Das sagst du immer.«

Ray wählte hastig die Nummer von Harry Rex. Es war nach drei Uhr morgens, und sein Anruf kam bestimmt nicht sehr gelegen. Die gegenwärtige Mrs. Vonner meldete sich nach dem dritten Klingeln. Ray entschuldigte sich und fragte nach Harry Rex.

»Er ist nicht hier.«

Aber er ist in der Stadt, dachte Ray. Vor sechs Stunden hat er doch noch auf meiner Veranda gesessen. »Darf ich fragen, wo er ist?«

Hinter ihm schrien Haney und Elmer aufeinander ein.

»Bei den Atlees«, sagte sie langsam.

»Da ist er schon vor Stunden weggefahren. Ich war dort.«

»Nein, nein, jemand hat gerade angerufen. Das Haus brennt.«

364

Mit Haney auf dem Rücksitz rasten sie um den Clanton Square, Sirene und Blaulicht liefen auf vollen Touren. Schon aus zwei Blocks Entfernung sahen sie das Feuer. »Großer Gott«, sagte Haney von hinten.

Wenige Ereignisse sorgten in Clanton so für Aufregung wie ein richtiger Brand. Die beiden Feuerwehrwagen der Stadt waren vor Ort, Dutzende von Freiwilligen liefen umher, alles schien zu schreien. Auf dem Gehweg auf der anderen Straßenseite versammelten sich die Nachbarn.

Die Flammen schlugen schon durch das Dach. Als Ray über eine Wasserleitung auf die vordere Rasenfläche trat, atmete er den unverkennbaren Geruch von Benzin ein.

35

Im Grunde war das Liebesnest – ein langer, schmaler Raum voll Staub und Spinnweben – gar kein so schlechter Platz für ein Nickerchen. Von der schrägen Decke hing in der Mitte des Zimmers eine einzelne Lampe herab. Das einzige Fenster ging auf den Clanton Square hinaus, sein Rahmen war irgendwann im vergangenen Jahrhundert zum letzten Mal gestrichen worden. Bei dem eisernen Bett handelte es sich um eine Antiquität ohne Laken und Decken. Ray bemühte sich, nicht an Harry Rex und dessen Abenteuer auf eben dieser Matratze zu denken. Er dachte an das alte Haus, Maple Run, und seinen ruhmreichen Eingang in die Geschichte. Als das Dach einstürzte, hatte sich bereits halb Clanton vor dem Anwesen versammelt. Vor den Blicken der anderen verborgen, hatte Ray allein auf dem niedrigen Ast eines Ahornbaums auf der anderen Straßenseite gesessen und vergeblich versucht, liebevolle Erinnerungen an eine wunderbare Kindheit heraufzubeschwören, die es nie gegeben hatte. Während die Flammen aus den Fenstern schlugen, dachte er weder an das Geld noch an den Schreibtisch des Richters oder den Esstisch ihrer Mutter, sondern nur an den alten General Forrest, der mit grimmigem Blick auf ihn herabsah.

Drei Stunden Schlaf, um acht war er wieder wach. Die Temperatur in diesem Sündenpfuhl stieg rasch an, und auf der Treppe näherten sich schwere Schritte.

Harry Rex öffnete die Tür und schaltete das Licht ein. »Aufwachen, Verbrecher, du wirst im Gefängnis verlangt.«

Ray schwang die Füße auf den Boden. »Niemand hat mich daran gehindert wegzugehen.« Nachdem er Elmer und Haney in der Menge verloren hatte, war er mit Harry Rex einfach davongefahren.

»Hast du denen gesagt, sie könnten dein Auto durchsuchen?«

»Ja.«

»Ziemlich blöd von dir. Was für ein Anwalt bist du eigentlich?« Er nahm sich einen hölzernen Klappstuhl, der an der Wand lehnte, und setzte sich neben das Bett.

»Ich habe nichts zu verbergen.«

»Du bist wirklich selten dumm. Die haben das Auto durchwühlt und nichts gefunden.«

»Genau das hatte ich erwartet.«

»Keine Kleidung, keine Reisetasche, kein Gepäck, keine Zahnbürste – nicht den geringsten Hinweis darauf, dass du die Stadt verlassen wolltest, um nach Hause zu fahren, wie du offiziell behauptet hast.«

»Ich habe das Haus nicht angezündet, Harry Rex.«

»Aber du eignest dich ausgezeichnet als Verdächtiger. Du haust mitten in der Nacht ab, ohne Kleidung, ohne alles, und rast durch die Sümpfe, als wäre der Teufel hinter dir her. Die alte Mrs. Larrimore aus deiner Straße sieht dich in deinem komischen kleinen Vehikel davonbrausen, und zehn Minuten später ist die Feuerwehr da. Du lässt dich von dem dümmsten Hilfssheriff im Staat dabei erwischen, wie du mit hundertfünfzig den Highway runterrast. Erklär das mal.«

»Ich habe es nicht abgefackelt.«

»Warum bist du um halb drei Uhr morgens abgehauen?«

»Jemand hat einen Ziegel durch das Esszimmerfenster geworfen, da bekam ich Angst.«

»Du hattest doch eine Waffe.«

»Die wollte ich nicht benutzen. Ich wollte lieber weglaufen, als jemanden erschießen.«

»Du warst zu lange im Norden.«

»Ich lebe nicht im Norden.«

»Woher stammt deine Verletzung?«

»Der Stein hat das Fenster durchschlagen, und als ich es untersuchte, habe ich mich geschnitten.«

»Warum hast du nicht die Polizei gerufen?«

»Weil ich in Panik geriet. Ich wollte nur noch nach Hause.«

»Und zehn Minuten später schüttet jemand Benzin über das Haus und zündet ein Streichholz an.«

»Keine Ahnung, was die getan haben.«

»Ich würde dich verurteilen.«

»Nein, du bist mein Anwalt.«

»Irrtum, ich bin der Anwalt für den Nachlass, der im Übrigen soeben seinen einzigen Aktivposten verloren hat.«

»Es gibt doch eine Brandschutzversicherung.«

»Ja, aber an das Geld kommst du nicht ran.«

»Warum nicht?«

»Wenn du einen Anspruch anmeldest, fangen die an, wegen Brandstiftung zu ermitteln. Ich glaube dir, wenn du sagst, du warst es nicht, aber da bin ich möglicherweise der Einzige. Wende dich an die Versicherung, und die zerreißen dich in der Luft.«

»Ich habe das Feuer nicht gelegt.«

»Toll. Wer war es dann?«

»Die Person, die den Stein geworfen hat.«

»Und wer könnte das sein?«

»Keine Ahnung. Vielleicht jemand, der bei einer Scheidung den Kürzeren gezogen hat.«

»Brillant. Und der wartet neun Jahre, um sich am Richter zu rächen, der rein zufällig auch noch tot ist. Ich will nicht im Saal sein, wenn du das den Geschworenen erzählst.«

»Ich weiß es nicht, Harry Rex. Ich schwöre, ich war es nicht. Vergiss das Versicherungsgeld.«

»So einfach ist das nicht. Dir gehört nur die Hälfte, die andere steht Forrest zu. Er könnte bei der Versicherung seinen Anspruch anmelden.«

Ray holte tief Luft und kratzte seinen Stoppelbart. »Hilf mit bitte, okay?«

»Der Sheriff wartet unten mit einem seiner Leute. Sie werden dir ein paar Fragen stellen. Lass dir Zeit mit deinen Antworten und bleib bei der Wahrheit, blablabla, du weißt schon. Ich werde dabei sein, also nichts überstürzen.«

»Er ist hier?«

»In meinem Besprechungszimmer. Ich habe ihn hergebeten, damit wir es schnell hinter uns bringen. Du solltest die Stadt meiner Ansicht nach dringend verlassen.«

»Das habe ich ja versucht.«

»Die Anklagen wegen Gefährdung des Straßenverkehrs und unerlaubten Waffenbesitzes werden für ein paar Monate auf Eis gelegt. Gib mir ein wenig Zeit, an der Prozessliste zu arbeiten. Im Augenblick hast du größere Probleme.«

»Ich habe das Haus nicht in Brand gesteckt, Harry Rex.«

»Natürlich nicht.«

Sie verließen den Raum. Während sie die wacklige Treppe zum zweiten Stock hinuntergingen, frage Ray über die Schulter: »Wer ist der Sheriff?«

»Ein Bursche namens Sawyer.«

»Ist er in Ordnung?«

»Das ist doch egal.«

»Kennst du ihn gut?«

»Ich habe seinen Sohn bei dessen Scheidung vertreten.«

In Harry Rex' Besprechungszimmer lagen überall auf Regalen und Sideboards dicke Gesetzbücher herum, in der Mitte stand ein langer Tisch. Die chaotische Atmosphäre vermittelte den Eindruck, dass Harry Rex lange Stunden mit mühevoller Recherche verbrachte, was sicher nicht der Fall war.

Sawyer gab sich nicht die geringste Mühe, höflich zu sein, ebenso wenig wie sein Assistent, ein nervöser, kleiner Italiener namens Sandroni. Italiener waren im Nordosten des Staates Mississippi selten, und während der knappen Vorstellung bemerkte Ray einen Delta-Akzent. Die beiden gaben sich sehr professionell. Sandroni notierte alles sorgfältig, während Sawyer dampfenden Kaffee aus einem Pappbecher trank und jede Bewegung von Ray beobachtete.

Mrs. Larrimore hatte um 2.45 Uhr die Feuerwehr gerufen, etwa zehn bis fünfzehn Minuten, nachdem sie gesehen hatte, wie Rays Auto durch die Fourth Street raste. Um 2.36 Uhr hatte Elmer Conway über Funk durchgegeben, dass er »irgendeinen Idioten« verfolge, der mit hundertfünfzig durch die Bottoms rase. Nachdem klar war, dass Ray sehr schnell gefahren war, verwendete Sandroni viel Zeit darauf, seine Route, die geschätzte Geschwindigkeit auf den verschiedenen Streckenabschnitten, eventuelle Verzögerungen durch Verkehrsampeln und andere Faktoren, die ihn zu dieser frühen Morgenstunde hätten aufhalten können, zu ermitteln.

Nachdem sie Rays Weg aus der Stadt nachvollzogen hatten, kontaktierte Sawyer über Funk einen Hilfssheriff, der vor dem Schutthaufen Maple Run saß, und wies ihn an, genau dieselbe Route mit derselben geschätzten Geschwindigkeit zu fahren. Draußen in den Bottoms sollte er anhalten, wenn er Elmer erreichte, der dort wartete.

Zwölf Minuten später meldete der Hilfssheriff, er stehe jetzt neben Elmer.

In weniger als zwölf Minuten, so begann Sandroni seine Rekapitulation der Ereignisse, »betrat also jemand – von dem wir annehmen, dass er sich nicht bereits im Haus aufhielt, richtig, Mr. Atlee? – das Gebäude und verschüttete dort große Mengen Benzin, und zwar so gründlich, dass der Feuerwehrhauptmann sagte, er habe noch nie einen solch starken Benzingeruch erlebt. Dann zündete unser unbekannter Brandstifter ein Streichholz an oder vielleicht auch zwei, denn der Feuerwehrhauptmann war sich so gut wie sicher, dass es mehr als einen Brandherd gab, und floh in die Nacht hinaus. Ist das so richtig, Mr. Atlee?«

»Ich habe keine Ahnung, was der Brandstifter tat.«

»Aber die Zeiten stimmen?«

»Wenn Sie es sagen.«

»Ich sage es.«

»Weiter«, knurrte Harry Rex vom Ende des Tisches.

Der nächste Punkt war das Motiv. Das Haus war einschließlich Inventar auf dreihundertachtzigtausend Dollar versichert. Dem Makler zufolge, der bereits befragt worden war, belief sich das einzige Kaufangebot auf hundertfünfundsiebzigtausend Dollar.

»Ganz schöner Unterschied, was, Mr. Atlee?«, hakte Sandroni nach.

»Allerdings.«

»Haben Sie Ihre Versicherungsgesellschaft benachrichtigt?«

»Nein, ich warte, bis das Büro geöffnet ist. Ob Sie es glauben oder nicht, manche Leute arbeiten am Samstag nicht.«

»Leute, der Feuerwehrwagen steht noch vor dem Haus«, unterstützte ihn Harry Rex. »Wir haben sechs Monate Zeit, um Ansprüche anzumelden.«

Sandronis Wangen brannten scharlachrot, aber er verkniff sich jeden Kommentar und ging zum nächsten Punkt über. »Reden wir von weiteren Verdächtigen«, sagte er mit einem Blick auf seine Notizen.

Ray gefiel das Wort »weitere« nicht. Er erzählte die Geschichte von dem Ziegelstein, der durch das Fenster geworfen worden war – zumindest einen Großteil davon –, und erwähnte auch den Telefonanruf, in dem er aufgefordert wurde, sofort zu verschwinden. »Gehen Sie doch die Aufzeichnungen der Telefongesellschaft durch«, meinte er herausfordernd. Da er schon dabei war, berichtete er auch gleich noch, dass irgendwelche Wahnsinnige bereits in der Todesnacht von Richter Atlee an den Fenstern gerüttelt hatten.

»Okay, wir sind alle erschöpft«, erklärte Harry Rex nach dreißig Minuten, was im Klartext hieß, dass sein Mandant keine Fragen mehr beantworten würde.

»Wann verlassen Sie die Stadt?«, wollte Sawyer wissen.

»Das versuche ich schon seit sechs Stunden.«

»Sehr bald«, warf Harry ein.

»Vielleicht haben wir noch Fragen.«

»Ich komme zurück, wenn Sie mich brauchen.«

Harry Rex führte die beiden zur Vordertür. »Ich habe das Gefühl, dass du ein verlogener Mistkerl bist«, sagte er, als er in den Besprechungsraum zurückkehrte.

36

Der alte Feuerwehrwagen war fort, jener vorsintflutliche Koloss, dem sie als Teenager gefolgt waren, wenn sie sich in lauen Sommernächten gelangweilt hatten. Ein einsamer Freiwilliger in einem schmutzigen T-Shirt rollte Feuerwehrschläuche auf. Die ganze Straße war dreckverschmiert.

Jetzt, am Vormittag, lag Maple Run verlassen da. Der Kamin an der Ostseite des Hauses und ein kurzes Stück verkohlte Mauer direkt daneben standen noch. Alles andere war zu einem Trümmerhaufen zusammengestürzt. Sie gingen um den Schutt herum in den Garten hinter dem Haus, wo sich an der Grundstücksgrenze eine Reihe alter Hickorybäume erhob. Dort setzten sie sich auf metallene Gartenstühle, die Ray einst rot gestrichen hatte, in den Schatten und aßen Tamales.

»Ich habe das Haus nicht abgebrannt«, sagte Ray schließlich.

»Weißt du, wer es war?«

»Ich habe einen Verdächtigen.«

»Dann raus damit, verdammt noch mal.«

»Sein Name ist Gordie Priest.«

»Oh, der!«

»Es ist eine lange Geschichte.«

Ray begann zu erzählen – wie er den Richter tot auf dem Sofa gefunden und zufällig das Geld entdeckt hatte. Oder war es gar kein Zufall gewesen? Er erwähnte sämtliche Fakten und Einzelheiten, an die er sich erinnern konnte, und stellte all die Fragen, die ihn schon seit Wochen plagten. Beide hatten aufgehört zu essen. Obwohl sie auf den rauchenden Trümmerhaufen vor ihren Augen starrten, waren sie zu abgelenkt, um ihn wahrzunehmen. Harry Rex war fasziniert von der Geschichte und Ray froh, sie endlich erzählen zu können. Von Clanton nach Charlottesville und zurück. Von den Kasinos in Tunica nach Atlantic City, dann wieder nach Tunica. An die Küste zu Patton French und dessen Jagd nach einer Milliarde Dollar, die er Richter Reuben Atlee verdanken würde, dem bescheidenen Diener des Gesetzes.

Ray behielt nichts für sich und bemühte sich, nichts zu vergessen. Der Einbruch in seine Wohnung in Charlottesville, der ihn, wie er vermutete, nur einschüchtern sollte. Der unglückselige Kauf eines Anteils an der Bonanza. Er erzählte und erzählte, und Harry Rex hörte schweigend zu.

Als Ray fertig war, hatte er den Appetit verloren und war schweißüberströmt. Harry Rex brannten eine Million Fragen auf der Zunge. »Warum sollte Priest das Haus abbrennen?«, begann er.

»Vielleicht um seine Spuren zu verwischen, ich weiß es nicht.«

»Der Bursche hat keine Spuren hinterlassen.«

»Möglicherweise wollte er mich noch einmal nachdrücklich einschüchtern.«

Sie dachten darüber nach. Harry Rex aß seine Tamales auf, dann sagte er: »Du hättest es mir erzählen sollen.«

»Ich wollte das Geld behalten, okay? Ich hatte drei Millionen Dollar in bar in meinen verschwitzten, kleinen Händchen, und das war ein fantastisches Gefühl. Besser als Sex, besser als irgendetwas, das ich je erlebt hatte. Drei Millionen Dollar, Harry Rex, und alles gehörte mir. Ich war reich. Ich war gierig. Ich war korrupt. Ich wollte nicht, dass du oder Forrest oder die Behörden erfuhren, dass ich das Geld hatte.«

»Was wolltest du damit tun?«

»Es nach und nach bei einem Dutzend Banken hinterlegen. Immer nur neuntausend Dollar und keine Papiere, die die Behörden auf den Plan gerufen hätten. Nachdem ich achtzehn Monate lang einbezahlt hätte, wollte ich es von einem Profi investieren lassen. Ich bin dreiundvierzig, in zwei Jahren wäre das Geld sauber gewesen und hätte saftige Erträge gebracht. Alle fünf Jahre hätte es sich verdoppelt. Mit fünfzig hätte ich sechs Millionen gehabt, mit fünfundfünfzig zwölf und mit sechzig vierundzwanzig Millionen. Ich hatte alles geplant, Harry Rex, ich sah die Zukunft genau vor mir.«

»Hör auf, dir Vorwürfe zu machen. Was du getan hast, war völlig normal.«

»Kommt mir nicht so vor.«

»Du bist ein miserabler Gangster.«

»Ich habe mich wirklich miserabel gefühlt, und meine Persönlichkeit veränderte sich bereits. Ich sah mich in einem Flugzeug und einem noch schickeren Sportwagen und einer schöneren Wohnung. In Charlottesville gibt es eine Menge Leute mit Geld, und ich überlegte mir, wie es wäre, zu den oberen Zehntausend zu gehören. Country-Klubs, Fuchsjagden …«

»Fuchsjagden?«

»Ja.«

»In Kniebundhosen und mit so einem komischen Hut auf dem Kopf?«

»Auf einem prächtigen Pferd über die Zäune fliegen, hinter einem Rudel Jagdhunde her, das einen Dreizehn-Kilo-Fuchs jagt, den man nie zu Gesicht bekommt.«

»Das hättest du gern gemacht? Warum?«

»Ja, warum eigentlich?«

»Da halte ich mich lieber an die Vogeljagd.«

»Aber irgendwie war es buchstäblich eine Last. Ich meine, schließlich habe ich das Geld wochenlang herumgeschleppt.«

»Du hättest etwas davon in meinem Büro lassen können.«

Ray aß den letzten Bissen seiner Tamales und trank einen Schluck Cola. »Du hältst mich für dumm, was?«

»Nein, für einen Glückspilz. Diese Burschen meinen es ernst.«

»Jedes Mal wenn ich die Augen schloss, sah ich eine Kugel auf meine Stirn zurasen.«

»Hör mal, Ray, du hast nichts Falsches getan. Der Richter wollte das Geld nicht in den Nachlass aufnehmen. Du hast es genommen, weil du dachtest, du könntest so sein Erbe und seinen Ruf schützen. Irgendein Verrückter wollte es mehr als du. Zurückblickend hast du Glück gehabt, dass dir bei der Sache nichts passiert ist. Vergiss das Ganze einfach.«

»Danke, Harry Rex.« Ray beugte sich vor und sah dem Mann von der freiwilligen Feuerwehr nach, der davonging. »Was ist mit dem Vorwurf der Brandstiftung?«

»Das regeln wir schon. Ich melde einen Anspruch an. Die Versicherungsgesellschaft wird Brandstiftung vermuten und die Ermittlungen aufnehmen. Die Sache wird hässlich. Wir lassen ein paar Monate vergehen, und wenn sie dann nicht zahlen, verklagen wir sie in Ford County. Sie werden es nicht wagen, vor einer Jury in Reuben Atlees eigenem Gericht gegen seine Erben zu klagen. Vermutlich werden sie vor Prozessbeginn einen Vergleich abschließen. Vielleicht werden wir uns auf einen Kompromiss einlassen müssen, aber wir werden ein nettes Sümmchen herausholen.«

Ray hatte sich erhoben. »Ich will jetzt nach Hause.«

Die Luft war schwer von Hitze und Rauch, als sie um das Haus herumgingen. »Mir reicht's nämlich«, sagte Ray und ging auf die Straße zu.

Als er die Bottoms diesmal durchquerte, fuhr er keinen Moment schneller als die vorgeschriebenen neunzig Stundenkilometer, auch wenn Elmer Conway nirgends zu entdecken war. Mit leerem Kofferraum wirkte der Audi leichter. Das Leben selbst schien von einer Last befreit zu sein. Ray sehnte sich nach der Normalität seines Zuhauses.

Ihm graute vor dem bevorstehenden Gespräch mit Forrest. Der Nachlass ihres Vaters war soeben vollkommen vernichtet worden, und das mit der Brandstiftung würde schwer zu erklären sein. Vielleicht sollte er warten. Die Therapie verlief gerade so gut, und Ray wusste aus Erfahrung, dass die kleinste Komplikation Forrest aus der Bahn werfen konnte. Am besten ließ er einen Monat oder zwei vergehen.

Forrest würde ohnehin nicht nach Clanton zurückkehren, und in der Schattenwelt, in der er lebte, erfuhr er vielleicht nie von dem Brand. Möglicherweise war es besser, wenn Harry Rex ihm die Neuigkeit überbrachte.

Die Empfangsdame im Alcorn Village warf ihm einen neugierigen Blick zu, als er sich anmeldete. Lange saß er in der dunklen Lounge, in der die Besucher zu warten hatten, und las Illustrierte. Als Oscar Meave mit düsterem Gesicht erschien, wusste Ray, was geschehen war.

»Er ist gestern Nachmittag einfach gegangen«, begann Meave, während er sich über den Sofatisch vor Ray beugte. »Ich habe den ganzen Vormittag versucht, Sie zu erreichen.«

»Ich habe mein Handy letzte Nacht verloren.« Ray konnte es nicht fassen, dass er in seiner Panik ausgerechnet sein Telefon zurückgelassen hatte.

»Er hatte sich für die Bergwanderung eingetragen, das ist ein acht Kilometer langer Marsch durch die Natur, den er jeden Tag unternahm. Der Weg verläuft hinten auf dem Gelände, und es gibt keine Zäune, aber bei Forrest war das kein Risiko. Zumindest dachten wir das. Ich kann es nicht glauben.«

Ray schon. Sein Bruder lief seit fast zwanzig Jahren aus Therapieeinrichtungen davon.

»Es ist auch nicht so, dass wir die Leute hier einsperren«, fuhr Meave fort. »Wenn die Patienten nicht bleiben *wollen*, hat es ohnehin keinen Sinn.«

»Ich verstehe«, erklärte Ray sanft.

»Es ging ihm so gut.« Meave war offenbar aufgewühlter als Ray. »Er war vollkommen clean und sehr stolz darauf. Er hatte zwei Teenager sozusagen adoptiert, die beide zum ersten Mal auf Entzug waren. Forrest arbeitete jeden Morgen mit ihnen. Ich verstehe das einfach nicht.«

»Ich dachte, Sie wären früher selbst süchtig gewesen.«

Meave schüttelte den Kopf. »Ich weiß, ich weiß. Ein Süchtiger kann erst aufhören, wenn er es selbst will, nicht vorher.«

»Haben Sie noch nie jemanden getroffen, der es einfach nicht lassen kann?«

»Wenn ja, dann dürfte ich das nicht zugeben.«

»Verständlich. Aber unter uns gesagt, wir wissen doch beide, dass es Süchtige gibt, die sich nie ändern werden.«

Meave zuckte widerstrebend die Achseln.

»Forrest gehört dazu, Oscar. Ich erlebe das jetzt schon seit zwanzig Jahren.«

»Ich empfinde es als persönliches Versagen.«

»Das sollten Sie aber nicht.«

Sie gingen nach draußen und unterhielten sich noch einen Augenblick auf der Veranda. Meave entschuldigte sich ununterbrochen, aber für Ray kam diese Entwicklung keineswegs unerwartet.

Auf der kurvigen Straße zum Highway zurück fragte er sich, wie sein Bruder einfach so aus einer Einrichtung verschwinden konnte, die zwölf Kilometer vom nächsten Ort entfernt war. Andererseits war ihm schon aus wesentlich abgeschiedeneren Anlagen die Flucht gelungen.

Er würde nach Memphis zurückkehren, in sein Zimmer in Ellies Keller, auf die Straßen, wo die Drogenhändler auf ihn warteten. Vielleicht würde sein nächster Anruf der letzte sein, aber mit dieser Möglichkeit lebte Ray schon seit Jahren. So krank er auch war, Forrest hatte sich als erstaunlich überlebensfähig erwiesen.

Ray erreichte Tennessee. Der nächste Staat war Virginia. Noch sieben Stunden. Angesichts des klaren Himmels und des windstillen Tages dachte er daran, wie schön es wäre, jetzt in tausendfünfhundert Meter Höhe mit seiner geliebten Cessna herumzuflitzen.

37

Beide Türen waren neu, unlackiert und viel schwerer als die alten. Im Stillen dankte Ray seinem Vermieter für die Extraausgabe, obwohl er wusste, dass es keine Einbrüche mehr geben würde. Die Verfolgungsjagd war zu Ende. Schluss mit den gehetzten Blicken über die Schulter, den heimlichen Besuchen bei Chaney's, dem Versteckspiel. Keine geflüsterten Gespräche mehr mit Corey Crawford. Und kein illegales Geld mehr, keine Sorgen mehr, was damit geschehen würde, aber auch keine Träume mehr. Eine Last, die er im wahrsten Sinne des Wortes nicht mehr mit sich herumschleppen musste. Er fühlte sich so erleichtert, dass er lächelte und ein wenig schneller ausschritt.

Das Leben würde wieder normal werden. Lange Läufe in der Hitze, ausgedehnte Alleinflüge über dem Piedmont Plateau. Er freute sich sogar auf seine vernachlässigte Recherche für die Abhandlung zum Thema Monopole, die er bis Weihnachten versprochen hatte. Aber es konnte ja auch Weihnachten des nächsten Jahres sein. Dem Thema Kaley stand er nicht mehr ganz so ablehnend gegenüber. Er war bereit, es noch ein letztes Mal mit einem Abendessen zu versuchen. Nachdem sie ihr Studium inzwischen abgeschlossen hatte, gab es keine rechtlichen Probleme

mehr, und sie sah einfach zu gut aus, um sie abzuschrei-
ben, ohne sich wirklich bemüht zu haben.

Da er allein lebte, war seine Wohnung unverändert. Bis
auf die Tür gab es keinerlei Hinweise auf den erneuten
Einbruch. Mittlerweile wusste er ja, dass es sich bei dem
Eindringling nicht um einen echten Dieb gehandelt hatte,
sondern dass er nur schikaniert und eingeschüchtert werden sollte. Entweder war es Gordie selbst gewesen oder
einer seiner Brüder. Ray wusste nicht genau, wie sie sich
die Arbeit geteilt hatten, aber es war ihm auch egal.

Es war fast elf Uhr. Ray kochte sich einen starken Kaffee und ging die Post durch. Keine anonymen Briefe mehr,
nur die üblichen Rechnungen und Werbesendungen.

Im Eingangskorb lagen zwei Faxe. Das eine stammte von
einem früheren Studenten, das zweite von Patton French.
Er habe versucht anzurufen, aber Rays Handy funktioniere
nicht. Die Nachricht war mit der Hand auf Briefpapier der
King of Torts geschrieben. Bestimmt hatte French sie von
den grauen Wassern des Golfs von Mexiko aus gefaxt, wo
er seine Jacht immer noch vor dem Scheidungsanwalt seiner Frau versteckte.

Gute Nachrichten von der Sicherheitsfront – kurz nachdem Ray gefahren sei, habe man Gordie Priest und einer
seiner Brüder »lokalisiert«. Ob Ray ihn bitte zurückrufen
könne? Seine Assistentin wisse, wo er zu finden sei.

Nachdem Ray zwei Stunden lang herumtelefoniert hatte, meldete sich French schließlich aus einem Hotel in Fort
Worth, wo er sich mit einigen Ryax- und Kobril-Anwäl-
ten traf. »Hier oben werde ich wahrscheinlich an die tausend Fälle übernehmen«, verkündete er. Offensichtlich
konnte er das nicht für sich behalten.

»Wunderbar.« Ray hatte nicht die Absicht, sich noch
mehr Schwafeleien über Sammelklagen und Millionen-
Dollar-Vergleiche anzuhören.

»Ist Ihr Telefon sicher?«, fragte French.

»Ja.«

»Gut, dann hören Sie mir zu. Priest stellt keine Bedrohung mehr dar. Wir fanden ihn kurz nach Ihrem Aufbruch. Er lag besoffen mit einer Frau im Bett, irgendeiner alten Bekannten. Den einen Bruder haben wir ebenfalls aufgespürt, der andere ist in Florida. Ihr Geld ist sicher.«

»Wann genau haben Sie sie gefunden?« Ray beugte sich über den großen Kalender, den er auf dem Küchentisch ausgebreitet hatte. Der genaue Zeitpunkt war von größter Bedeutung. Während er auf den Rückruf gewartet hatte, hatte er die letzten Tage mit Notizen versehen.

French überlegte einen Augenblick. »Äh, lassen Sie mich nachdenken. Was ist heute?«

»Montag, der 6. Juni.«

»Montag. Wann haben Sie die Küste verlassen?«

»Um zehn Uhr am Freitagmorgen.«

»Dann war es Freitag gleich nach dem Mittagessen.«

»Sind Sie sicher?«

»Natürlich bin ich sicher. Warum fragen Sie?«

»Und es besteht nicht die Möglichkeit, dass er die Küste verlassen hat, nachdem Sie ihn gefunden haben?«

»Glauben Sie mir, Ray, der verlässt die Küste nie wieder. Er hat hier seine, äh, endgültige Heimat gefunden.«

»Einzelheiten interessieren mich nicht.« Ray setzte sich an den Tisch und starrte auf den Kalender.

»Was ist los? Stimmt etwas nicht?«

»Ja, das könnte man sagen.«

»Was?«

»Jemand hat das Haus abgebrannt.«

»Richter Atlees Villa?«

»Ja.«

»Wann?«

»Nach Mitternacht in der Nacht von Freitag auf Samstag.«

Eine kurze Pause trat ein, während French das verdaute. »Also, die Priests waren es nicht, das kann ich mit Sicherheit sagen.«

Als Ray schwieg, fragte French: »Wo ist das Geld?«

»Das weiß ich nicht.«

Auch nach einem Acht-Kilometer-Lauf fühlte er sich nicht entspannter, obwohl er dabei Pläne geschmiedet und seine Gedanken ein wenig geordnet hatte. Die Temperatur betrug über dreißig Grad Celsius, und er war schweißüberströmt, als er in seine Wohnung zurückkehrte.

Da er Harry Rex alles erzählt hatte, gab es jetzt zumindest jemanden, mit dem er über die neueste Entwicklung reden konnte. Er rief in Harry Rex' Büro in Clanton an und erfuhr, dass dieser in Tupelo im Gericht sei und erst spät zurück erwartet werde. Als Ray es bei Ellie in Memphis versuchte, nahm niemand ab. Er probierte es bei Oscar Meave im Alcorn Village, obwohl er davon überzeugt war, dass es keine Nachricht von seinem Bruder geben würde. Genauso war es.

So viel zum Thema normales Leben.

Nach einem anstrengenden Vormittag mit mühseligen Verhandlungen in den Gängen des Gerichtsgebäudes von Lee County, bei denen es um Streitpunkte wie das Wasserskiboot, das Häuschen am See und die Höhe der einmaligen Zahlung ging, die die Ehefrau in bar erhalten sollte, wurde die Scheidung für den frühen Nachmittag angesetzt. Harry Rex vertrat den Ehemann, einen Cowboy mit unbezähmbarem Sexualtrieb, der glaubte, er verstünde mehr vom Scheidungsrecht als sein Anwalt. Ehefrau Nummer drei, ein in die Jahre kommendes Betthäschen Ende zwanzig, hatte ihn mit ihrer besten Freundin erwischt. Es war die übliche, trübselige Geschichte. Harry Rex hatte den gesamten Schlamassel herzlich satt, als er an den Richtertisch trat und die hart erkämpfte Vergleichsvereinbarung vorlegte.

Der Chancellor war ein Veteran, der schon tausende Ehepaare geschieden hatte. »Das mit Richter Atlee tut mir Leid«, sagte er leise, während er die Papiere durchging. Harry Rex nickte nur. Er war müde und durstig und freute sich auf ein kaltes Bier auf dem Heimweg nach Clanton. Sein liebster Bierausschank in der Gegend von Tupelo lag in der Nähe der County-Grenze.

»Wir haben zweiundzwanzig Jahre lang zusammen gearbeitet«, sagte der Chancellor.

»Ein wunderbarer Mensch«, gab Harry Rex zurück.

»Kümmern Sie sich um den Nachlass?«

»Ja, Sir.«

»Grüßen Sie Richter Farr.«

»Das werde ich.«

Kurz darauf waren die Papiere unterzeichnet, die Ehe gnädig geschieden und die verfeindeten Eheleute in ihre jeweiligen Häuser zurückgeschickt worden. Harry Rex hatte das Gerichtsgebäude verlassen und war schon auf halbem Weg zu seinem Auto, als ihm ein Anwalt nachlief und ihn auf dem Gehweg anhielt. Er stellte sich als Jacob Spain vor, einer von tausend Anwälten in Tupelo. Er war im Gerichtssaal gewesen und hatte gehört, dass der Chancellor Richter Atlee erwähnte.

»Der hat doch einen Sohn namens Forrest, nicht wahr?«, fragte Spain.

»Zwei Söhne. Ray und Forrest.« Harry Rex holte tief Atem und fand sich damit ab, dass sich ein kurzes Gespräch nicht vermeiden lassen würde.

»Ich habe in der Highschool gegen Forrest Football gespielt, dabei hat er mir einmal bei einem Foul das Schlüsselbein gebrochen.«

»Klingt ganz nach Forrest.«

»Ich habe für New Albany gespielt. Forrest war ein Jahr unter mir. Haben Sie ihn spielen gesehen?«

»Ja, oft.«

»Erinnern Sie sich an das Spiel gegen uns, als er in der ersten Hälfte dreihundert Yards erkämpfte? Vier oder fünf Touchdowns, glaube ich.«

»Ja.« Harry Rex wurde allmählich unruhig. Wie lange sollte das noch dauern?

»Ich spielte damals als Verteidiger, und er feuerte in alle Richtungen Pässe ab. Einen davon griff ich mir unmittelbar vor der Halbzeit und brachte ihn nach vorn. Forrest stürzte sich auf mich, als ich am Boden lag.«

»Das war eines seiner Lieblingsspielchen.« Spät und hart zuschlagen, das war Forrests Motto gewesen, vor allem, wenn ein unglückseliger Verteidiger einen seiner Pässe abgefangen hatte.

»Ich glaube, in der Woche darauf wurde er verhaftet«, fuhr Spain fort. »Was für eine Vergeudung! Auf jeden Fall habe ich ihn vor ein paar Wochen hier in Tupelo mit Richter Atlee gesehen.«

Harry Rex hatte es plötzlich nicht mehr eilig. Das kalte Bier war vergessen, zumindest für den Augenblick. »Wann war das?«

»Kurz vor dem Tod des Richters. Es war eine merkwürdige Szene.«

Sie gingen ein paar Schritte, bis sie den Schatten eines Baumes erreichten. »Ich höre.« Harry Rex lockerte seine Krawatte, den verknitterten marineblauen Blazer hatte er bereits ausgezogen.

»Die Mutter meiner Frau ist in der Taft-Klinik wegen Brustkrebs in Behandlung. An einem Montagnachmittag im Frühling fuhr ich sie wieder einmal zur Chemotherapie dorthin.«

»Richter Atlee wurde auch dort behandelt«, sagte Harry Rex. »Ich habe die Rechnungen gefunden.«

»Ja, dort habe ich ihn auch gesehen. Ich brachte meine Schwiegermutter hin, und da sie warten musste, ging ich zu meinem Auto, um ein paar Telefonate zu erledigen. Während ich dort saß, fuhr Richter Atlee in einem langen schwarzen Lincoln vor. Am Steuer saß jemand, den ich nicht sofort erkannte. Sie parkten nur zwei Autos von mir entfernt und stiegen aus. Der Fahrer kam mir bekannt vor – ein großer, kräftiger Bursche mit einem herausfordernden Gang, den ich schon einmal gesehen hatte. Plötzlich wurde mir klar, dass es, so wie er ging und sich bewegte, Forrest sein musste. Er trug eine Sonnenbrille und hatte eine Kappe tief ins Gesicht gezogen. Sie gingen hinein, aber Forrest war schon nach ein paar Sekunden wieder draußen.«

»Was war das für eine Kappe?«

»Eine ausgeblichene blaue Baseballkappe von den Chicago Cubs, glaube ich.«

»Die kenne ich.«

»Er war total nervös, als wollte er nicht, dass ihn jemand sieht. Er verschwand in einer Baumgruppe neben dem Klinikgebäude, so dass ich gerade noch seine Silhouette sehen konnte, und versteckte sich dort. Zuerst dachte ich, er wollte vielleicht pinkeln, aber nein, er versteckte sich. Nach etwa einer Stunde ging ich wieder hinein, holte meine Schwiegermutter ab und fuhr mit ihr davon. Da war er immer noch draußen zwischen den Bäumen.«

Harry Rex hatte seinen Taschenkalender hervorgezogen. »An welchem Tag war das?«

Spain griff nach seinem Timer, und wie es sich für viel beschäftigte Anwälte gehörte, verglichen sie ihre Unternehmungen der letzten Zeit. »Am Montag, dem 1. Mai«, entschied Spain schließlich.

»Das war sechs Tage vor dem Tod des Richters«, sagte Harry Rex.

»Ich bin mir mit dem Datum sicher. Es war eine merkwürdige Szene.«

»Nun, Forrest ist ein merkwürdiger Typ.«

»Er wird doch nicht von der Polizei gesucht, oder?«

»Nicht im Moment.« Beide brachten ein nervöses Lachen zustande.

Nun hatte Spain es plötzlich eilig. »Falls Sie ihn sehen, sagen Sie ihm, ich bin immer noch sauer wegen des Fouls.«

»Ich werd's ausrichten.«

Harry Rex sah ihm lange nach.

38

Mr. und Mrs. Vonner verließen Clanton an einem bewölkten Junimorgen in einem neuen Offroad-Geländewagen mit Allradantrieb, der angeblich die Kleinigkeit von zwanzig Litern auf hundert Kilometern schluckte und mit genügend Gepäck für vier Wochen Urlaub in Europa beladen war. Tatsächlich war ihr Ziel der District of Columbia, wo Mrs. Vonner eine Schwester hatte, der Harry Rex noch nie begegnet war. Sie verbrachten die erste Nacht in Gatlinburg und die zweite in White Sulphur Springs in Virginia. Gegen Mittag trafen sie in Charlottesville ein, wo sie die obligatorische Tour durch Thomas Jeffersons einstiges Anwesen Monticello absolvierten, über den Campus der Universität flanierten und in einer Studentenkneipe namens White Spot, deren Spezialität Spiegelei auf Hamburger war, ein unkonventionelles Mahl zu sich nahmen. Es war die Art von Essen, die Harry Rex bevorzugte.

Am nächsten Morgen verließ er das Hotel, während seine Frau noch schlief, um sich die Fußgängerzone im Stadtzentrum anzusehen. An der gesuchten Adresse angekommen, wartete er geduldig.

Ein paar Minuten nach acht Uhr band Ray eine Doppelschleife in die Schnürsenkel seiner ziemlich teuren Joggingschuhe, machte im Arbeitszimmer ein paar Dehnübungen und ging dann zu seinem täglichen Acht-Kilometer-Lauf nach unten. Die Luft draußen war warm. Der Juli war nicht mehr fern, und der Sommer hatte bereits begonnen.

Als er um eine Ecke bog, hörte er eine vertraute Stimme. »He, Junge!«

Einen Becher Kaffee in der Hand, saß Harry Rex auf einer Bank, eine ungelesene Zeitung neben sich. Ray erstarrte und brauchte ein paar Sekunden, um sich zu sammeln. Hier war jemand am falschen Ort.

Als er sich wieder bewegen konnte, ging er zu der Bank. »Was tust du denn hier?«

»Cooles Outfit«, meinte Harry Rex mit einem Blick auf die Shorts, das alte T-Shirt, die Joggerkappe und die hochmoderne Sportbrille. »Meine Frau und ich sind auf der Durchreise nach Washington. Sie hat da oben eine Schwester und will, dass ich sie endlich kennen lerne. Setz dich.«

»Warum hast du nicht angerufen?«

»Ich wollte dich nicht stören.«

»Ach komm, du hättest anrufen sollen, Harry Rex. Wir könnten essen gehen, ich könnte euch die Stadt zeigen.«

»Ist nicht *diese* Art von Reise. Setz dich.«

Ray roch Ärger. Er ließ sich neben Harry Rex nieder. »Ich kann's nicht glauben.«

»Halt die Klappe und hör mir zu.«

Ray nahm die Brille ab und sah Harry Rex an. »Ist es sehr schlimm?«

»Sagen wir, es ist merkwürdig.« Harry Rex erzählte Jacob Spains Geschichte von Forrest, der sich sechs Tage vor dem Tod des Richters vor der Krebsklinik zwischen den Bäumen versteckt hatte. Während er ungläubig lauschte, rutschte Ray auf der Bank immer tiefer. Schließlich beugte er sich vor, stützte die Ellbogen auf die Knie und ließ den Kopf hängen.

»Dem ärztlichen Bericht zufolge bekam er an jenem Tag, dem 1. Mai, eine Ampulle Morphium. Aus den Aufzeichnungen geht nicht eindeutig hervor, ob es das erste Mal war oder ob er schon einmal was bekommen hatte. Sieht aus, als hätte Forrest ihn überredet, sich richtig gutes Zeug zu besorgen.«

Eine Pause folgte, da eine hübsche junge Frau vorüberging, die es offenkundig eilig hatte. Ihr enger Rock schmiegte sich an die wiegenden Hüften. Harry Rex nahm noch einen Schluck Kaffee. »Ich war immer misstrauisch wegen des Testaments, das du in seinem Arbeitszimmer gefunden hast. Während der letzten sechs Monate seines Lebens unterhielten der Richter und ich uns ausführlich über seinen letzten Willen, und ich glaube nicht, dass er unmittelbar vor seinem Tod so mir nichts dir nichts noch ein neues verfasste. Ich habe mir die Unterschriften genau angesehen, und meine Überzeugung als Laie ist, dass es sich bei dem letzten Testament um eine Fälschung handelt.«

Ray räusperte sich. »Wenn Forrest ihn nach Tupelo gefahren hat, kann man davon ausgehen, dass er auch im Haus war.«

»Überall im Haus.«

Harry Rex hatte in Memphis einen Privatdetektiv engagiert, um Forrest aufzuspüren, aber der war wie vom Erdboden verschluckt. Irgendwo in der Zeitung hatte ein Umschlag gesteckt, den er jetzt hervorholte. »Dann traf vor drei Tagen das hier ein.«

Ray zog ein Blatt Papier hervor und faltete es auseinander. Es stammte von Oscar Meave im Alcorn Village. »Sehr geehrter Mr. Vonner, leider ist es mir nicht gelungen, Ray Atlee zu erreichen. Ich kenne den Aufenthaltsort von Forrest, nur für den Fall, dass die Familie nicht weiß, wo er ist. Rufen Sie mich an, falls Sie darüber sprechen möchten. Bitte behandeln Sie dieses Schreiben vertraulich. Mit den besten Wünschen, Oscar Meave.«

»Ich habe ihn natürlich sofort angerufen«, erklärte Harry Rex, während er mit dem Blick einer anderen jungen Frau folgte. »Er hatte mal einen Patienten, der jetzt Therapeut auf einer Ranch für Süchtige irgendwo im Westen ist. Forrest ließ sich dort vor einer Woche aufnehmen, erklärte jedoch, seine Familie dürfe seinen Aufenthaltsort auf keinen Fall erfahren. Offenbar kommt so was von Zeit zu Zeit vor. Die Kliniken stecken da in der Zwickmühle. Einerseits müssen sie die Wünsche des Patienten respektieren, andererseits spielt die Familie bei einer erfolgreichen Therapie eine Schlüsselrolle. Daher informieren sich die Therapeuten gegenseitig. Meave beschloss, die Information an dich weiterzugeben.«

»Wo im Westen?«

»In Montana. Morningstar Ranch heißt die Anlage. Meave sagt, es sei genau das, was der Junge brauche – sehr schön, sehr abgelegen, mit Sicherheitsvorkehrungen für harte Fälle. Forrest soll ein Jahr lang dort bleiben.«

Ray richtete sich auf und begann, sich die Stirn zu reiben, als hätte ihn am Ende doch eine Kugel ereilt.

»Natürlich ist es ein teures Institut«, ergänzte Harry Rex.

»Natürlich«, murmelte Ray.

Danach sagte keiner mehr etwas, zumindest nicht über Forrest. Nach ein paar Minuten erklärte Harry Rex, er müsse jetzt gehen. Er habe seine Botschaft überbracht und zumindest für den Augenblick nichts hinzuzufügen. Seine Frau wolle so bald wie möglich bei ihrer Schwester sein. Vielleicht könnten sie das nächste Mal länger bleiben und essen gehen. Er klopfte Ray auf die Schulter und ließ ihn auf der Bank sitzen. »Wir sehen uns in Clanton«, waren seine letzten Worte.

Ray fühlte sich zu schwach und zu sehr außer Atem, um jetzt noch zu laufen. Deshalb blieb er auf der Bank vor seiner Wohnung in der Fußgängerzone sitzen und verlor sich in einer Welt aus sich rasch bewegenden Puzzleteilchen. Immer mehr Fußgänger hasteten an ihm vorbei, Kaufleute, Banker und Rechtsanwälte eilten zur Arbeit, aber Ray sah sie nicht.

Carl Mirk unterrichtete jedes Semester zwei Bereiche des Versicherungsrechts und gehörte wie Ray der Anwaltskammer von Virginia an. Sie diskutierten die Befragung beim Mittagessen und kamen beide zu dem Schluss, dass sie Teil einer Routineuntersuchung war. Kein Grund zur Sorge also. Mirk würde mitkommen und sich als Rays Anwalt ausgeben.

Der Ermittler der Versicherungsgesellschaft hieß Ratterfield. Sie trafen sich im Besprechungszimmer der juristischen Fakultät, wo Ratterfield sein Jackett auszog. Es sah aus, als würde das Gespräch Stunden dauern. Ray trug Jeans und ein Golfhemd, Mirk war ebenso leger gekleidet.

»Ich zeichne solche Befragungen immer auf«, erklärte Ratterfield, während er einen Kassettenrekorder hervorholte und zwischen sich und Ray platzierte. »Haben Sie etwas dagegen?«

»Nein, ich denke nicht.«

Ratterfield drückte einen Knopf, sah auf seine Notizen und begann dann, eine Einleitung auf Band zu sprechen: Er sei unabhängiger Schadensermittler, der für Aviation Underwriters den von Ray Atlee und drei anderen Mitbesitzern am 2. Juni angemeldeten Anspruch auf Schadenersatz für eine 1994er Beech Bonanza untersuche. Nach Aussage des staatlichen Brandexperten sei die Maschine absichtlich angezündet worden.

Zunächst wollte er wissen, wie es mit Rays Flugerfahrung aussah. Ray hatte sein Flugbuch bei sich. Ratterfield blätterte darin herum, konnte jedoch nichts entdecken, was auch nur im Entferntesten interessant wirkte. »Nicht für die Bedienung der Instrumente zugelassen«, merkte er einmal an.

»Ich arbeite daran.«

»Vierzehn Übungsstunden mit der Bonanza?«

»Ja.«

Dann ging Ratterfield zu dem Konsortium über, dessen Eigentum die Maschine gewesen war, und fragte, wie sich die Mitglieder gefunden hätten. Die anderen Eigentümer habe er bereits gesprochen, und sie hätten Verträge und Dokumente vorgelegt. Ray erklärte die Papiere für gültig.

Dann wechselte Ratterfield die Gangart. »Wo waren Sie am 2. Juni?«

»In Biloxi, Mississippi.« Ray war sicher, dass Ratterfield keine Ahnung hatte, wo das lag.

»Wie lange hielten Sie sich dort auf?«

»Ein paar Tage.«

»Darf ich fragen, warum Sie dort waren?«

»Natürlich.« Ray erzählte knapp von seinen Besuchen in seinem Heimatstaat. Sein offizieller Grund für die Reise an die Küste war, dass er Freunde – alte Kumpel aus seiner Zeit in Tulane – besucht habe.

»Ich bin sicher, dass es Personen gibt, die bestätigen können, wo Sie am 2. Juni waren.«

»Mehrere. Außerdem habe ich Hotelrechnungen.«

Ratterfield schien überzeugt. »Die anderen Besitzer waren alle zu Hause, als das Flugzeug in Brand geriet«, erklärte er, während er zu einer Seite mit Maschine geschriebenen Notizen blätterte. »Alle haben Alibis. Wenn wir davon ausgehen, dass es sich um Brandstiftung handelt, müssen wir zuerst ein Motiv finden und davon ausgehend den Täter. Irgendeine Idee?«

»Keine Ahnung, wer das war«, erklärte Ray nachdrücklich und ohne zu zögern.

»Was ist mit einem Motiv?«

»Wir hatten das Flugzeug gerade erst gekauft. Warum sollte einer von uns es zerstören wollen?«

»Vielleicht um die Versicherung zu kassieren. Kommt von Zeit zu Zeit vor. Vielleicht ist einer der Partner zu dem Schluss gekommen, dass er sich übernommen hat. Immerhin handelt es sich um beträchtliche Summen – fast einhunderttausend über sechs Jahre, knapp neunhundert Dollar pro Monat und Partner.«

»Das wussten wir auch schon zwei Wochen vorher bei der Vertragsunterzeichnung«, wandte Ray ein.

Dann folgte ein Schattenboxen, bei dem es um den heiklen Bereich von Rays persönlichen Finanzen ging – Gehalt, Ausgaben, Verpflichtungen. Als Ratterfield sich davon überzeugt hatte, dass Ray seinen Anteil hätte zahlen können, wechselte er das Thema. »Erzählen Sie mir von dem Brand in Mississippi«, begann er, während er irgendeinen Bericht durchging.

»Was wollen Sie wissen?«

»Wird dort wegen Brandstiftung gegen Sie ermittelt?«

»Nein.«

»Sind Sie ganz sicher?«

»Ja, ich bin sicher. Sie können gern meinen Anwalt anrufen.«

»Das habe ich bereits getan. In Ihre Wohnung wurde in den letzten sechs Wochen zweimal eingebrochen?«

»Aber es wurde nichts gestohlen, nur eingebrochen.«

»Sie scheinen eine aufregende Zeit hinter sich zu haben.«

»Ist das eine Frage?«

»Scheint, als hätte es jemand auf Sie abgesehen.«

»Noch mal: Ist das eine Frage?«

Dies war das einzige Mal, dass der Ton aggressiv wurde. Sowohl Ray als auch Ratterfield holten tief Atem.

»Ist in der Vergangenheit jemals wegen Brandstiftung gegen Sie ermittelt worden?«

Ray lächelte. »Nein.«

Als Ratterfield auf die nächste Seite blätterte und feststellte, dass sie leer war, verlor er schnell das Interesse und kam zum Schluss. »Unsere Anwälte werden sich vermutlich mit Ihnen in Verbindung setzen«, sagte er, während er den Rekorder ausschaltete.

»Ich kann's kaum erwarten.«

Ratterfield griff nach Jackett und Aktentasche und verschwand.

Nachdem er gegangen war, meinte Carl: »Ich glaube, du weißt mehr, als du sagst.«

»Vielleicht, aber ich hatte weder mit dem Brand in Mississippi noch mit dem hier etwas zu tun.«

»Mehr will ich gar nicht wissen.«

39

Fast eine Woche lang sorgte eine Reihe sommerlicher Schlechtwetterfronten für niedrig hängende Wolken und Winde, die für kleine Flugzeuge zu gefährlich waren. Als die Vorhersage für die nächsten Tage schließlich überall bis auf den Süden von Texas ruhiges, trockenes Wetter ankündigte, verließ Ray Charlottesville in einer Cessna und trat den längsten Überlandflug seiner kurzen Pilotenlaufbahn an. Er vermied die großen Flugkorridore und orientierte sich an auffälligen Landmarken. Nachdem er das Shenandoah Valley und Westvirginia überflogen hatte, tankte er in Kentucky auf einem kleinen Flugplatz in der Nähe von Lexington. Die Cessna konnte etwa dreieinhalb Stunden in der Luft bleiben, bevor die Tankanzeige unter ein Viertel fiel. In Terre Haute legte er erneut einen Zwischenstopp ein. Er überflog den Mississippi bei Hannibal und landete gegen Abend in Kirksville, Missouri, wo er sich ein Zimmer in einem Motel nahm.

Seit der Odyssee mit dem Geld hatte er nicht mehr in einem Motel übernachtet, und in diesem war er ebenfalls nur wegen des Geldes. Weil er sich in Missouri befand, erinnerte er sich, während er in seinem Zimmer durch die stummgeschalteten Fernsehprogramme zappte, daran, wie Patton French bei einem Seminar über Schadenersatzprozesse in St. Louis über Ryax gestolpert war. Ein alter Anwalt aus einer Kleinstadt in den Ozarks hatte einen Sohn, der an der Universität von Columbia lehrte und wusste, dass das Medikament verheerende Nebenwirkungen hatte. Wegen Patton French und dessen unersättlicher Gier und Korruptheit saß er, Ray Atlee, nun erneut in einer Stadt, wo er nicht eine Menschenseele kannte.

Über Utah entwickelte sich eine Schlechtwetterfront. Ray startete direkt nach Sonnenaufgang und stieg auf tausendfünfhundert Meter. Nachdem er die Ruder getrimmt hatte, öffnete er einen großen Becher mit dampfendem schwarzen Kaffee. Auf dem ersten Streckenabschnitt flog er mehr nach Norden als nach Westen. Bald sah er unter sich die Kornfelder von Iowa.

Fünfzehnhundert Meter über der Erde, in der kühlen, ruhigen Luft des frühen Morgens und ohne einen einzigen Piloten, der über Funk plaudern wollte, versuchte Ray, sich auf die vor ihm liegende Aufgabe zu konzentrieren. Doch es war viel verlockender, einfach nur dahinzugleiten, die Einsamkeit, die Aussicht und den Kaffee zu genießen und sich darüber zu freuen, dass er die Welt tief unter sich gelassen hatte. Besonders angenehm war es, jeden Gedanken an seinen Bruder zu verdrängen.

Nach einer Zwischenlandung in Sioux Falls wandte er sich erneut nach Westen und folgte der Interstate 90 durch den gesamten Bundesstaat South Dakota, bis er dem Sperrgebiet um den Mount Rushmore ausweichen musste. In Rapid City landete er und mietete ein Auto, mit dem er lange im Badlands-Nationalpark herumfuhr.

Die Morningstar Ranch lag irgendwo in den Hügeln südlich von Kalispell, wobei die Website bewusst keine genauen Angaben machte. Oscar Meave hatte vergeblich versucht, ihre genaue Lage herauszufinden. Am Ende seines dritten Reisetages landete Ray nach Einbruch der Dun-

kelheit in Kalispell. Er mietete erneut ein Auto, aß irgendwo zu Abend, suchte sich ein Motel und studierte seine
Luft- und Straßenkarten mehrere Stunden lang.

Er verbrachte einen weiteren Tag damit, in niedriger
Höhe über Kalispell und den Städtchen Woods Bay, Poli-
son, Bigfork und Elmo herumzufliegen. Ein halbes Dutzend Mal überquerte er den Flathead Lake, und er war
schon bereit, den Luftkrieg aufzugeben und Bodentruppen
zu schicken, als er in der Nähe der Stadt Somers am Nord-
ufer des Sees eine Anlage entdeckte. In fünfhundert Meter
Höhe kreiste er darüber, bis er einen massiven Zaun aus
grünem Maschendraht bemerkte, der fast vollständig in
den Wäldern verborgen und von der Luft aus kaum zu
erkennen war. Er sah kleinere Gebäude, die offenbar
Wohnzwecken dienten, ein größeres, in dem vermutlich die
Verwaltung untergebracht war, ein Schwimmbecken, Ten-
nisplätze und eine Scheune, in deren Nähe Pferde grasten.
Ein paar Menschen innerhalb des Komplexes unterbrachen
ihre verschiedenen Tätigkeiten und blickten herauf, um zu
sehen, wer so lange über ihnen kreiste.

Die Anlage war auf dem Boden genauso schwierig zu
finden wie aus der Luft, doch gegen Mittag des nächsten
Tages parkte Ray vor einem unmarkierten Tor und starrte herausfordernd einen bewaffneten Wachmann an, der
ebenso herausfordernd zurückstarrte. Nach ein paar ange-
spannten Fragen gab der Mann schließlich zu, dass Ray
tatsächlich den Ort gefunden hatte, den er suchte. »Besucher sind nicht erlaubt«, verkündete der Wachmann hoch-
mütig.

Ray erfand eine Familienkrise und betonte, wie wichtig
es sei, dass er seinen Bruder sehe. Widerstrebend erklärte
ihm der Posten, dass er seinen Namen und seine Telefonnummer hinterlassen müsse, dann werde ihn eventuell
jemand zurückrufen. Am nächsten Tag angelte Ray gerade

am Flathead River Forellen, als sein Handy klingelte. Eine unfreundliche Stimme gab sich als Allison von der Morningstar Ranch zu erkennen und fragte nach Ray Atlee.

Dachte sie, dass noch andere Zugang zu seinem Handy hatten?

Er gab sich als Ray Atlee zu erkennen, und daraufhin erkundigte sie sich, was er wolle. »Mein Bruder ist bei Ihnen«, erklärte er so höflich wie möglich. »Sein Name ist Forrest Atlee, und ich möchte ihn gern sehen.«

»Und warum glauben Sie, dass er sich bei uns aufhält?«

»Er *ist* bei Ihnen. Sie wissen es, ich weiß es. Können wir also bitte mit den Spielchen aufhören?«

»Ich kümmere mich darum, aber ich kann Ihnen nicht versprechen, dass Sie noch einmal zurückgerufen werden.«

Die nächste unfreundliche Stimme gehörte einem gewissen Darrel, der irgendeinen Verwaltungsposten innehatte. Der Anruf kam spät am Nachmittag, während Ray in den Bergen der Swan Range in der Nähe des Hungry-Horse-Stausees wanderte. Darrel war ebenso brüsk wie Allison. »Nur eine halbe Stunde. Dreißig Minuten«, teilte er Ray mit. »Morgen um zehn Uhr.«

Ein Hochsicherheitsgefängnis wäre gemütlicher gewesen. Der Wachposten vom Vortag durchsuchte ihn und seinen Wagen am Tor. »Folgen Sie ihm«, sagte er dann, womit er einen weiteren Wachmann meinte, der in einem Golfwagen in der schmalen Einfahrt wartete und Ray zu einem kleinen Parkplatz in der Nähe des vorderen Gebäudes brachte. Als er ausstieg, wartete Allison bereits auf ihn – unbewaffnet. Sie war groß und wirkte sehr maskulin. Bei dem obligatorischen Händedruck fühlte Ray sich körperlich hoffnungslos unterlegen. Sie führte ihn ins Gebäude, in dem Kameras offen jede Bewegung überwachten. In einem fensterlosen Raum übergab sie ihn einem grimmigen Beamten, der jede einzelne Falte an Rays Körper mit flinken Fingern abtastete. Den Lendenbereich sparte er aus, obwohl Ray einen entsetzlichen Augenblick lang fürchtete, er würde auch dort zugreifen.

»Ich besuche doch nur meinen Bruder«, protestierte er, was ihm fast einen Kinnhaken eingebracht hätte.

Nachdem er gründlich durchsucht und für ungefährlich befunden worden war, holte Allison ihn ab und führte ihn durch einen kurzen Gang in einen kahlen, kleinen Raum, der stark an eine Gummizelle erinnerte und bis auf die Glasscheibe in der einzigen Tür fensterlos war. Allison deutete darauf. »Wir werden Sie beobachten«, verkündete sie drohend.

»Was erwarten Sie zu sehen?«

Die Frage trug Ray einen wütenden Blick ein, und er fürchtete schon, sie würde ihn niederschlagen.

Mitten im Raum stand ein quadratischer Tisch mit einem Stuhl auf jeder Seite. »Setzen Sie sich dorthin«, befahl sie, und Ray nahm folgsam den ihm zugewiesenen Platz ein. Mit dem Rücken zur Tür sitzend, starrte er zehn Minuten lang die Wand an.

Schließlich öffnete sich die Tür, und Forrest trat ein, allein, ohne Ketten oder Handschellen. Kein stämmiger Wachmann, der ihn herumschubste. Wortlos ließ er sich Ray gegenüber nieder und faltete die Hände auf dem Tisch, als wäre es Zeit für eine Meditation. Sein Haar war verschwunden, abrasiert bis auf ein paar symbolische Millimeter. Über den Ohren war sein Schädel völlig kahl. Sein Gesicht war ebenfalls sauber rasiert, und er schien fast zehn Kilo abgenommen zu haben. Das weite, geknöpfte Hemd in dunklem Oliv wirkte mit dem schmalen Kragen und den beiden großen Taschen fast militärisch. Ray eröffnete das Gespräch. »Scheint ein Trainingslager für Rekruten zu sein«, sagte er.

»Einfach ist es nicht«, gab Forrest sehr langsam und leise zurück.

»Unterziehen sie dich einer Gehirnwäsche?«

»Allerdings.«

Da Ray wegen des Geldes hier war, beschloss er, Forrest gleich darauf anzusprechen. »Was bekommst du hier für siebenhundert Dollar pro Tag?«

»Ein neues Leben.«

Ray nickte zustimmend, während Forrest ihn ausdruckslos anstarrte, ohne auch nur einmal zu blinzeln. Sein Blick wirkte verloren, als wäre Ray nicht sein Bruder, sondern ein völlig Fremder.

»Und du bleibst zwölf Monate hier?«

»Mindestens.«

»Das ist eine Viertelmillion Dollar.«

Forrest zuckte die Achseln, als wäre Geld kein Problem und als könnte er genauso gut drei oder fünf Jahre bleiben.

»Stehst du unter Beruhigungsmitteln?« Ray versuchte, ihn zu provozieren.

»Nein.«

»Du benimmst dich aber so.«

»Die geben einem hier keine Medikamente. Du kannst dir sicher nicht vorstellen, warum, oder?« Seine Stimme klang jetzt leicht gereizt.

Ray hatte die tickende Uhr vor Augen. Nach exakt dreißig Minuten würde Allison zurück sein, um das Gespräch zu beenden und Ray für immer aus dem Gebäude und der Anlage zu eskortieren. Er brauchte viel mehr Zeit, um über alles zu reden, und so war Effizienz gefragt. Gehen wir es direkt an, sagte er sich selbst. Mal sehen, wie viel er zugibt.

»Ich habe mir Vaters Testament und die ›Vorladung‹, mit der er uns für den 7. Mai nach Maple Run bestellte, angesehen und die Unterschriften geprüft. Ich glaube, es handelt sich um Fälschungen.«

»Schön für dich.«

»Ich weiß nicht, wer sie gefälscht hat, aber ich habe dich im Verdacht.«

»Verklag mich doch.«

»Du leugnest es also nicht?«

»Würde das etwas bringen?«

Ray wiederholte diese Worte halb laut und in angewidertem Ton. Seine Verärgerung wuchs, während er sie aussprach. Es folgte eine lange Pause. Die Uhr tickte. »Ich habe die Einladung an einem Donnerstag erhalten. Sie war in Clanton am Montag abgestempelt worden, an dem Tag, an dem du Vater zur Taft-Klinik in Tupelo gefahren hast, wo er sich Morphium besorgte. Eine Frage: Wie ist es dir gelungen, das Schreiben auf seiner alten Underwood zu tippen?«

»Ich muss deine Fragen nicht beantworten.«

»Klar musst du das. Du steckst hinter diesem Schwindel, Forrest. Das Mindeste, was du tun kannst, ist, mir zu erklären, was passiert ist. Du hast gewonnen. Der alte Herr ist tot, das Haus zerstört, und du hast das Geld. Ich bin der Einzige, der dir auf der Spur ist, und ich bin bald wieder verschwunden. Sag mir, was passiert ist.«

»Er hatte bereits eine Morphium-Ampulle.«

»Gut, du hast ihn also zur Klinik gefahren, damit er sich noch eine besorgt oder die alte auffüllen lässt. Darum geht es nicht.«

»Aber es ist wichtig.«

»Warum?«

»Weil er unter Drogen stand.« Ein kleiner Riss wurde sichtbar in der Fassade, die man Forrest hier verpasst hatte. Er nahm die Hände vom Tisch und wandte den Blick ab.

»Er hatte also Schmerzen«, sagte Ray in der Hoffnung, irgendwelche Gefühle zu wecken.

»Ja.« Forrest wirkte völlig gleichgültig.

»Und du dachtest, wenn du ihn unter genügend Morphium setzt, kannst du im Haus tun und lassen, was du willst.«

»So ungefähr.«

»Wann bist du zum ersten Mal heimgefahren?«

»Ich kann mich nicht an Daten erinnern, das war schon immer so.«

»Spiel nicht den Idioten, Forrest. Er starb an einem Sonntag.«

»Ich kam an einem Samstag an.«

»Acht Tage vor seinem Tod?«

»Ich glaube schon.«

»Und warum bist du hingefahren?«

Forrest faltete die Hände vor der Brust und senkte den Blick. Seine Stimme wurde leiser. »Er rief mich an und bat mich, ihn zu besuchen. Ich fuhr gleich am nächsten Tag hin. Er wirkte unglaublich alt und krank und einsam.« Ein tiefer Atemzug, ein kurzer Blick auf seinen Bruder. »Die Schmerzen waren entsetzlich. Selbst mit den Schmerzmitteln ging es ihm sehr schlecht. Wir saßen auf der Veranda, sprachen über den Krieg und darüber, dass alles anders gekommen wäre, wenn Jackson nicht bei Chancellorsville gestorben wäre. Du weißt schon, die alten Schlachten, die er immer wieder durchlebte. Wegen der Schmerzen konnte er nicht ruhig sitzen, manchmal blieb ihm sogar die Luft weg, aber er wollte unbedingt reden. Wir begruben das Kriegsbeil nicht, versuchten auch nicht, unseren alten Streit beizulegen. Wir hatten nicht das Bedürfnis, es war ihm genug, dass ich da war. Ich schlief auf dem Sofa in seinem Arbeitszimmer. In der Nacht wachte ich auf und hörte ihn schreien. Er lag in seinem Zimmer auf dem Boden, die Knie ans Kinn gezogen, und zitterte vor Schmerzen. Ich brachte ihn wieder ins Bett und half ihm mit der Morphiumspritze. Irgendwann schlief er wieder ein. Es war drei Uhr morgens, aber ich konnte nicht mehr schlafen und fing an, im Haus herumzuwandern.«

Der Erzählstrom schien zu versiegen, aber die Uhr tickte weiter.

»Und dabei hast du das Geld gefunden«, sagte Ray.

»Welches Geld?«

»Das Geld, von dem du hier siebenhundert Dollar pro Tag zahlst.«

»Oh, *das* Geld.«

»Genau, *das* Geld.«

»Ja, damals fand ich es, an derselben Stelle wie du. Siebenundzwanzig Kartons. Im ersten waren einhunderttausend, so dass ich mir ausrechnen konnte, wie viel es insgesamt war. Ich saß stundenlang da und starrte die Kartons an, die sich in dem Schrank stapelten und völlig unscheinbar aussahen. Ich dachte, er würde vielleicht aufstehen, im Gang herumwandern und mich dabei erwischen, wie ich seine Schachteln anglotze. Irgendwie habe ich gehofft, dass es so kommt. Dann hätte er mir alles erklären können.« Forrest legte die Hände auf den Tisch und starrte Ray wieder an. »Bis zum Sonnenaufgang hatte ich mir einen Plan ausgedacht. Ich wollte das Problem mit dem Geld dir überlassen – dir, dem Erstgeborenen, dem Lieblingssohn, dem großen Bruder, dem Goldjungen, dem Superstudenten, dem Juraprofessor, dem Nachlassverwalter. Dem Menschen, dem er am meisten vertraute. Ich werde Ray beobachten, sagte ich mir, und sehen, was er mit dem Geld anfängt. Was auch immer er tut, es muss richtig sein. Also schloss ich den Schrank, schob das Sofa davor und tat so, als hätte ich das Geld nie gefunden. Fast hätte ich den Alten danach gefragt, aber dann kam ich zu dem Schluss, dass er mir bestimmt davon erzählt hätte, wenn er gewollt hätte, dass ich Bescheid weiß.«

»Wann hast du die Einladung an mich getippt?«

»Später an dem Tag. Er schlief unter den Hickorybäumen im Garten in seiner Hängematte. Es ging ihm wesentlich besser, aber er war auf das Morphium angewiesen und erinnerte sich nur undeutlich an die vorangegangene Woche.«

»Und am Montag hast du ihn dann nach Tupelo gefahren?«

»Ja. Er wäre selbst gefahren, aber nachdem ich da war, bat er mich, den Chauffeur zu spielen.«

»Und du hast dich zwischen den Bäumen vor der Klinik versteckt, damit dich keiner sieht.«

»Du bist ja gut informiert. Was weißt du noch?«

»Nichts. Ich habe nur Fragen. An dem Tag, als ich die Einladung erhielt, hast du mich abends angerufen und behauptet, du hättest auch eine bekommen. Du hast mich gefragt, ob ich mich telefonisch bei Vater melden würde, und ich sagte nein. Was, wenn ich ihn angerufen hätte?«

»Das Telefon in Maple Run war kaputt.«

»Wie das?«

»Die Telefonleitung läuft durch den Keller, und da unten war ein Kontakt locker.«

Ray nickte. Ein weiteres kleines Geheimnis war gelöst.

»Außerdem ging er meistens sowieso nicht ans Telefon«, setzte Forrest hinzu.

»Wann hast du sein Testament neu geschrieben?«

»Am Tag vor seinem Tod. Ich fand das alte, aber das gefiel mir nicht. Also korrigierte ich seinen Fehler und teilte das Erbe gerecht zwischen uns beiden auf. Was für eine lächerliche Idee – zu gleichen Teilen. Was für ein Idiot ich war. Ich kenne mich eben nicht mit den Gesetzen aus. Ich dachte, da wir die einzigen Erben sind, wird alles in zwei Hälften geteilt. Mir war nicht klar, dass Rechtsanwälte darin geübt sind zu behalten, was sie finden, ihre Brüder zu bestehlen,

Vermögen zu verstecken, das ihnen in Verwahrung gegeben wurde, ihren Eid zu ignorieren. Das hatte mir niemand gesagt. Ich habe versucht, fair zu sein. Wie dumm von mir.«

»Wann starb er?«

»Zwei Stunden, bevor du kamst.«

»Hast du ihn getötet?«

Ein verächtliches Schnauben, aber keine Antwort.

»Hast du ihn getötet?«, wiederholte Ray.

»Nein, der Krebs hat ihn getötet.«

Ray beugte sich vor, um seinen Bruder ins Kreuzverhör zu nehmen. »Nur damit keine Zweifel aufkommen: Du hast acht Tage lang da rumgehangen, und er stand die gesamte Zeit unter Drogen. Dann stirbt er praktischerweise zwei Stunden vor meiner Ankunft.«

»Richtig.«

»Du lügst.«

»Also gut, ich habe ihm mit dem Morphium geholfen. Fühlst du dich jetzt besser? Er weinte vor Schmerzen, konnte weder laufen noch essen, noch trinken, er konnte nicht aufs Klo gehen und nicht einmal auf einem Stuhl sitzen. Du warst nicht dabei, aber ich. Er hat sich für dich fein angezogen. Ich rasierte ihn und half ihm auf das Sofa. Er war zu schwach, um sich Morphium zu spritzen, also tat ich es für ihn. Er schlief ein, und ich verließ das Haus. Dann kamst du. Du fandest ihn und das Geld, und damit fingen die Lügen an.«

»Weißt du, woher das Geld stammt?«

»Nein. Aus irgendeiner Quelle an der Küste, nehme ich an. Im Grunde ist es mir egal.«

»Wer hat mein Flugzeug abgefackelt?«

»Das war ein Verbrechen, und deshalb weiß ich darüber nichts.«

»Dieselbe Person, die mich einen Monat lang beschattet hat?«

»Ja. Eigentlich waren es zwei, Leute, die ich aus dem Gefängnis kenne, alte Freunde. Sie waren gut, aber du hast ihnen die Sache leicht gemacht. Sie haben eine Wanze unter dem Stoßfänger deines schnuckeligen kleinen Autos angebracht und dich über das GPS-Satellitensystem verfolgt. Wir wussten immer, wo du warst. Ein Kinderspiel.«

»Warum hast du das Haus niedergebrannt?«

»Ich streite jegliche Gesetzesübertretung ab.«

»Wegen der Versicherung? Oder um mich ganz vom Erbe auszuschließen?«

Forrest schüttelte den Kopf, er leugnete alles. Die Tür öffnete sich, und Allison steckte ihr langes, eckiges Gesicht herein. »Alles in Ordnung hier drin?«

Ja, danke, uns geht es super.

»Noch sieben Minuten.« Damit schloss sie die Tür. Eine Ewigkeit lang schienen beide irgendwelche Punkte auf dem Boden anzustarren. Von draußen war kein Geräusch zu hören.

»Ich wollte nur die Hälfte, Ray«, sagte Forrest schließlich.

»Du kannst jetzt die Hälfte haben.«

»Dafür ist es zu spät. Inzwischen weiß ich, was ich mit dem Geld anfangen werde. Du hast es mir gezeigt.«

»Ich hatte Angst davor, dir das Geld zu geben, Forrest.«

»Angst?«

»Angst, dass du dich damit umbringen würdest.«

»Tja, und dabei sitze ich hier.« Forrests rechter Arm beschrieb eine Geste, die den Raum, die Ranch, ja den gesamten Staat Montana umfasste. »*Das* tue ich mit dem Geld. Man kann nicht gerade behaupten, dass ich mich umbringe, oder? Ich bin wohl doch nicht ganz so verrückt, wie alle dachten.«

»Ich habe einen Fehler gemacht.«

»Was für einen Fehler? Den Fehler, dich erwischen zu

lassen? Den Fehler, mich für einen kompletten Idioten zu halten? Die Hälfte des Geldes zu wollen?«

»Alles.«

»Ray, auch ich habe Angst davor, es zu teilen, genau wie du. Angst davor, dass dir das Geld zu Kopf steigt, dass du es für Flugzeuge und in Kasinos ausgibst. Du könntest ein noch größeres Arschloch werden, als du ohnehin schon bist, Ray. Davor muss ich dich schützen.«

Ray verlor die Beherrschung nicht. Bei einer Prügelei mit seinem Bruder konnte er nur verlieren. Am liebsten hätte er ihm mit einem Baseballschläger eins übergezogen, aber was hätte das gebracht? Selbst wenn er ihn erschießen würde, würde er das Geld nicht finden.

»Und wie sehen deine Pläne aus?«, fragte er so beiläufig wie möglich.

»Keine Ahnung, ich habe mich noch nicht festgelegt. In der Therapie träumt man viel, aber sobald man herauskommt, erscheinen einem alle Träume albern. Auf jeden Fall gehe ich nicht nach Memphis zurück. Zu viele alte Freunde dort. Und nach Clanton auch nicht. Ich werde mir irgendwo eine neue Heimat suchen. Was ist mit dir? Was wirst du tun, jetzt, wo du die Chance deines Lebens verspielt hast?«

»Ich hatte früher ein Leben, Forrest, und das habe ich auch jetzt noch.«

»Sehr richtig. Du sackst pro Jahr hundertsechzigtausend Dollar ein, und ich wage zu bezweifeln, dass du hart dafür arbeitest. Keine Familie, keine hohen Fixkosten, jede Menge Geld, um zu tun, was du willst. Du hast doch alles. Gier ist ein merkwürdiges Phänomen, nicht wahr, Ray? Du findest drei Millionen Dollar und beschließt, du brauchst alles. Nicht einen Cent für deinen verkorksten kleinen Bruder, nicht einen einzigen miesen Cent. Du nimmst dir das Geld und versuchst, damit abzuhauen.«

»Ich wusste nicht, was ich mit dem Geld anfangen sollte, genau wie du.«

»Aber du hast es genommen, alles, den ganzen Batzen.
Und du hast mich belogen.«

»Das stimmt nicht. Ich habe es nur in Verwahrung
genommen.«

»Und es ausgegeben – in Kasinos, für Flugzeuge.«

»Nein, verdammt! Ich spiele nicht, und ich miete schon
seit drei Jahren immer wieder mal eine Maschine. Ich hatte das Geld in Verwahrung genommen, Forrest, um in
Ruhe überlegen zu können. Das alles ist doch kaum fünf
Wochen her.«

Der Ton war lauter geworden, und das Echo hallte in
dem leeren Raum. Allison warf einen Blick ins Zimmer,
bereit, das Gespräch zu beenden, sollte der Patient unter
Stress stehen.

»Hör mir doch eine Minute zu«, sagte Ray. »Wir wussten beide nicht, was wir mit dem Geld anfangen sollen.
Kaum hatte ich es gefunden, begann jemand, mich zu ter-
rorisieren, und ich vermute, das warst du mit deinen Kum-
peln. Da kannst du es mir wohl kaum verdenken, dass ich
mit dem Geld die Flucht ergriffen habe.«

»Du hast mich belogen.«

»Und *du* hast *mich* belogen. Du hast nicht mit Vater
gesprochen, du hast neun Jahre lang keinen Fuß in das
Haus gesetzt – alles gelogen, Forrest, alles Teil eines
Betrugs. Warum hast du das getan? Warum hast du mir
nicht einfach von dem Geld erzählt?«

»Warum hast *du mir* nicht davon erzählt?«

»Vielleicht hätte ich das ja noch getan, ich weiß selbst
nicht, was ich vorhatte. Es ist nicht einfach, einen klaren
Gedanken zu fassen, wenn man seinen Vater tot auffindet,
über drei Millionen Dollar Bargeld stolpert und dann fest-
stellt, dass jemand bereit ist, einen für dieses Geld zu

ermorden. So etwas passiert mir nicht jeden Tag, entschuldige also, wenn es mir in einer solchen Situation an Erfahrung mangelt.«

Es wurde still im Zimmer. Forrest klopfte mit den Fingerspitzen gegeneinander und starrte an die Decke. Ray hatte alles gesagt, was er sagen wollte. Allison rüttelte am Türknopf, kam aber nicht herein.

Forrest beugte sich vor. »Diese beiden Brände – das Haus und das Flugzeug ... Gibt es jetzt ... *neue* Verdächtige?«

Ray schüttelte den Kopf. »Von mir erfährt niemand etwas.«

Eine weitere Pause folgte, dann war ihre Zeit zu Ende. Forrest erhob sich langsam und blickte auf Ray herab. »Gib mir ein Jahr. Wenn ich hier herauskomme, werden wir reden.«

Die Tür öffnete sich. Als Forrest an Ray vorbeiging, ließ er seine Hand über dessen Schulter streifen. Es war nur eine leichte Berührung, kein liebevolles Tätscheln, aber immerhin eine Berührung. »Wir sehen uns in einem Jahr, Bruderherz.«

Damit war er verschwunden.

Werkverzeichnis der im Heyne Verlag erschienenen Titel von John Grisham

> Bonusmaterial

HEYNE<

Der Autor

John Grisham wurde am 8. Februar 1955 in Jonesboro/ Arkansas, geboren. Als junger Mann träumte er von einer Karriere als Profi-Baseballspieler, doch als sich diese Pläne zerschlugen, studierte er in Mississippi Rechnungswesen und Jura. 1981 schloss er sein Studium erfolgreich ab und heiratete im selben Jahr Renee Jones.

Er ließ sich in Southaven/Mississippi als Anwalt für Strafrecht nieder und engagierte sich außerdem in der Politik. 1983 und 1987 wurde er in das Abgeordnetenhaus von Mississippi gewählt.

Der schreckliche Fall einer vergewaltigten Minderjährigen brachte ihn zum Schreiben. In Früh- und Nachtschichten entstand sein erster Thriller, *Die Jury,* der 1988 in einem kleinen, unabhängigen Verlag erschien.

Sofort nach Fertigstellung von *Die Jury* begann John Grisham mit seinem nächsten Buch, *Die Firma.* Noch vor Erscheinen des Buches erwarb Paramount Pictures die Filmrechte, wodurch die großen Verlage aufmerksam wurden. Schließlich kaufte Doubleday die Buchrechte, und *Die Firma* wurde der Bestseller des Jahres 1991 und stand 47 Wochen in Folge auf der *New York Times*-Bestsellerliste.

Seither hat John Grisham jedes Jahr ein neues Buch veröffentlicht. Alle seine Bücher kamen auf die internationalen

Bestsellerlisten; sie wurden in 38 Sprachen übersetzt. Weltweit sind über 275 Millionen Exemplare verkauft worden. Die meisten seiner Romane wurden auch verfilmt.

Heute lebt John Grisham mit seiner Frau Renee zurückgezogen in Charlottesville/Virginia und auf einer Farm in Oxford/Mississippi. Neben dem Schreiben fördert er die Baseball-Jugend und engagiert sich in karitativen Projekten. Er versucht dem Medienrummel zu entgehen und ein möglichst normales Familienleben zu führen.

»Grisham bürgt für Hochspannung und Qualität, er ist die oberste Instanz des Thrillers.« *Neue Zürcher Zeitung*

»Mit John Grishams Tempo kann keiner mithalten.« *The New York Times*

»John Grisham ist so viel besser als alle anderen.« *Süddeutsche Zeitung*

Die Romane

Die Jury
A Time to Kill

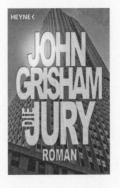

Ein zehnjähriges schwarzes Mädchen wird brutal misshandelt und verge- waltigt. Ihr Vater, Carl Lee Hailey, übt Selbstjustiz und tötet die geständigen Täter. Mord oder Hinrichtung? Ge- rechtigkeit oder Rache? Jetzt geht es um viel mehr: den Rassenkonflikt, die Machenschaften der Presse und nicht zuletzt die persönlichen Interessen von Staatsanwalt, Richter und Verteidiger.

Die Firma
The Firm

Etwas ist faul an der exklusiven Kanzlei, der Mitch McDeere sich verschrieben hat. Der hochbegabte junge Anwalt wird auf Schritt und Tritt beschattet, er ist umgeben von tödlichen Geheimnissen. Als er dann noch vom FBI unter Druck ge- setzt wird, erweist sich der Traumjob endgültig als Albtraum.

Die Akte

The Pelican Brief

In einer Oktobernacht werden zwei Richter des obersten Bundesgerichts der USA ermordet. Die Jurastudentin Darby Shaw legt eine Akte über den schlimmsten politischen Skandal seit Watergate an – ein tödliches Dokument für alle, die sie kennen. Eine erbarmungslose Jagd beginnt.

Der Klient

The Client

Der elfjährige Mark beobachtet den Selbstmordversuch eines Mannes. Er will eingreifen, aber es ist zu spät. Der Mann, ein New Yorker Mafia-Anwalt, stirbt, nachdem er ein Geheimnis preisgegeben hat: Er nennt den Ort, an dem der ermordete Senator begraben liegt, dessen mutmaßlicher Mörder vor Gericht steht. Mark gerät in die Zwickmühle: FBI und Staatsanwaltschaft setzen ihn unter Druck, damit er auspackt. Die Mafia ihrerseits versucht mit allen Mitteln das zu verhindern.

Die Kammer

The Chamber

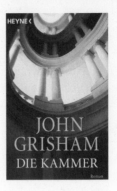

Im Hochsicherheitstrakt des Staatsgefängnisses von Mississippi wartet Sam Cayhall auf die Hinrichtung. Er ist wegen eines tödlichen Bombenanschlags verurteilt. Seine Lage ist hoffnungslos. Nur der Anwalt Adam Hall kann ihm noch eine Chance bieten. Es geht um Tage, Stunden, Minuten.

Der Regenmacher

The Rainmaker

Rudy Baylor, ein Jurastudent im letzten Semester, gewinnt seine ersten »Mandanten«, ein Ehepaar, dessen Sohn an Leukämie erkrankt ist. Die Krankenversicherung weigert sich, für die wahrscheinlich lebensrettende Therapie zu zahlen. Rudy erkennt bald, dass er es mit einem riesigen Versicherungsskandal zu tun hat. Er nimmt den Kampf gegen eines der mächtigsten, korruptesten und skrupellosesten Unternehmen Amerikas auf.

Das Urteil

The Runaway Jury

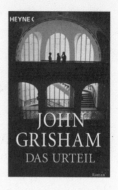

In Biloxi, einer verschlafenen Kleinstadt in Mississippi, findet ein Prozess statt, der weltweit Aufsehen erregt. Der Richter lässt die Geschworenen von der Außenwelt abschotten, weil er fürchtet, dass die Jury von außen kontrolliert wird. Für einen mächtigen Konzern geht es um Milliardengeschäfte.

Der Partner

The Partner

Bevor sie die Falle zuschnappen ließen, hatten sie Danilo Silva rund um die Uhr bewacht. Er führte ein ruhiges Leben in einem heruntergekommenen Viertel einer kleinen Stadt in Brasilien. Nichts deutete darauf hin, dass er neunzig Millionen Dollar beiseite geschafft hatte.

Der Verrat

The Street Lawyer

Michael Brock ist der aufsteigende Stern bei einer einflussreichen Anwaltskanzlei in Washington D. C. Er führt ein Leben auf der Überholspur, bis eine Geiselnahme alles verändert. Der Geiselnehmer, ein heruntergekommener Obdachloser, wird erschossen. Michael forscht nach den Hintergründen dieser Tat und spürt ein schmutziges Geheimnis auf.

Das Testament

The Testament

Ein milliardenschwerer, lebensmüder Geschäftsmann, eine gierig lauernde Erbengemeinschaft, die im brasilianischen Regenwald arbeitende Missionarin Rachel und ein ehemaliger Staranwalt, der es noch einmal wissen will – das sind die Akteure in diesem Drama. Es geht um Geld, Macht und Ehre, und es geht um Leben und Tod.

Die Bruderschaft

The Brethren

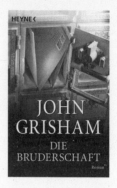

Drei verurteilte Richter brüten im
Gefängnis über einem genialen Coup.
Wenn alles klappt, haben sie für die
Zeit nach dem Knast ausgesorgt. Sie
sind gerissen und haben die richtigen
Kontakte, aber ist ihre Strategie wirk-
lich wasserdicht? Meisterhaft entwirft
John Grisham ein raffiniertes Szena-
rio, bei dem keiner seiner Helden ungeschoren davonkommt.

Die Farm

A Painted House

In der staubigen Hitze von Arkansas wird ein neugieriger
Siebenjähriger plötzlich mit den harten Realitäten des Lebens konfrontiert. Während Luke noch von Baseball träumt
und heimlich die Erwachsenen belauscht, gerät er unvermu-
tet in ein Drama um Liebe und Tod, in dem er selbst eine
entscheidende Rolle spielt.

Das Fest

Skipping Christmas

Als Luther und Nora zum ersten Mal seit zwanzig Jahren ein kinderloses Weihnachtsfest auf sich zukommen sehen, beschließen sie, mit den gesellschaftlichen Konventionen zu brechen und das Fest erstmals ausfallen zu lassen. Obwohl deshalb allerorts geächtet, halten sie eisern durch, bis am Morgen des 24. Dezember ein Anruf aus der Ferne alle Pläne durchkreuzt. Ein Wettlauf gegen die Zeit beginnt. – Mit seiner urkomischen Weihnachtskomödie beweist John Grisham, dass er auch als Humorist unschlagbar ist.

Der Richter

The Summons

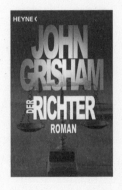

In diesem Bestseller kehrt John Grisham zurück nach Clanton, Mississippi, einer fiktiven Kleinstadt in einem Bezirk, wo der Autor einst selbst als Anwalt tätig war. Dort, im tiefen Süden der USA, muss Ray Atlee das finstere Erbe seines patriarchalischen Vaters, des alten Richters Atlee, antreten. Und schon bald merkt Ray, dass er nicht der Einzige ist, der dessen schreckliches Geheimnis kennt.

Die Schuld

The King of Torts

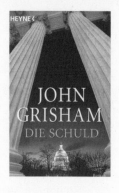

Clay Carter muss sich schon viel zu lange und mühsam seine Sporen im Büro des Pflichtverteidigers verdienen. Nur zögernd nimmt er einen Fall an, der für ihn schlicht ein weiterer Akt sinnloser Gewalt in Washington D.C. ist: Ein junger Mann hat mitten auf der Straße scheinbar wahllos einen Mord begangen. Clay stößt aber auf eine Verschwörung, die seine schlimmsten Befürchtungen weit übertrifft.

Der Coach

Bleachers

Grishams wohl persönlichstes Buch – ein bewegender Roman um eine väterliche Freundschaft, um Rückkehr und Abschied und um das Spiel des Lebens, das ganz eigenen Regeln gehorcht. Fünfzehn Jahre nach dem tragischen Ende seiner kurzen, glorreichen Profi-Karriere kehrt Neely heim, um sich von seinem damaligen Coach zu verabschieden, der im Sterben liegt.

Die Liste

The Last Juror

Ein junger Zeitungsreporter trägt mit exklusivem Materi-
al zur Aufklärung eines grausamen Mordes bei, woraufhin
die Begeisterung groß ist. Doch als der mächtige Verurteilte
in aller Öffentlichkeit das Leben der Geschworenen bedroht
und Rache schwört, verstummen die Jubelrufe. Neun Jahre
später kommt der Mörder frei und macht sich daran, seine
Drohung in die Tat umzusetzen.

Die Begnadigung

The Broker

Die letzte Amtshandlung des Prä-
sidenten der Vereinigten Staaten ist
die Begnadigung eines berüchtigten
Wirtschaftskriminellen. Joel Back-
man war bis zu seiner Verurteilung einer der skrupellosesten Lobbyisten in
Washington. Niemand weiß, dass die
umstrittene Entscheidung des Präsi-
denten erst auf großen Druck des CIA zustande kam.
Eine brisante Geschichte aus dem Zentrum der Macht, die
nicht vom Weißen Haus, sondern von einem unkontrollier-
baren Staat im Staate ausgeht.

Der Gefangene

The Innocent Man

Debbie Carter arbeitet als Bardame im Coachlight Club in Ada, Oklahoma. Eines Morgens wird die junge Frau vergewaltigt und erwürgt in ihrer Wohnung aufgefunden. Sechs Jahre später werden Ron Williamson, ein Stammgast von Debbie, und sein Freund Dennis Fritz aufgrund einer Falschaussage der Tat bezichtigt. Williamson wird zum Tode, Fritz zu lebenslanger Haft verurteilt. Beide beteuern ihre Unschuld.

Touchdown

Playing for Pizza

Als einst umjubelter Football-Star steht Rick Dockery plötzlich vor dem Aus. Ein Angebot aus dem fernen Italien kommt ihm da sehr gelegen: Die Parma Panthers suchen einen neuen Spielmacher. Rick zögert nicht, und aus der Reise ins Ungewisse wird der Aufbruch in ein neues Leben.

Berufung

The Appeal

Sie verlor ihre ganze Familie. Um ihren Tod zu sühnen, zieht Jeannette Baker gegen einen der größten Chemiekonzerne der USA vor Gericht. Als ihrer Klage stattgegeben und das Unternehmen zu 41 Millionen Dollar Schadenersatz verurteilt wird, ist die Sensation perfekt. Doch dann geht Krane Chemical Inc. in Berufung, und eine Intrige unglaublichen Ausmaßes nimmt ihren Lauf.

Der Anwalt

The Associate

Kyle Mc Avoy steht eine glänzende Karriere als Jurist bevor. Bis ihn die Vergangenheit einholt. Eine junge Frau behauptet, Jahre zuvor auf einer Party in Kyles Appartement vergewaltigt worden zu sein. Kyle weiß, dass diese Anklage seine Zukunft zerstören kann. Und er trifft eine Entscheidung, für die er mit allem brechen muss, was bisher sein Leben bestimmt hat.

Das Gesetz

Ford County

Inez Graney scheut keine Mühe, um ihren Sohn zu besuchen. Seit elf Jahren sitzt Raymond im Todestrakt. Seine Brüder, die ihre Mutter stets begleiten, halten Raymond für einen schrägen Vogel. Oft muss Inez zwischen ihren Söhnen vermitteln. So auch diesmal, an diesem besonderen Besuchstag, an dem Raymond Graney hingerichtet wird. John Grisham erzählt Stories, die den Leser ins Herz treffen, und schafft Figuren, die man nie mehr vergisst. Ein Meisterwerk!

Das Geständnis

The Confession

Ein Geständnis in letzter Sekunde steht am Anfang von John Grishams neuem großem Roman. Travis Boyette, ein rechtskräftig verurteilter Sexualstraftäter, der mehr als sein halbes Leben hinter Gittern verbracht hat, gesteht einen Mord, für den ein anderer verurteilt wurde: Donté Drumm. Dieser sitzt seit acht Jahren in der Todeszelle und soll in genau vier Tagen hingerichtet werden. Ein verzweifelter Wettlauf gegen die Zeit beginnt.

John Grisham

»Seine zehn Gebote heißen Spannung.« *Der Spiegel*

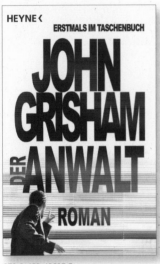

978-3-453-43537-7

Leseproben unter: **www.heyne.de**

HEYNE ‹

Robert Harris

»Robert Harris ist ohne Frage der beste englische Thrillerautor.« *The Times*

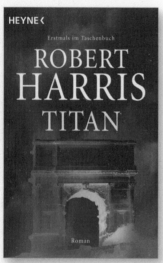

978-3-453-43547-6

Vaterland
978-3-453-07205-3

Enigma
978-3-453-11593-4

Pompeji
978-3-453-47013-2

Aurora
978-3-453-43209-3

Imperium
978-3-453-47083-5

Ghost
978-3-453-40614-8

Leseproben unter: **www.heyne.de**